D1745392

天性就是财富

性格决定命运

性格品味

Grade of Character

G·丽菲/著

时代文艺出版社

性格品味

G·丽菲 /著

时代文艺出版社

图书在版编目(CIP) 数据

性格品味/G·丽菲著.—2 版.—长春：
时代文艺出版社,2001.7
ISBN 7－5387－1259－3

Ⅰ.性… Ⅱ.①G… Ⅲ.散文－作品集－中国－当代
Ⅳ.Ⅰ267

中国版本图书馆 CIP 数据核字（2001）第 029775 号

性格品味

作　　者	:	G·丽菲
责任编辑	:	赵　岩
责任校对	:	赵　岩
装帧设计	:	老　家
出　　版	:	时代文艺出版社
		（长春市人民大街 124 号　邮编:130021　电话:5638648）
发　　行	:	时代文艺出版社
印　　刷	:	北京通州运河印刷厂
开　　本	:	850×1168 毫米　32 开
字　　数	:	260 千字
印　　张	:	12
版　　次	:	1998 年 6 月第 1 版第 1 次印刷
印　　次	:	2001 年 7 月第 2 次印刷
印　　数	:	5000

书　　号	:	ISBN 7－5387－1259－3/Ⅰ·1212
定　　价	:	22.00 元

目　　录

第5章 成为生活的旁观者，

      你就是一只自由品味的鸟 / 165

第1章

男人本色和女人本身

——男人被我迷惑住了可能是上帝的失误；我被他们拉下了水是因为记错了《圣经》：迷途的羔羊是最可爱的。我爱迷途，只要这样能惹人爱的话。

——女人用耳朵恋爱，而男人却用眼睛；这就使爱情变成了一场赌博。

爱，使所有人都成了语无伦次的输家。

人只希望被爱的是自己。可以说这是非资本主义的方式，这是一种美国人的要求和期望。现在真实的小女孩已经消失了，所以人们的少女崇拜之心也就过时了。

天国的大门对失恋之人开放的程度比对歇斯底里的情爱要大得多。

并不是爱情使我们厌倦了生活，而是我们不能成为自由人。婚后男人的自由几乎全是悄悄偷来的。

不怕肉欲的男人可从妓女的慷慨和直率中获得享受，他将体验到尚未被道德弄得淡而无味的女性兴奋。在她身上发现女人和星星、大海互为姐妹的品德。亨利·米勒同一个妓女睡觉，他发觉自己体验到了生活、死亡、宇宙的深度，并从妓女怀里遇见了上帝。

美式性格很多是自欺式的性格。

我知道，与公众打交道时很难做到既有效又有礼。尽管如此，我也无法喜欢在接受爱的同时又被当作嫌疑分子。门一关上，爱就变了，生活每天都专门发生这种奇迹。

斯特恩斯是一位我旧日的朋友，他搭上了同事法斯特的妻子苏珊，几乎每一个星期三下午斯特恩斯都要到法斯特家同苏珊幽会。

一日，正当他俩欢娱之时，法斯特打来了电话，告诉苏珊他要在外面过夜了。苏珊问法斯特又和谁在一起？法斯特说："我现在正和斯特恩斯打保龄球呢。"

根据最近一项调查发现，在美国，50%至70%的男性及30%至50%的女性在某些情况下会出现不轨行为，在婚姻关系中，几近80%的夫妇遭遇配偶不忠的状况。

有些做丈夫的当众向自己的妻子献殷勤，这是最危险不过了。因为看起来像美满的生活，肯定让人感到怀疑。

男人对女人有双重要求，这造成了他的欺骗。

男人要女人是他的，却又要与他不一样，男人在自欺欺人方面相当有天才。

在美国，相信男人的女人遍地都是，认出她们很容易。因为一眼看去就知道她们挺不幸。

你和他在一起将会过怎样的生活？你会感到时时刻刻他

在对你撒谎。你会感到他的眼神是虚伪的，他的声音是虚伪的，他的抚摸是虚伪的，他的热情是虚伪的。

当他厌倦了别的女人来到你的身旁时，你又不得不安慰他。当他一心迷恋着别的女人来到你的身旁时，你就不得不迷诱他。你只得做他真实生活的假面，为他掩盖丑闻。

美国婚姻的迷人之处在于男女双方都要靠相互欺骗才能美满地生活下去。

我和法斯特一样从来不知道妻子在哪里，她也从来不知道我在干什么。

我们见面的时候——我们偶尔见面，比如我们一块吃饭，或者去做客——我们就摆出一本正经的表情，互相交谈着一些极其荒谬可笑的谎话。我的妻子很善于此道。

事实上，她比我更精于此道。

同床异梦的婚姻把我们都打扮成了地道的体面人，这是最让人开心的西方文明。

女人天性靠情感生活，哪怕充满阴影的情感也行。

由于女人的肉体与鲜花、皮衣、珠宝、贝壳、服饰融为一体，她变成了植物、黑豹、钻石、珍珠母，她使自己发出阵阵百合花和玫瑰花的芳香，而服饰、丝绸、珍珠把她肉体及气味的动物性一同隐藏起来。

她抹口红，涂胭脂，使之成为一个固定的面具；男人希望女人是美的，结果总是帮她失去了原有的魅力。在忍受痛苦方面，女人比男人更适应。

杰克是一个医药保健品经销商，经常要东奔西跑，所以一夜风流的机会也多，对他来说外遇根本不是问题。

他认为男人都喜欢掌控的感觉，他不相信那些诸如亲密关系之类的心理说法。他不断地告诉妻子，这件事情和她无关，要不是妻子告诉他受不了了，要离开他，他的这种想法可能永远也不会改变。

女人靠品味感情生活，她们也只想着她们自己的情感。有些女人要情人，无非是为了有个人可以向他哭哭闹闹。

一个男人可以向一个女人要求任何东西，但他必须尽可能使她的行为与她内心深处的自我欺骗和谐一致，春天是令人激动的骗局，连石头也恨不得像草木一样发芽开花，男人有理由比春天更聪明。

一件婚事把地位、财产、双方的处境都考虑到，要比爱情的结合好十倍。现代爱情很难发生在婚姻里。

大自然的目的首先是繁殖生物；从山巅到海底，生命到处都害怕死亡。上帝为了保存它的创造物，因此定下这条法则，那就是：一切生物的最大快乐就是生殖行为。

旁人的意见对于女人的生活竟有这么大的关系。我认为这对女性的情感投上了一层不真挚的暗影。我问过她们，结果是没有阴影的日子她们反倒过不好。

再狼狈的少女之春也是美丽的。

青春期是性格被扭曲了的骄傲，当热恋导致亵渎，实际就是堕落的时刻，禁忌反倒产生诱人的冲动。

你的青春一旦消逝，你的美貌也将随之而去，那时你会突然发现等待着你去夺取的目光已经不复存在，你只能用微不足道的眼神安慰自己，这种对往昔的回忆其实比失败更加痛苦。每过一个月你就朝着不情愿的东西更接近一步。

时间妒忌你，它要对你脸上的百合花和玫瑰花开战。

你会变得脸色发黄、双颊凹陷、眼光呆滞。你会感到极大的痛苦……啊！享受你的青春吧，趁着你还年轻。

不要枉度了你的金色年华，别听那些令人生厌的陈词滥调，别去试图挽回那些无可救药的失败，不要在愚昧、低贱和庸俗中浪费光阴。

享受你命中注定的美好生活吧！什么也别放过，永远探求新的感觉，无所畏惧……一种新的享乐主义——就是我们这个时代的胃口。

女人是易变的，这就如流动的水，而且没有什么人的力量能挽救这一不幸的真理。

一个女孩子不能随随便便结识一个丈夫，像一个星期的每一天都局于这个星期一样。一个女孩可以身不由己地同时是一大堆男人的情人，这却成了常识。

米姆是我惟一的妹妹，从小就梦想着当一名演员。20岁的时候她去了西海岸。3年后回到了纽约，当她重新走进我的生活，我却忽然感到她不再是从前的米姆了。

我们拥抱着，米姆冷冷地吻了一下我的脸颊，她好像没有化妆，没涂口红，可眼睛除外，不像常人，而像埃及人，眼睛周围涂满了孔雀的紫蓝色，不只是勾勾轮廓，而是重新创造。就是这双眼睛显示出了一种纯粹的职业性。

米姆回来的那段日子，我们之间除了战争就是战争，在我的感觉中她不再是米姆，而是某一个和我有着私情的女人。

米姆不止一次地问我："你什么时候变成了一个好战者?"

我说:"不是所有的战争我都喜欢。"

米姆说:"你好像在为自由而疯狂?"

"有什么东西值得你学习吗?"

"噢,听起来健康正常,不过却相当非美国化。"

我们之间的战争一直未能停止,可我们的步调却是一致的。

谈及米姆在西海岸的生活,我问:

"这几年你的日子过得怎样?"

"过得去。"

"是有人占着你还是每夜一个新的?"

米姆笑了:"算了,你是我哥哥。你说的都不是,我是职业妇女。你想得到的东西都得付钱,这些都是活命的规矩,那正是目前存在的东西。你要当心它。"

"我已经把这个问题看得很清楚。"

"我清楚你是想和我交换经历,你知道,我到那边去是想当个女演员,从某种意义上说,我已经是一个演员了,只不过我一次只满足一个观众。从某些方面来说,这更亲密。我没有 30 岁以下的观众,就是这样。还是没去西海岸的时候,我就知道你不是个忠实于爱情的家伙,当然,现在我们都清楚婚姻里面是不会有爱情的。好了,给我讲讲你的生活吧。"

"我不是一个忠实于爱情的家伙,米姆。在生活中,我常常要和自己搏斗。"

性格的品味是一个魔术师,它能使一头狮子变成一只羔羊，就跟使一条手帕变成一只花盆那样容易！

芬芳，潮润，疲倦，厌恶——描写这类的书简直多如牛毛。品味常掩盖厌恶：然而得到满足后性格又显露出来。有人说："性交如野兽。"又说："贪色可鄙。"但是男人在其爱人的怀抱里并未找到最终的满足。过了不久欲望又重新滋生，这种欲望不是针对一般的女人，而是特定的那个人。

和女人谈情说爱，年轻固然重要，而美貌也是个有利的条件。但有人要魅力一直到老，这简直太不讲道理了。

干了坏事的人脸上会有反应，要瞒也瞒不住。人们有时候闪烁其词地谈论一些坏事，其实这种事是不存在的。坏人干了坏事，总会在他嘴角的线条里，在他低垂的眼皮下，甚至在他一双手的轮廓上表现出来。

凭今天男人那种血统，怎么能保持自身清白？

本性是一种搏斗，它要求男人时刻超越男人，这样才表现出一种真正的男子气。这种超越使他放弃了一切占有。但是，这种超越永不会实现，必须让它一刻不息，它也需要一种永恒的紧张状态。所以在孤独寂寞中完全不可能实现自我的男人与他同伴的关系一直处于危险中：他的一生是脚踏贼船的探险。

我们比以往更渴望爱情的标新立异，可是越来越多过时的偶像却阻碍着它。一个没有灵魂品味的、只有商业气息的世界等待着各种性格的回归。

性格是品味的号角。

她洞察了我的内心——我当时认为她凭的是某种直觉——在别人没有发现任何纰漏的地方，她发现了我久蓄待发的热情犹如不可告人的冲动。

有人说，没有热情也可以有爱，我认为是胡说；他们说热情没有了，爱仍旧可以继续波澜起伏，他们指的只是男女之间毫无新意的四肢交错。

两个人可以由于习惯继续发生性关系，就像到了吃饭的时候肚子觉得饿一样。当然，人可以有欲望而没有爱。

欲望并不是热情。欲望是性的本能的天然结果，它比人这个动物的其他功能并不更重要些。所以有些做丈夫的在时间地点适合时偶尔放纵一下，他们的妻子那么大惊小怪，实在用不着。爱情要么是疯狂的，要么什么都不是。

一个家庭生活顾问曾谈到下面的一个例子。

一个泪流满面的女人对他说："结婚6年之后，我丈夫对我再也不感兴趣了。我们像兄妹一样一起生活。我们常争吵，争吵后的和解越来越少。我丈夫不再碰我，我知道，他是有了外遇。"

这个女人30岁，漂亮、动人——走在街上，男人们都会扭头看她，那么，到底发生了什么事？

她的丈夫解释道："她总是拒绝我，后来我决定不再听她的摆布，我能找到喜欢我的女人，我对这种像狗一样的生活厌烦透了。"

他对一件事记得特别清楚：夏季的某天下午，天很热，他听见妻子在房间里动什么东西，就来到了妻子身边。她正在挂衣服。他从后面温柔地搂住她的脖子。她转过身，他将她搂进怀里。

"来。"他说。

"你疯了，"她一边挣脱身子，一边说，"你看得很清楚，我有事要做，我总不能放下手里的活吧。"

"我求你……"

"得了，你就不能等到晚上！"

她丈夫的评论大概所有男人都会同意：

"把洗衣服看得比我重要，怎能相信她果真爱我？您看，医生，她很有理由地要我在她身边忘掉我的职业，忘掉我的消遣，忘掉其他女人，可是她从来不会在我要她的节骨眼上，放下正洗的衣服或者同意将她的装束搞乱。"

我们在这里很难说男的有"错"，还是女的有"错"。可是两个人结合这么多年，却不善于协调他们各自的意向，是不是都有不足之处呢？

大多数人结婚时，总是认为他们在做一件很有品味的事。殊不知自从亚当和夏娃以来，已有多少人结过婚了。

结婚仪式剥夺了女人的性格魅力，并使她在经济上和社会上依从于丈夫，"好妻子"是男人们珍贵的财产，她深深地从属于他，并同他拥有相同的属性：她有他的名字、他的上帝，而他则对她全面占有。他称她为"那一半"，他以自己的妻子为骄傲，正如对他的房子、土地、牲畜、财产那样；更有甚者，通过她，他向世界展示了他的原野。她是他的国土，是他根本的一部分。

对于一个自己有足够的生活资料的女人来说，结婚像是一种不可救药的重病。

女人就该结婚。倘若她有了五六个孩子，脑子里就不会再胡思乱想别的事了。

男人总是热衷女人的脸，他们的品味很难上升到热爱女人的头脑。

婚姻这种温柔的关系，渊源于感情的洋溢，以及其他婚外风险等等。在感情上的赌注一般都表现得有去无回。

结婚毕竟是一种只有情欲才使其具有价值的风险……结婚是繁殖的本能，结果是开出了许多意外之花。

女人的特殊功能是繁殖种族。她要是聪明，她就会选择一个强壮而健康的男人做孩子们的爸爸。我无法容忍那些嫁一个男人只是因为他有头脑的女人。

平常的女人总是能自己安慰自己。其中有些人追求感伤的颜色，从中得到慰藉。决不要相信穿紫红色衣服的女人，不管她们年龄的大小，也决不要相信 35 岁出头还喜欢用粉红色缎带的女人。那总是意味着她们的过去大有文章。

有一些女人突然发现她们的丈夫具有种种优点而感到莫大的安慰。她们公开自夸夫妻恩爱，好像这是一切无聊中最迷人的。宗教也能安慰她们中的一些人。有个女人有一次告诉我，秘密的宗教仪式具有调情一样的魅力，这话我完全理解。

在情爱上，女人的性格更具有抢劫方面的天才。

最能满足女人虚荣心的，莫过于被人说成是个富有品味的人。性格使我们大家都变成了利己主义者。所以，在现代生活中，女人可以找到的品味是没有止境的。

最明显的安慰是，当她失去了自己所爱的人之后，她就去抢别人的爱人。

任何女人愈不具有个性，愈没有人格，就愈好品头论足；无论什么样的女人。尽管这一套越来越行不通了。

天性是多变的：它是由穿着高统靴和化装服的孩子在上面踩踏的一个舞台，他们在舞台上做作地说着他们记熟的话，说着他们狂热地相信但又一知半解的话。

"为什么讨人喜欢的女人总是嫁给蠢货啊？"

"因为有脑子的男人是不娶讨人喜欢的女人的。"

——我喜欢坏丈夫。我有过两个坏丈夫，他们使得我品味到快乐。

——亲爱的，这些时尚女人抢走了我们的丈夫，不过他们总会回来的，当然，感情上受点小小的伤是难免的。可不要大吵大闹，男人对这一套很恼火！

洛弗尔因为他想要的职位被另一位年轻人捷足先登而陷入中年的恐慌之中。他的头发开始变得稀少，肚子也大了，于是他和一位年轻貌美的助理勾搭上了，以寻找自我。

洛弗尔的妻子安娜也很美丽迷人，被所有认识她的人喜欢，因而当洛弗尔带着新欢去他们夫妻常去的餐厅时，忠实的餐厅服务人员就向安娜打了小报告。

一天晚上，当这对新恋人去用晚餐时，侍者送来了洛弗尔最喜欢的一种香槟，侍者说这是一位仰慕者送的，洛弗尔很惊讶。

酒瓶上贴的纸条只写了三个字：爱，安娜。

洛弗尔没有喝那瓶酒，很快用完餐，匆忙回家。

在家里，安娜穿着优雅的睡衣迎接他，她对洛弗尔说：我们谈谈吧。

他们谈了一整夜。洛弗尔第一次把心中的空虚感和寂寞感告诉了安娜；而安娜则把孩子长大离开家后，她心中的空虚感告诉了洛弗尔。

安娜同时告诉洛弗尔，他另结新欢是如何伤了她的心——安娜要洛弗尔发誓，永不再犯。

在纽约做丈夫的，没有几个不是把自己的生命消耗在某种没有品位的情欲上。

地产商吉尔就是这样，他和好几位女客户都发生过性关系，他说："每个人都这么做啊！在当今的社会里，许多人不可自制一夫一妻，我现在认识的女人哪一个没有瞒着丈夫，准备好和我上床的？"

其实每个人都试图将别人降为仆人来实现私欲。尽管仆人卖命干活，害怕，然而在某种程度上他却觉得自己是必不可少的；恰恰相反，主人则可有可无。

如果人人都承认对方，互相把自己和别人同时看成活生生的人，那么就可能超越了这类冲突。

只有友情和豁达才能使人成为真正自由之人，不过这是很难做到的品味；毫无疑问，这面镜子能让男人在其中看到了自己的本性和嘴脸。

没有一个女人能甘心满足于一次热恋。

面对男人自私的德行，女人应该为了自己的天职站起来。

今天确有不少女人站起来了，可惜常常站错了地方：女人偏爱站在男人创造的货币上边，她们把货币当成了庭院和公园。

男人的生命比女人的生命可能更有实用品味，具有更大的活动量，更宽广的天地，更高远的野心。女人是受感情摆布的，她们的生活循着曲线进行。男人则是受制于利害的，他们的生活循着直线进行。

要是一个女人爱上了你，除非连你的灵魂也叫她占有了，否则她是不会感到满足的。因为女人的软弱，所以她们具有非常强烈的统治欲，不把你完全控制在手就不甘心。

女人的心胸适合直觉和梦想，对那些她理解不了的抽象东西非常反感。她们爱想的都是物质的鲜花，所以对于精神品味懒得投入。

男人的灵魂品味在宇宙的最遥远的地方，女人却乐于把它禁锢在家庭收支的账簿里。

女人改造男人的最好方法就是把男人烦死，
使他对生活完全失掉兴趣和品味。

美国一直在跑步追赶各种文明，但它无法改变女人一生都是孩子这个常识。

有一件事情十分清楚，就是从另一人身上、从你与他之间的关系中去寻求满足，这是女人的拿手好戏。

这些女性是活生生的；她们知道，真正的价值不在身外之物，而在人们心里；她们为生活带来了魅力：她们带着欲望和梦想，充满欢乐和激情，彻底驱除了世间的无聊枯燥。

惧怕无聊比死亡更甚。在无聊中停滞，不过是暂避死亡，而绝非生活，无论她们是幼稚粗浅还是深奥渊博，快乐还是愁苦，大胆还是神秘，她们都本能地想摆脱男人深陷的沉寂泥坑。

这些天性纯洁自由的女性，一旦发现一个值得献身的目标，她们就会通过激情表现出英雄气概；她们的精神和动力，预示了她们强烈的自杀式的奉献。

那种从一个女人到另一个女人像购货一样的男人，他的内心虽因怀着理想主义，怀着追求纯洁爱情的愿望而痛苦，但他已经进入了女人的国度。

自从进入现代社会，野心勃勃的年轻人便把他们的探险热情带进了女人的闺房，而闺房里是由女人发号施令的。

男人的梦想之一是给女人打上自我品味的"标记"，从而使她永远属于他。不过，连最骄傲的男人也明白，除了记忆之外，他在她身上没有留下什么，而最热烈的回忆与现实的激情相比也会显得索然无味。

任何一个人都可以对他不感兴趣的人很好。但是她很快就会发现你对她极其冷淡。女人一旦发现丈夫对她毫无感情，要么她变得邋遢不堪，不修边幅，要么戴上非常时髦的帽子，而且这帽子很可能是别的女人的丈夫给她买的。

爱的誓言和人的承诺各有多少价值？信任和爱，这是愚蠢还是慷慨？往往认真的男人其实是没出息的，因为他只为生活寻找现成的理由。

一位有格调有魅力的女子，每时每刻都在修改着公认的价值。她知道没有倚靠的自由会带来无穷尽的紧张。这种危险的估计，给她的故事加上了英雄探险的色彩。

堕入情网不是件令人很愉快的事儿。

上帝把这孩子给了你，你就要使他生活得很好，你要照料好他。假如因为你而毁了他的一生，你怎么向上帝交代？

即使他真有一千个情妇，你也必须和你的孩子在一起；即使他对你粗暴，你也必须和你的孩子在一起；即使他虐待你，你也必须和你的孩子在一起；即使他抛弃你，你的位置也是和你的孩子在一起。上帝有意把女人拴在孩子身上。

时尚女人普遍生就一个商品化的头脑。我们的祖母们当然也向男人飞眼传情，但是，今天，她们的孙女们跟上富绰的男人就直奔旅店开房。美国的酒店是自豪的，它们永远为金钱和爱情敞开着。

在爱情的事上如果考虑起自尊心来，那只能有一个原因：实际上你还是最爱自己。

不管怎么说。一个结了婚的男人又爱上别人并不是什么稀罕事，常常等他的热乎劲过去了，便又回到他妻子的身边，而她也就同他和好如初了。这种事谁都认为是很自然的。如果男人是这样，为什么女人就该例外呢？

女人对一个仍然爱着她、可是她已经不再爱的男人可以表现得比任何人都残忍；她对他不只不仁慈，而且根本不能容忍，她成了一团毫无品味的怒火。

大自然设想得很周到，它创造了处女，为的是使她成为情人；但是当她生了第一胎、她的头发掉了、她的乳房瘪了、她的肉体留有疤痕了；女人生来是为了做母亲的。那时候，男人厌恶她丧失了美貌，也许会因此而舍弃她；但是她的孩子却哭着要跟她。这便是家庭，人类的法则；所有背离这个法则的人都是不近人情的。

人情不是把人变成了奴隶就是把人改变成了背叛的勇士。

乡下人之所以有品德，那是因为他仍的女人都是生孩子和哺乳的机器，正如他们自己是劳动的机器一样。

她们既不戴假发也不用乳油，但是他们的爱情却没有染上麻烦；当他们自己认做天真的交配时，并没有去管别人已经发现了美洲大陆。除了缺乏性感外，他们的女人却是健康的，她们的手长着硬茧，但她们的心却很光滑。

平凡的山花凋谢了，它们还会重新开放。

金莲花到来时，6 月又会和现在一样金光灿灿。一个月之内，枯藤上又会长出紫色的小星星，它的叶片年复一年像绿色的夜空衬托着紫色的星星。但我们绝不可能返老还童。

处女的身体有着神秘温泉的清新，像早晨蓓蕾的光彩，光芒四射的珍珠。男人，像孩子一样迷恋于还未被任何意识赋予生命的、朦朦胧胧的庙宇、圣殿、神秘的花园。它们正等着赋予灵魂。

男人只有独自堕入女性才感到似乎真正被自己所创造。更进一步讲，全部欲望寻求的目的之一就是耗尽被渴望的身体，这暗含着女性的毁坏。

对处女膜的破坏使男人感到对女性的占有。在与处女的性行为中，他不容置疑地使处女的身体成为一个被动的物体，这样他就肯定了对她的占有。

只有女人才知道女人的心在哪里。

男女！男女！在美国除了男女别无其他？

永远？那是个可怕的字眼，很多人听到它就要发抖。女人最喜欢用这个字眼，对每桩浪漫她们都试图使之永存，结果反而把它糟蹋了。

"永远"只是个逼人无奈的字眼罢了。反复无常的热情与忠贞不渝的爱，二者惟一的区别只是前者能持续得更长久一些。

道理有什么用呢？享福的人是精神上贫乏的人，一个女人真正需要的一切就是纯洁和善良或是对简单的烹调有一定的了解。

爱情是可以面对上帝而无愧的一种本能的结合。

对死亡的恐惧绝不应该影响一个聪明人的一举一动。

我知道我临死时会挣扎着想呼吸空气，我也知道到那时我会惊恐万状，我还知道我将无力抑制住自己，不对人生把我逼人这样的绝境而悔恨不已，但是我不承认我会悔恨爱过的女人。

在美国，女人限定好的作用是展示她的美丽、魅力、智力、文雅，这都是她丈夫富有的、外在而明显的标志，这也正如他的汽车一样。

如果他富有，他就用皮衣或珠宝把她打扮起来。如果他不富有，他就吹嘘她的品德和理家才能，如果他已经得到一个女人为自己服务，那么最重要的就是相信自己在世上拥有了有的一些东西。

要想操纵一个男人的性格，
只要迎合他品味的弱点就行了。

我们像敬上帝一样尊重丈夫，他们却抛弃了我们。有的女人对待他们如狼似虎，他们倒反而奉承和倾心于她们。

聪明女人喜欢做冒险的事！这是她们身上最让人欣赏的品味之一。只要有旁人注意她们，她们愿意跟世界上任何一个人调情。多少年来，女人的私奔热情有增无减。

爱这种感情中的主要成分是温柔。

爱情中需要有一种软弱无力的感觉，要有体贴爱护的要求，有帮助别人、取悦别人的热情——如果不是无私，起码是巧妙地遮掩起来的自私；爱情包含着某种程度的腼腆怯懦。

在爱情的姊妹当中，最漂亮的一位便是怜悯。现代妇女显得行为失调，心理失衡，这是对男性暴政的报应；但是女性神奇的力量依然如故，因为她深深地植根于生命之源，掌握着男人们失去的秘诀。

她的眉毛经常为了表示爱情而往上翘，但一种强烈的务实的目光也不时地掠过她的面庞。

聪明的女人特别会犯品味惊人的错误。

36 岁的珍妮见到心理医生乔琪亚时说的第一句话是："我就是想和你说说我自己的事，因为从来没有人向我认真地提过问题，有人向我问的只是一些普通的问题，只需要而且只能给予一般的回答。"

乔琪亚医生说："是与丈夫、性和婚姻有关的问题吗？"

"是的。"

"你喜欢过性生活吗？"

"喂，你知道，"珍妮回答说，"我觉得很痛。我不知道这是怎么回事，以前可不是这个样子，我看过医生，他们给了我药和其他一些东西，我把它放到了里面，但仍然很痛，所以，从此以后我不那么喜欢了。"

"是从什么时候感觉到疼痛的呢？"

"哦，大约有一年了……"

"那么一年以前呢？"

"哦，我从不……你知道……当然，我喜欢的，但不要那么多。"

"你是不是有某些方面的疾病？比如……"

"不不。过去曾经有过，但那都是过去的事了。"

"你爱你的丈夫吗？"

"不，哦，我喜欢他，你知道，但不是爱，我想我并不爱他。"——珍妮停了一会儿又说，"我……说真的，我并不喜欢他的个性。"珍妮的这些话听起来很不协调。

"他有哪些个性呢？"乔琪亚医生问。

"你知道，我就是不喜欢他说话的方式……想问题的方式。我不知道……它……它使我恼火，我一直想离开他。"

乔琪亚医生说："我感觉你现在认为最最重要的是事情的外表，你构筑了一种'表面'的生活，你在这样做的时候忽略了一个事实，那就是与你生活的人都是人，都是应该独立于你的人。珍妮，还是给我讲讲你从前的生活，我是指和性有关的一些方面。"

"那就得先说说小时候我和父亲之间的一些事情。"

惧怕父亲的原因许多年来我一直把它深深地埋藏在心里，我想，我和父亲之间的那些特别的经历对我的一生产生了某些重大影响。

在我 6 岁的时候，和母亲离婚了的父亲每周要来看我一次。那年夏天，我第一次和父亲一起出去度假。和父亲在一起的每个晚上他都要给我洗澡，给我全身抹了香皂，然后，他说要洗洗我两腿间。我在浴盆里站着，他就洗我两腿之间的地方，可是，他不是在洗，而是在不停地摸我，当然，我不记得他还做过了什么。

大概是在我 10 岁的时候，每次见到父亲，他都要单独和我谈一些有关我身体发育和月经期的问题。听父亲讲这些事情实在叫我恶心。他不止一次地和我谈这些事情。

后来，在我 11 岁的时候，我和父亲之间发生了一件事。

有一天，父亲领我去他那里，在他的房间里，他面对着我开始脱衣服，他说：珍妮，你见过裸体的男人吗？我马上转过身子面对墙说：没有。他说：那么好，你转过身来。我说：我不——我不转过来。他在我的身后站了一会儿，然后，他把短裤穿上了，对我说：你现在可以转过来了吧？我转了过去，我看到了一个陌生的只穿三角裤的父亲。那件事给我一种非常非常稀奇古怪的感觉。把我吓坏了，因为当时我就知道，这不是一件普通的事，一个正常的男人绝不会那样，对于一个当父亲的人来说更是不正常的。

乔琪亚医生打断珍妮的话问道："你是否认为你父亲实际上已经和你在性方面有过接触或至少试图这样做？"

"我想这完全可能。"珍妮若有所思地说，"他做得可能比我告诉你的要多，许多事情都滞留在了我的潜意识里。"

在我12岁的时候，母亲雇了一个18岁的女孩来照看14岁的哥哥和我。那时的母亲正和一个男人频繁约会，母亲外出时那个叫朱莉的女孩就来陪我和哥哥。

有一天，朱莉决定让我和哥哥玩医生看病的游戏。我记得朱莉让我躺下，脱掉衣服，同对她教我哥哥试着蹭我。

那件事发生在我和哥哥不再在一起洗澡后不久，因为我妈妈说不许我们互相摸来摸去。

记得当时我对朱莉说我不愿这么做时，朱莉就说等我妈妈早晨回来就告诉她我表现不好，这样等我们早晨醒来时就会挨打。所以我和哥哥就试着做，你知道，朱莉就站在那里哈哈笑。

现在我已经记不清当时的感觉了，我所记得的只是那时我紧闭双眼尽量不去想正在发生的什么事情。

后来，朱莉在床单上发现了血迹，她把床单洗了，我却不知道那是我流出的血。

母亲回来后，我曾想跟她说，又想她准会骂我，就没说。但后来一再发生那样的事——一共有10多次，而且有两次朱莉把衣服也脱了，抚弄我哥哥，当时我只是觉得他和我哥哥在一起时的表情非常奇怪。在后来的日子里，我和哥哥谁也没提那些事情，可是在朱莉不在的时候，我和哥哥却也常常会不由自主地做那种事。

最后一次出事了，在起居室的地板上……母亲狠狠地打了我们，我也因此离家出走了，那时我刚刚13岁。

你知道，我在13岁的时候就已经是个身材苗条、曲线优美的女孩了，那时候我母亲说我的智商是170分。

离家出走后的每一天我都感到很恐惧，因为我知道我母亲一定报了警。

记不起那是我离家出走后的第几天，我正站在公共汽车站附近，看见一个20多岁的英俊男子正在玩狗。他走到我跟前说道：嗨，你叫什么名字？珍妮，我说。他说：我要进干洗店去，你愿意在这里替我牵会儿狗吗？我当然就替他干了，我以为等他回来时，这件事就算完了，没想到那只是开始。

他出来后带我去了麦克唐纳快餐店，给我买了一杯桔子汁，并问我是否在做妓女。我说：没有，我只是离家出走，不想回家了。

他告诉我他叫欧文，27岁，他说他愿意照顾我。那天晚上我们就一起住进了一家旅馆，我有点害怕，但我觉得比在家里还好受些。那个晚上，在我们第一次发生性关系之后，欧文说：我以为你是处女呢。我说：我不是处女吗？他没有回答我，却说，我没带避孕套，并问我是否服用了避孕药，我说没有。所以第二天我就出去给他买了一些避孕套。

乔琪亚医生问："当时你只是个13岁的性生活新手，你是怎样去买避孕套的呢？"

"当时，我可是显得比实际年龄大得多。当时我对售货员说：'请给我些避孕用品。'售货员问我：'你要哪一种，上润滑剂的，还是没上润滑剂的?'我不懂她说的什么，但我说，'请给我上了润滑剂的。'"

和欧文在一起的那4个月我们的关系十分密切，简直就像整个天使团都在围着我们旋转一样。

这4个月的时光十分美妙，令人振奋，我就像被他用什么东西洗过了一样。在他身上我体验到了性的美妙，那种美妙的感觉直到现在我还记忆犹新。

但到了4个月快结束的时候，欧文骑摩托车撞上了一块大石头，他从车上摔了出去倒在了路中央，恰好就在拐弯一点的地方，一辆汽车飞驶过来撞了他，把他拖出了近50米远，实际上已将他撕裂，他几乎当场就死了。他只把眼睛睁开了一小会儿，对我说要冷静，然后说，我爱你!

欧文死后我大约有三个礼拜处于休克状态，一个叫马特的32岁的男人一直在照顾我。他是欧文的朋友，他留着亚麻色的头发，蓝眼睛，相貌堂堂。大约半个月后我们住在了一起。

乔琪亚医生问："珍妮，那时，你是否像爱欧文一样爱马特呢?"

"有所不同。马特很粗野，完全无拘无束，"珍妮说，"在我接触的男人中，至今还没有一个能比得上欧文的。"

乔琪亚医生说："你和马特在一起时的性生活怎样?"

"挺不错，马特是个性经历很不平凡的男人。"

"我不愿意过多地谈马特，我曾经以为马特是一个想与我结婚的男人，可我错了。我们在一起没多久他就告诉我他是一个拉皮条的，我还是不能相信这一点。我听说过卖淫的事，但实际上我并不确切地知道这是怎么回事，是马特告诉了我它算正的含义。

"马特对我说，钱对他无关紧要，他关心的是我。他说，如果你对我有感情，钱自然而然会来的。我说我不信你的话，他笑了起来，后来我说，好吧，那我就试上一个星期，看你说得对不对。

"马特给我介绍的第一个嫖客是一个岁数较大的人，40多岁的样子，我早已记不清他的长相了，好像是从巴西或其他什么地方来的外国人。那时候我从马特那里已经学会了怎样使男人很快产生性欲，就这么一回事。这种事我做了近3年，后来马特去了波士顿，我没有和他一起去。

"现在我也搞不清楚，马特离开我时为什么要给我留那么多钱。我再也没有见过他。

"再后来母亲找到了我，我又回到了学校，但我感到自己很堕落，真的很堕落！但在我内心深处我已完全承认这件事已经过去。

"我是在24岁的时候嫁给了现在的丈夫，如今10多年过去了。不知为什么，这两年，我常常有一种要崩溃的感觉。现在我就在不断地克制自己，要不我无法向你倾述我的恐慌……"

过去是无法判断今天的女人的。

现代生活中，别人的妻子的秘密真是一件奢侈品。

但没有一个男人能知道自己妻子的秘密，做妻子的却能发现一切秘密。女人都是非常敏感的。任何事情她们都能感受得出，只有显而易见的事除外。

要阻挡一个女人可并不总是那么容易的。她们确实会迷上这样的男人——如酒鬼、笨蛋、犯人。我想，是爱情给了她们力量来这样做，使她们全然不顾对方身上可怕的陷阱。我既不蠢又不瞎，我看出女人的爱情和生命的品味之间到处是浪漫的游戏关系。

缺乏品味的男欢女爱吓跑了多少有识之士呵！

我多少是个喜爱欣赏魅力的人，并且我相信的也只有魅力，而且只能短暂的领略而已，时间绝不很长。

女人常常错把生活看做是给她写小说的一个机会，把世人当作她作品的情节故事。

如果读者中有谁对她的才能非常赏识而且慷慨地宴请过她，她有时也会请他们到自己家招待一番。这些人对作家的崇拜热情让她感到又好笑又自得，但是她却同他们周旋应酬，十足表现出一个有梦想的女人的风度。

她们内心公开嘲笑社会的陈规品味。

对一切习俗、道德和法律都加以嘲笑，与人热情地私通，参与背叛毫不犹豫。她们品味的活力超出了尘俗：她们对周围的社会现象加以批判、蔑视和贬低，期待着超脱尘嚣。

精神的超脱呈现出颇为厌世的面貌：她用一种孩子气的无动于衷，表现出她对市民价值观念的怀疑；形成了她无忧无虑快乐的根源。

她给世界带来了另类品味，快乐世界的低俗平庸使她的愤慨变成了轻快的游戏。

一个能彻底应付现代生活的人，他永远要准备着去对付一些不测之事。

——亲爱的，用粉红色的信纸写信多傻呀！这看起来像一个中产阶级的浪漫史的开始。浪漫史不应该以感情为起点，而应该以经济为起点，以财产授权书为结局。

要紧的是财产，爱情算得了什么，爱情来自以后的婚姻生活——这种单纯的勇士也挺可爱的。

女人都应该崇拜天才，应该把他们当作一出戏那样欣赏，可是千万不要和他们共同品味生活！

和天才一起生活，就等于不坐在包厢里欣赏那动人的剧情，却跑到后台去看那布景的谜底。聪明人理应远离谜底。

婚礼仪式原本是用来对付女人、保护男人的，她成了他的财产。但是我们拥有的东西反过来又占有了我们。

婚姻也是对男人的一种奴役。他掉进自然界设立的圈套中，他渴求一个童贞未失的少女，就不得不支撑一个沉重的主妇或干巴巴的女巫，原本以为装饰他存在的轻巧宝贝变成了治理他天性的专业的探警。

你越爱得厉害，就越发不应该让对方知道你热爱的程度。因为凡是爱得厉害的人，总是受制于对方的，总是或迟或早要被对方所弃的。

恋爱是一个谜，它只活在人们的内心深处，如果有一天你对你的朋友说"这就是我爱的女人"，一切也就完蛋了！

惟有哲学家、诗人才理解那个已经被庸俗了的爱的定义：爱情就是双方全面的自私自利大火并。我们爱"人"，其实就是爱我们自身的另一部分。

女人不能从她的肉体充分地品味生活，她就会把她的肉体看做一个敌人。

我记得我遇见不少身材壮硕、腰板挺得笔直的女人。这些女人生着大鼻头，目光炯炯，衣服穿在她们身上好像披着一挂甲胄。

她卖弄风情甚至任性，都会使她充满令人陶醉的馨香。

欺骗、水性杨花、茫然、侍奉二主——这些都能使她引发男人品味的欲望，她是身着不同伪装的迷雾。

通常，人们把斯芬克斯看成一个年轻女人：处女是最让男人兴奋的，她们越放荡，男人也就越感兴趣。

年轻女人的纯洁带来自由行事的希望，没有人知道在她的纯洁之下隐藏了多少丰富的品味。

我也看到许多像小松鼠似的瘦小枯干的老处女，说话柔声细气，眼睛滴溜溜乱转。

我对她们那种总是戴着手套吃黄油沙拉的怪毛病常常感到十分好笑；她们认为没有人看见的时候就偷偷在椅子上揩手指头，让人看着也十分佩服。这对主人的家具肯定不是件好事，但是我想在轮到主人到这些人家里做客的时候，肯定也会在她朋友的家具上进行报复的。

女人的生活中只有一个真正的悲剧，那就是女人的过去总是属于她的情人，而未来总是属于她的丈夫。

爱情理应是性格品味上的棋逢对手。

我相信婚姻可能是非常快乐的。直到现在，我还隐约记得自己婚姻的影子。我只结过一次婚，由于我和一位姑娘之间的误会，才结成了夫妇。

痴情的女人心中总是抱着无数的希望！要拿匕首刺无数次才能把这些希望杀死，她们一直在爱着，一直在流血，要到最后一刀才停止。

如今，纽约的私家侦探社已难以数计，真正的"女探俏娇娃"在纽约也已存在。这是一种专门由年轻美丽的女子组成的侦探社，专替有怀疑的妻子调查其丈夫。这女探俏娇娃侦探社开在纽约附近，由两位女子主理，调查男人的成绩很好，但不做男人生意。

这家侦探社的创办人艾普丽尔现年38岁，她说："我们只为女性工作，从未亦不会为丈夫们工作。男人也是较容易调查的，他们的自尊心太强了。"

艾普丽尔说假如她所跟踪的男人起了疑心，她就会闪进一个胡同，戴上一副假发改装。她说："假如我要变得多些，我就换上牛仔裤，把双面风衣翻过来穿。但多数时间我们用不着跟踪，我们只是在电话上搭线偷听——在纽约，富户要求在自己家的电话搭线偷听是不受法律限制的。丈夫通常会趁妻子不在家时打电话给女朋友。另一个破绽就是信用卡的月结单。太多的丈夫太不小心了。妻子只要看看单上有没有列酒店房租、昂贵的餐厅及礼品店等账就可以知道。"

这位美丽的女私家侦探以前为另一家私家侦探社工作，学会了这一门学问之后，在1992年与女友爱米丽拍档开侦探社，有五位女成员。她们亦使用高科技摄影及摄录，因为这是现代监视跟踪所必须的。

艾普丽尔接的第一案就令她震惊，是一个72岁的丈夫瞒骗妻子，与一个26岁女子有染。她跟踪这个老来风流的男子，拍了他与女友亲热的镜头。他的妻子拿了这些照片质问他，他答应不再做。艾普丽尔说："我前几天见过这位妻子，她说他们已经相处得很好了。"

一件典型的不忠案主角是一个40多岁的男子，结婚已近20年，早有固定的生活习惯，也显然是一位模范丈夫，但他忽然换了一部高级汽车，衣着讲究起来，又开始节食及跑步，这些都是很大的破绽。艾普丽尔说："假如开始发生这种事情，一个女人就应该起疑心了。"

但有些案子则不是那么典型。一位妻子怀疑丈夫不忠，一查之下，原来他竟是与四个已婚女子有染。另一个男子把自己关在酒店里 40 小时，与女友马拉松式做爱，直至他的妻子来了，就在酒店楼下打电话给他。

艾普丽尔说："现在已没什么令我们意外，但有一次还是很难忘。那次我们跟踪一个男人数星期。他是常常很晚才回家，他的妻子肯定他有外遇。但我们只见他吃晚饭谈生意，从未见过有另一个女人出现。我们正要承认失败时，却见他与一男子从一餐厅出来，吻那男子的嘴巴。原来他一直在搞同性恋。"

艾普丽尔的侦探社就开在她家附近，派两位侦探跟踪她丈夫每小时收 60 美元。

艾普丽尔说："雇用我们的妻子 80% 都不想离婚，只是想挽救婚姻。她们相信结束了丈夫的外遇之后可以有新的开始。"

艾普丽尔的丈夫是民航机的机师，她说她虽然很难跟踪到国外去，但她不相信她的丈夫有外遇。

她们是在寻求真实品味，因为她们老上虚假的当，所以她们祈求真实的东西。当真实的东西出现时，她们便会欢欣鼓舞。

男人的肉体出自母亲体内，并在热恋女人的怀抱中得以再生。

女人与自然息息相关，她展示出血液的谷溪，绽开的玫瑰，迷人的姿容，以及山间的曲线。对男人来说，她代表着丰腴的土地，滋润的琼液，有形的美丽和灵魂的世界。

她主宰着品味，她可以做这个世界和世界主人的调解人：仁慈和圣明，明星和女巫。

她打开了超自然、超现实的大门。她的的确确是存在着的，她一贯顺从，她崇拜和平与谐和——而一旦丧失了这点，她立刻就被看做是一个正在祈祷的螳螂，一个女妖。

我们男人爱慕女人的时候，知道了她们的软弱和缺点，也许就是因为这个原因，我们却更加爱她们。

完美无缺的人往往品味迟顿，不完美的人才急匆匆地迫切需要爱情补身。

我们自己，或者别人使我们心灵受了创伤的时候，爱情应该为我们治疗——爱情理应是性格品味上的毒攻毒。

爱情应该宽恕一切罪孽，除了不利于爱情本身的罪孽。真正的爱情应该原谅一切人，除了没有爱情的人。

男人的爱情就是这样。男人的爱情比女人的爱情更深沉，更阔大和更富有人情味，尤其是喜新厌旧的人情味。

爱情会使性格女人显得更美丽，而烦恼会使没品味的女人的毛病更加夸张。

男人需要女人比他年轻，尤其是一个上了年纪的人。

请你不要焦急得乱抓你的头发，也不要再说你要自杀。

你说你的情妇为了另一个男人而欺骗了你，因此你的自尊心仅仅因为你有一位情敌而受苦。但是，你只要把字眼变换一下，说是她为了你而欺骗他，那么，你不是很光荣了吗？

没有性格与品味征服不了的事情。

现代人不只本能地欺骗别人，更重要的是把自己欺骗得安心。

我知道有些人把自己的品味放在一边，为的是不让人家触到它。或许他们会借此夸口，那也不算奇怪；至于我，既不想替自己吹嘘，也不想降低自己的人格。

我最痛恨嘲笑爱情的女人，而且我准许她们把爱情还给我，因此我们之间永远不会发生争执。

每一件宝藏都有凶手守卫着。这样你才能知道它是珍贵的。男人稍不留心，就会变成别人性格的帮凶。

要想与情人相会，就要想出种种办法；暗门、绳梯、血染的胸脯、劫持、隐居、刺杀——用最聪明的技巧处理激情和不测的暴发。

严格遵守不说假话的信条只不过是一项无关紧要的游戏，有时甚至是一种令人不愉快的神经性痛苦。

去找有品味的女人吧，别忘了带上你的退路。

品味往往会使女人把狭窄的聚光投到某个男人身上，而所有其他男人都消失在漆黑一团的夜里。

性格、品味和离婚全是上帝造成的。

任何一个傻瓜都能吸引一个姑娘，那是很容易的，但是知道怎样离开她，那就需要有性格有主张的男人才能做到。

在这个阳光四溢的世界上，格调、怜悯、感情（虽然多少已被带上个人利益的色调），这一切全是稀有的东西——这是少数杰出人物在无数次人类的冲突中辛苦得来的，这是胜利，而其结果绝不是理所当然——稀有的东西，当然是常常被怀疑的东西。

温情促使你跪倒在地，这种傻事以后不该再发生。

男性的无奈在今日的风情中已暴露无遗，女人超越男性的时候已经到了。

我真看不出求婚有什么浪漫的地方，恋爱是很浪漫的。但是明明白白的求婚一点不浪漫。嗯，求婚可能被接受，我相信，通常求婚一被接受，那么恋爱就结束了。这种浪漫的品味太容易改变了。

如果我结婚了，就一定没法忘掉自己已经结婚。

离婚法庭就是专门为头脑构造古怪的人创建的。

好色和吃饭一样是人这个动物最强的品味。

最明智的生活方式是在肉体需要和精神需要之间保持一种平衡。

基督教《创世纪》的传说，在西方文明中具有生命力。虽然夏娃是用塑造亚当的粘土创造的，但是她没有被塑造成男人；她从第一个男性的肋骨脱胎而来。

她的降临不是独立的；上帝不是创造她就万事大吉了，还要她直接地崇拜上帝。

上帝注定她为男人而生，上帝把她赐给亚当，使亚当免于孤独，这就是她的目的，弥补亚当的缺陷。事情本身就已经说明——经历了多少挣扎和多少失望；在那复杂的冲突和美丽的语言后面，有一个简单的事实，那就是一个女人的品味。她觉得我是个适合于家庭生活的人。因为我属于爱家庭这一类型，因而她要我参加她的家庭。女人的家庭观念对我很有吸引力。

请你品味爱情吧，有如一个有节制的人喝酒一样，只要自己不致成为醉鬼就行。

假如你的情人是诚恳和忠实的，你就为这一点爱她吧；

但是，如果她不是这样，只要她年轻、漂亮，你就为她的年轻貌美爱她吧；如果她可爱和聪明，你也该爱她；如果她完全不是这样，只因为她爱你，请你也爱她吧。因为一个人不是每晚都有人爱的。

时尚的寻欢作乐可能是一个假象。

在安详、宁静、笑容可掬的容貌下面，隐藏着丰富的别有用心；友好的表示是谎言的开始，不少人对朋友比对敌人更不信任。

不错，按照礼仪和客套的节奏行事，就会使最丰富的品味枯竭。

你不必订什么行为准则，也不必说你要成为众人中惟一被爱的一个；倘若你这么说了，而因为你是男人，你本身又用情不专，到时候你将被迫默认：人人都是见异思迁的英雄汉。

男女的情分并不源于理性。

我爱女人，因为她们比男人更有情趣。

我喜欢打情骂俏，这使人活得年轻。

认识森妮以前，我的女人多不胜数，不只是为了性的需求，也是因为我实在喜欢她们的陪伴。我也喜欢我的独立自由，所以一开始我还有点担心，虽然森妮从未逼我搬去和她同住。事实上那还是我的主意。她聪慧风趣，又认识一大堆才华横溢的人，实在叫我着迷。不过亲密在一起厮守了3年后，我实在觉得有点闷了。

森妮不是家庭主妇型的女人，她是个知名的电视节目主持人，又热衷于妇女运动。尽管如此，她还是很有领域观念。例如，"你可知道整个晚上你都没有瞧我半眼，只顾着招呼那些人!"她又比我大7岁，生活比我安定多了。

她吃东西一定要讲究盘子，还要讲究时间。轮到我换床单时，我如果忘了，她就会很不高兴。除了年龄以外，我想女人的天生本能就是比男人恋家，男人本来就不是住家的材料，女人越想驯服他们，就越行不通。

还有一件事，跟同一个人维持性生活，即使像森妮这样迷人的女人，久了也会腻，方法只有那几种。所以当她管得太紧、又不准我半夜听音乐时，我就受不了了。我当然不想分手，只是想分开一下，所以一旦有出差的机会，我当然不会错过。

就在那一次出差，我遇见了贝蒂。在飞机上我就注意她了，年龄跟我差不多，身材高挑，有一头卷曲的红发，以及性感的嘴唇。她不漂亮，但是有味道。

那一夜没有活动，所以沐浴更衣后，我在房间里喝了瓶啤酒，就去游泳池旁的酒吧了。那个黄昏，天色美得出奇，晚霞如胭脂。贝蒂独坐桌边，我征求她的同意与她同桌，事情就这样开始了。那一夜我们同床共枕，但不只是单纯的一夜风流，我真的喜欢她。我无法跟一个我不喜欢的女人睡觉，这是实话。我当然知道如果没有贝蒂也会有别的女人，因为我是有备而去的。

就在我跟贝蒂上床前，我还想到了森妮，想到我们共同度过的日子，以及跟贝蒂上床可能会对我和森妮的关系产生的影响，可是我突然想到：万一飞机在回程途中失事，我一定会想："天啊，我就快死了，真后悔没跟她上床。"所以我把心一横就跟她发生性行为了。

我们在洛杉矶快活地度过了5天，那是真正的公关旅行，只要在晚餐时间出现就行，其余的时候都是自己的。我们游泳、晒太阳、喝酒、做爱，日子美得像梦。

贝蒂和我在机场分手，她住在波士顿，我则回纽约，不过我们交换了办公室的电话号码，而且安排在两周后见面。我不知道要找什么借口，我只知道我要和她见面。

回家当夜，森妮就直截了当地问我有没有跟别人在一起。她实在很了解我。我们有个默契就是当对方直问时绝不撒谎，所以我告诉她我遇见了别人。森妮表现得很冷静，并未多问，只问我打算怎么办。我说不知道，不过我建议彼此给对方一些时间。她表现得毫不在乎，看着我整理行李，大概就是这样。

我搬出去和一个正在找室友的朋友住了3个月，每个周末都和贝蒂见面。有时是她飞来纽约，不过多半是我去波士顿看她。但是我也同时和森妮保持联络，她打电话给我，我也打给地，有时还一起吃饭、喝一杯。森妮并没有胡思乱想，只是偶尔问我："现在你半夜听音乐没人管你了吧？唔，我看也是，你看起来有点……睡眠不足的样子。"

她并未酸溜溜的，反到是说笑的样子。奇怪的是，我们并未真的讨论或决定任何事，可是过了一阵子，我见森妮的次数增加了，见贝蒂的次数却减少了，距离当然是原因之一，不过我回到森妮身边的原因是因为我喜欢她，我还没有见过比她更令我喜欢的人，是她宠坏了我吧。

森妮很有主见。我知道她的机会很多，我若离去，她是不会找不到男人的，虽然她没说，我却感觉得出来。

我相信不论男女，谁都难以抗拒肉体的诱惑，无论你结婚或同居多久都一样。或许鹦鹉能生死与共，那么人呢？我不知道。

魅力和体力可以结成天造地设的一对，尽管结果多是大冤家。

如果一个女人不能从她的肉体充分地享受生活，她就会把她的肉体看做一个敌人。好在女人绝望的哭哭啼啼总是那么有效，常常叫男人回心转意、宽恕了事，只要她年轻，貌美，袒胸露臂，穿着一举手就可显出夏娃本相的夜礼服。

床笫之欢倒好像是品味的惟一目的和归宿。

男人不到 50 岁，是不值得跟他多谈的。要知道，女人和男人一样，也是根据时尚需要而罗致人才的。

只有女人和算命先生懂得如何利用人家的信任。

男人的虚荣心是很重的，年轻的男人尤其如此。

用一个好朋友换来一个并不真诚的丈夫，似乎没有多大意思。

拯救自我是否比失落自我更为高贵？

在爱人面前蒙羞是否比拒绝他更为幸运？

女人在疑问中依旧是孤独的，她冒险尝试着回答这个问题：自尊的山峰是否高于生命本身。这是对生命之梦的热切探求，是穿过无知、偏执和欺诈的黑夜，在激情摇曳动荡的灯火中的追寻；它是幸福或者死亡，是高贵或者羞耻，是不可知的风险，它为这些女性的生活带来了光荣。

品味觉悟的力量是自由的源泉。

只有品味怀念才会清楚地表明灵魂的存在，肉体不过是灵魂的表象和镜子，引擎和反映，是灵魂为自己品味往事做的备忘录。

灵魂从我的肉体上看见自己，就像我在镜子里看见自己的脸一样。

我的神经感触到了这一点。大地确实是一面品味怀念的镜子，万事万物就是具体化了的怀念，而死则是这面镜子的黑暗底衬。

每个直觉都在我们身上，有性格品味的人才会创造男欢女爱的不朽怀念。要做到这一点，他必须人在情中，同时又脱离自身，站得远远的。

每个人都努力把自己的品味变成舞台或剧情。

所谓风骚就是在大声疾呼生命必须永远地延续下去吗？

年纪大点的人只不过是装出一副懂玄机的样子罢了，一切都那么正经那么美妙。

一个人无论什么嗜好过了分，都能使品味往原来方向发展。

品味同研究学问一样叫胖子更胖，瘦子更瘦。金字塔能否坚挺，不全靠塔尖上给一只鸟歇脚的那一点吗？

你必须经过详尽的检查，看你对上帝通过他的天使们在人间提供给你的发情机会处理得如何，然后才能进入天国。

我们希望爱情永存，就像我们希望冰不化一样；如果爱情奇迹般地永存于整个一生，我们预先就逃之夭夭了。

我们天性时刻受到年龄和死亡的骚扰。

一个工于心计的男人知道如何对待女人：毁掉她最珍视的东西，通过怀孕使女人失去性爱和魅力，当然不生育的话，岁月的流逝也会改变她可爱迷人的风采——年老体衰，不加修饰，变得令人毛骨悚然，就像一棵树枯萎凋谢了。

男人的衰朽也令人恐怖，通常情况下，他没有肉体衰老的体验。只在女人身上——这身体注定是他的——他才真正品味衰亡的现实。

正是通过男人的眼睛，女人品味到了自己肉体的衰亡。

于是女人心中产生了一种与恐惧融合在一起的憎恨之情。

女人总是以攻为守，正如同她们总是以突然而奇怪的屈服作为攻击。男人惯于在女人的眼睛里寻找自己的根、茎、叶子的颜色。

品味最能改变以往发生的故事。

我讨厌人家盯着我看，这种性格在天才身上要到晚年才会形成，在凡人身上则一辈了都改不掉。

我们的性格品味需要重新改变。它是冬天形成的，而现在是夏天了。

——妈妈，对我说实话，我有权知道。你和父亲究竟结过婚没有？

人对异性具有的魅力：好像正是因为我对女人既不可靠，同时又大胆放肆，所以我的魅力才总是在身后留下那么多传说。

发情期的母狗最殷勤好客。

偏偏生活常常把性格男人全打发成了游客。

当然，我一直相信我的爱情会使任何一个女人超群出众。

漂亮女人是为了吸引男人，空虚是为了使男人可怜的请求消失得无踪无影。

爱情打破了日常规范，驱散了无聊空洞，这种空虚无聊对生和死都缺乏理由。

爱人只要有一个目标，就可以把每一天变成一场冒险。人的能力很小，不能反抗无法解决的东西。我们的本性——梦想本性，是软弱的，只有心才靠得住。

品味最应该征服的是自己。否则为什么要赋予我们口味呢？是为了发现非品味的空虚吗？这是一个很糟糕的观点。

如果性格就在你的体内，你就不能下令取缔它。

男人是顶顶靠不住的。可是女人偏偏选中了他们当房梁。

男人的命运中，女人只发挥了次要作用。无庸置疑，也存在一些平凡的男性：父亲，勾引者，醋意十足的情人，教养无素或任性的儿子。

但这群人太普通了，缺乏神话式人物的尊贵色彩。现代革新家们写些无关痛痒、啰啰嗦嗦、模模糊糊的理论，或是因果报应的小说；而罪犯却在实干！他们像事实一样清楚，像拳击一样富有逻辑。男人用逻辑创天下。

品味是两种因素的巧合，高超的审美眼光和不顾一切的行为。

我们经常在追求性格品味的路上发生车祸。

幸福的婚姻惟一依靠的就是双方绝对的忠实。

应该善于说谎吗？在美国，女人说假话技术高超，十分精彩。我们的社会风气教会了她们尔虞我诈！

她们说假话时，既天真又放肆无礼，那么风流俊俏，那么优雅得体，显得那么自然，她们认识到，要在社会生活中避免激烈的冲击，要保全幸福，说谎极其有用，绝对必要，正如女人的珠宝首饰必须存放在棉絮一类松软的东西中一样。于是谎言成了她们语言的基本内容，而说实话只是例外。

在美利坚的土地上，为了爱情结婚，那是一个错误的开始。

应该为了地位，为了找一个伴侣而结婚。终于，不熟悉离婚法的人现在已经懒得结婚了。

上帝往来于人的性格品味之中，而人也往来于他人的性格品味之中。像有时人也往来于他人的床笫之间。你和一个人对话，你和他的老婆做爱，你握着这个可怜虫的手，你望着他的眼睛，你给他安慰。

你一直在重新安排他的生活，你甚至还在编造他今后几年的经济预算。

你夺走了他心爱的女人。但不知怎么的，这一切的一切，都不可思议地变成了深奥玄妙的宗教学说。到最后，你受的苦难反而比他还要多，因为你是更大的罪人。

我们男人要纯洁和天真有什么用？倒是在衣襟上插一朵经过仔细选择的花有用得多。

让我们来听听肯德的故事吧。

对我来说，那一切纯粹是性在作祟。

基本上说，我很爱我的妻子，只是她在床上总是放不开，我在外遇中却可以随心所欲，没有人受伤……至少我是这么想的。

但是科琳却伤了我。

那还是在我们新婚不久，有一次我建议尝试口交，她却把我当成性变态。她拒绝时脸上带着不屑的表情，让我难堪极了。

我打听了一下，其他男人的妻子似乎都没有这个问题，所以我以为科琳是冲我来的，大概是我的吸引力不够，床上功夫不佳。我的长相当然没有汤姆克鲁斯英俊，我的个子不太高，还戴眼镜。

约会初期科琳虽然也很动心，现在我却怀疑她为什么嫁给我，我想了很多，最后我觉得是不是因为我的收入不错？科琳出身蓝领阶级的大家庭，信奉天主教，生活拮据。我可以理解她的想法，可是一想到她是为了安全感才嫁给我，可能根本不爱我，我就十分痛苦。

我们在结婚前都没有性经验，但是我总以为人就是为了享受美妙的性生活才结婚的。我准备尝试新的技巧，可是每次我提出的与传教士姿势不同的方法，她都无法接受，事实上，她是咬牙切齿地躺在那里，所以也就算了。

有一回，我带了一本如何改善性生活的书回家，她一发现就把书扔到了垃圾桶，说家里不许有这种污秽的东西。我虽然把她形容得像女巫，但她并不是女巫。

那一夜我终于放弃了在婚姻中享受性生活的想法，开始在外面寻找对象，我想也只有这样了。

在外面要找个对象并不难，事实上，已婚甚至比单身更容易。先是丽莎，然后是罗西，最后是露丝。

科琳发现的就是露丝。她义正辞严要求我结束，我一怒之下就搬去和露丝同居了几个月。我觉得科琳没有资格命令我，每次要求她跟我上床，都好像在求她帮忙似的！

可是露丝一直逼我离婚，而科琳却总是在电话里说她决不离婚，要跟我周旋到底。有一度她还扬言要控告我，要求要我的一半收入，让我对她倒足了胃口，结果只有使我更想离开她。她的家人也进来搅局，每个人都给她一堆建议，告诉她如何维护她的权益。

那段日子糟透了，似乎没有人注意到我根本不想离婚，我只是需要一些在家里得不到的性生活。

我回家是因为科琳的巨大转变，她不再咆哮，也不再威胁我，似乎真心愿意倾听。起初，我有点紧张，不敢打开心门，不过还是向她解释了她的拒绝带给我的感受，她也解释了她的成长经验让她对性方面抱着古板的想法。有时候我似乎只把焦点放在性行为上，根本不是要她，也没有把她当人看待。

我曾经想过去找一个性生活治疗师帮助，不过，现在我们自己已经在努力改善了。科琳尤其尽心，总是问我希望她做些什么，我也小心避免吓坏她。她已经愿意让我教她一些新花样，不再动不动就把我推开，我对自己的信心又逐渐恢复了，当老师的感觉真刺激。

当今的世界上，只有两种悲剧。一种是人们对自己向往的东西不能如愿以偿；另一种是人们对自己向往的东西如愿以偿。后者的悲剧性更大，是真正的悲剧！一个不爱你的人，你能爱她多久？

我劝朋友，当你用赤裸的胳膊紧抱着一个漂亮而又壮健的女人的时候，如果真诚的爱和肉欲的快感使你快乐得流泪，如果你感觉到另外一张嘴贴在你的嘴唇上以呜咽的声音发出永恒的爱的盟誓，如果你感觉到无限降临到你的心中，那么，就算你的对手是一个妓女，请你也不必害怕。

第2章

性格与品味的出路

我好像对任何事情都很随便，即使对于求爱，我也是抱着这个态度。我曾说得非常清楚，对于女人，我只想得到一样东西。

我身上又确实具有一种魅力，叫你无法抵挡。我的粗鲁之中含有一种温存，刻薄之中又有一种叫人心动的柔情。我对女人有一种本能的理解，认为她们和男人不一样，这就使她们无形之中产生一种得意之感。再说，我的嘴唇也很富有性感，那双灰色的眼睛充满了柔情蜜意。

对丑女人要送她帽子，对漂亮女人要送她书。

男人想给予，而有些女人却只为自己索取。

同样的声音使得色情的东西变成了黑色魔术的制造者，奴仆变成了女叛徒，灰姑娘变成了女狂人，女人都变成了敌人。

我不赞同这种现代的狂热：用一时的警告来使人改邪归正。种豆得豆，种瓜得瓜。

　　由于固执地过独身生活，男人使自己成了一种永久的公开的诱惑，他们应该更加小心；正是这种独身生活会把女性引入另一种人生。

　　即使最高尚的男子也总跳不出情关情海。不论现代的历史，还是古代的历史，都向我们提供了许许多多这类十分惨痛的事例。的确，假如历史不是这样，它就会非常平淡无味。

　　为了从别的姑娘的阴谋中，救出我可怜的、单纯的、可信赖的情人，再过分的事我也会做。

　　所有对妻子感到失望的男人都想有外遇，至少一辈子有一次。

　　丈夫同别的女人通奸，做妻子的总有一部分责任。若否认这一点，则是愚蠢的。但是，应该说，多数女人不明白为什么丈夫不满意，为什么要欺骗她们。她们气愤男人在另一个女人那里寻找性欲与色情欲望的满足，而她们却不知道自己丈夫的欲望。

　　贝尔向吉姆求婚的时候，吉姆 19 岁，贝尔 28 岁，年龄还算合适。

　　贝尔在认识吉姆之前曾有过一个比他年长的女友。

　　贝尔和吉姆的新婚之夜是在纽约郊区的一个小旅店里度过的。

　　吉姆没有经验（吉姆当时仍是处女），贝尔缺乏信心（因为过去搞这种事都是他那个年长的女友引导着），结果很不成功，两个人都很失望。

　　吉姆年轻，没有经验，心想随着时间的推移，事情会慢慢好起来。实际上，这段时光对他们结婚最初几年起决定性作用。

丈夫初次行房太粗暴，会给没有经验的女子造成永久的精神创伤；女方也可能由于姿势有问题，给男方造成很难医治的性抑制。

这就是贝尔的情况，他的美好向往全垮了。

贝尔在几年后解释道："因为我当时愚蠢地认为，我在新婚之夜体验到的快感要比我在女友那里得到的好得多。可那个夜晚，吉姆像条死鱼一样躺在床上，等我采取一切主动。我今天才明白，我当时的笨拙和焦急是造成惨败的主要原因，因为我早就在盼着这一夜。可是当时气急了，我以为吉姆用那种姿势让我明白，我是个蹩脚的情人。"

每个男人都认为自己是个出色的情人，然而，在他们的内心深处深知自己的局限，而且担心自己滑稽可笑。

因此，贝尔从结婚的当年起，就又与他的老女友勾搭上了，以图在她那里找到自己会搞女人的证明。

再让我们看看纽约 30 岁玩具设计师多特的情况。

在纽约作家和艺术家的居住区，多特有一天遇到了欧茨。她 22 岁，但经历过不少事情，对过去的那些性伙伴已经厌倦了，希望找一个对她既是丈夫又是情人的角色，并能给她一种"干净"的气氛。

她对多特说，过去一些男人向她要求"可怕的事情"，她也曾喜欢过那样一些事情，而现在她感到作呕。

因为多特爱欧茨，所以他决定尊重未婚妻的愿望，或者至少他认为自己是尊重的……可以说，两个人的婚后生活是矫正的样板，也是烦恼的样板，可是两个人谁也不想说出来。

这种生活持续了 3 年。后来多特开始出入纽约十五街的夜总会了。他在那里认识了位姑娘，不久便不再回家了。他不时给妻子打个电话，问问他是否有信件。

于是欧茨去找一位心理学家咨询。这位心理学家找多特作了一次谈话。

多特这样说："是的，我给欧茨许下的诺言，我不能坚持。开始时还很好，因为我妻子在我眼里还有新鲜感、吸引力。可是，有什么办法呢？我认为爱情需要导演：要红灯，要香槟，要刺激的音乐，要变换花样。可是欧茨对这一切都不喜欢，我也不求她了。再说，又有什么用呢？只有双方都有兴趣，才有意思。"

在美国，女人们经常忘记，男人们一般都会找一个很好的借口：据说从天性上来讲，他们是属于多配偶性的一类。

我接受女人只是想把她改装成猫咪或厨房。

她已经是三十七、八岁的女人了，这就意味着她正在急着要找个丈夫，这根本不是一件坏事，更不能当作笑话来看。不论外表上显得怎样精明世故，人总有其纯朴的人性一面。

一个人必须为求得生存而苦苦挣扎。这是你应该坚守的人生第一要义。

给女人以自由什么用也没有，而只是一种摆设，女人只有被人爱上后才能被释放。

真正聪明的女人注定要不贞：因为这是她自由所能得到的惟一的具体的方式。她的不忠甚至超过了她的欲望与感觉。

为了获得别人的信任，以博取他们的好感，个人在自己与别人间维持着各色各样的关系，这些复杂的关系造成了几种不同的荣誉，这些荣誉有的是依赖自身的行为，有的是靠着种种担保，也有的是基于和异性间的关系。所以我们把各式各样的荣誉，为三大类：公民的荣誉、官场的荣誉、性感的荣誉。

性感的荣誉是最人道的荣誉。

媚俗一旦被识破为谎言，它就进入了非媚俗的环境牵制之中，就将失去它独裁的权威，变得如同人类其他弱点一样动人。我们中间没有一个超人，强大得足以完全逃避媚俗。

你有一个优点叫我特别喜欢，你跟有些女人不一样，当别人告诉你你很漂亮的时候，你并不假装不知道，而觉得非常自然；就好像别人在说你每只手上有五个手指一样。

我的容貌是我的一笔财富，我不是傻瓜，不会不知道它的价码。不过它也有它许多不利的地方。

年轻人在春天里都很容易把他的幻想转移到爱情上面来，这是一件很容易惹是生非的事情。

有些人为了爱情会把自己的生命移在另一个人身上，失掉这个人就活不下去。

爱情是可以面对上帝的，而上帝对这类事最无动于衷。

一个女孩子的一笑就能决定她结婚的那一天。

当纵欲行为没有使人变成麻木不仁的时候，它的必然后果之一，便是产生一种异乎寻常的好奇心。

爱情中最重要的不是他人，而是我们自己。这才是爱的真谛，而不是别的什么。

今天，人们不是寻求丈夫，就是躲避自己的丈夫。

他很礼貌，但不愿人们这样认为他。一个十足的花花公子，若有人认为他浪漫，他就会生气；他喜欢被人误会。这赋予了他一种迷人的地位。

我一想到人的这些坏品质，就吓得马上睡不着了。

我喜欢梦想人的坏品质手。我不愿和人的任何一种坏品质分

任何的地方，两个谨慎的经验丰富的人总要互相的研究，彼此的探听。

一切不幸的人都是同病相怜的，他们有共同的语言，同样的慷慨心肠，尽管这是一贫如洗的慷慨，可是，他们的感情却是最丰富的，他们可以为别人牺牲时间，甚至牺牲自己。

白天她是一个性格魔鬼，夜里是一个性格美人；
这就是个谜。

在文明世界除了伪装以外，还有什么东西呢？

在文明世界里，你可以遇到官员、僧侣、士兵、学者、律师、传教士、哲学家以及其他各种各样的人物！但是，他们并非真正像他们所伪装的那样；他们只是我们的假面具，通常，在这些假面具之后，都是些赚钱的人或伺机赚取女人情感品味的人。

试想，有人戴上法律的面具，便可以给另一人一顿痛打；另一个人选择爱国者的假面具和大众福利的假面具，就可以骗到钱财；第三个人则选择宗教或教义为假面具结果收获了崇拜。

人们往往戴上美学甚或慈善事业及其他种种名义的假面具，来追求各种自我品味。

女人的选择范围比较小。通常，她们是利用服饰、谦恭

和家庭生活的假面具。因此，有很多一般性的假面具，未带来任何快乐品味。

我们到处可以看到这种面具，在这种面具中，人们所喜欢的是正直的行为、诚实、礼貌、真挚的同情心和微笑的友谊。我已经说过，通常，所有这些面具，只是某些工商业或投机买卖的伪装。

只有商人才形成坦诚阶级，他们是惟一把自己本来面目表露出来的人，他们来来去去，根本没有任何面具，因而社会地位又滑稽又坚挺。

请你不要把酒和酒醉混淆；不要认为你用来喝那神圣的饮料的杯子也是神圣的，当你晚上发现它空了和破了，请你也不必惊奇。这是一个女人，是一只易碎的瓶子，是一个陶器工人用粘土制成的东西。

在这个世界上，只要人们不做睁眼瞎，就随时能找到爱情。

许多人像蚂蚁一样，整天劳碌，忙着不停以聚集财产。除了只知搞钱外，其他便一无所知。

这种人的心里空白一片，对任何其他事物麻木不仁。他们对心灵幸福既无能品味，就只有沉迷在声色犬马中，任意挥霍，求得片刻的感官享受。如果幸运的话，他奋斗的结果，得到了巨大的财富，死后留给继承人，或者乱花一通。像这种人的人生，看来虽煞有介事和具重要感，实际上就和其他许多傻瓜一样，愚昧得像一只大蚂蚁。

一个人的个人生涯应该使他本人的心变得丰厚坚实，或者不仅仅具有戏剧人生的价值；而应该，只要是一次历险，都可以变成一座金矿。

人类的普遍虚伪，在不必要的生活喜剧中陷得不可自拔了——不论是在男女之间，在同事中，还是在政治上，普遍的无奈已经成为常识。

金钱、荣誉、地位、权力是最令人消沉的人生目标；大多数男性靠出卖自己换得好处；学者、重要人物、资产者、丈夫——所有这些身分扑灭了他们身上每一点生动和浪漫的火花；他们的脑子里装满了现成的观点和学来的感情，处处循规蹈矩，他们个性空洞无物；一个住满了这种没有灵气的家伙的世界是毫无生趣的。

在这个世界上，只要人们不做睁眼瞎，就随时随地都能找到爱情。

我可能是天使，因为我像怜悯自己一样同情所有认识的人。

一个成人要是不能向一个8岁的孩子讲明他在干什么的话，那他就是一个江湖骗子。而现代人不骗人很难活得下去。

我就像接受创伤一样接受生命，并拒绝用失恋来治愈伤疤。

在这种年头，仿佛不会给自己招来麻烦似地对人行善，一定会被人怀疑是脑子有毛病了——患了受虐狂或者是任性症什么的。

人类所有高贵的道德情操，往往会被人怀疑为一种欺骗手段。对一切事情，我们表面上是歌功颂德，但骨子里却是背叛或否定。

你不知道掉进了这陷阱是怎样的滋味，被藐视，受引诱，遭遗弃，挨嘲笑——成为一个被社会遗弃的人！到处对你关闭了社会之门，你只得栖身在偏僻的小路上，一步三回头地过日子，时时害怕被人撕下假面，嘲笑声不绝于耳——

这是世上最可怕的笑声。这种日子比终日以泪洗面更加惨痛。

品味对于人是必需，正像叶子和花儿要高高地耸出一样。

人是没有什么会持续很长的，极度宽慰的浪潮消退之后，跟着就是一丝懊悔的微波。

我希望女人是自然物，但也希望她是人工精品；我爱从海水中走来的裸体的她，也爱从时装裁缝店里出来的经过打扮的她，不言而喻，我正是如此才在人性的世界里找到了她。

身居都市的男人在女人身上追寻动物的本性；但服役的青年农夫把妓院看做是城市肉体化的象征。

女人就是田野，就是牧场。

品味就是一种体验。

人产生于一种裁剪，而且是一种只能自愿的被裁剪。

美国的自由会使人喜欢去扮演各种各样极其粗野的角色。情欲像一种宗教，信奉这个宗教比信奉旁的宗教代价高得多；并且很快就会消失，信仰过去的时候像一个顽皮的孩子，还得到处闯些祸。有一种男子，对于牺牲自己所求的报酬，就当作是对自己所爱的人做了一件好事。

不管在这个世界上能否普及，能否为整个社会所接受，但必须发自每个人的内心。破坏它的怪诞想法，必须克服，必须有天性的职责加以纠正。

感激是一种危险的念头。

感激像是个梦幻，是个竭力追求而不断推迟的计划，是个永远不能到达的驿站。

不幸砸在仁慈的心上的声音多么悦耳。

英雄的妻子漫不经心地听着他的探险传奇，即使是诗人所梦想的缪斯，在她听着诗人的诗句时，也会打起哈欠。

人实际上同别的事物一样，只要你懂得了如何理解它，要是你不懂得怎样理解和品味，那你注定会被逼得心碎魂飞。

痴心无疑能够以一种不受任何干扰的精神目睹一切。在虔诚的气氛中长大的少女，天真、纯洁，一朝踏出了家门，便觉得一切都是爱情了。

她们徜徉在天国的光明中，而这光明是她们的心灵放射的，光辉所布，又照耀到她们的爱人。

她们把胸中如火如荼的热情点染爱人，把自己梦幻的思想当作对方的梦。女人的错误，差不多老是因为相信善或是相信真。几乎所有的少女都相信外貌的暗示，以为人家的心地和外表一样美……她的天真可以使她毫不畏惧地踏到陷阱里去。

性格和品味把一切姿态都丰满起来。

我迟迟不肯说我的怀疑是怀疑现在的我，我提出了怀疑者千篇一律的理由：我热爱滚滚红尘的每一个情节。

由于无法通过伸张正义来弥补不公正，人们宁可把良知淹没在一种与毁灭相混合的更加普遍的玩笑之中。

探索我自己的秘密颇有些阅读侦探小说的迷人劲儿。这个奥秘同大自然极相似，其妙处就在于无法找到答案。

魔鬼要干坏事总可以引证《圣经》。

夏娃是亚当的伴侣：上帝将她赐给男人，所以男人可以占有她，使她受精，就如同给土壤施肥一样。通过她，男人用他全部本性建造了他的王国，这不仅仅是一种肉体的瞬间即逝的快感。

我渴望征服和占有；占有女人就等于征服女人；我插入她的体内正如犁铧插入犁沟。我精心雕琢她，如同在我的土地上精耕细作；我辛勤劳作，精心栽培和播种。

无疑，美不制造生活本身。但是，生活本身需要美的那一天正在来临。美的规律也是反抗的规律，这种规律在对现实非礼的同时又赋予现实以梦感。

只要是美的人，你就遭到嫉恨。就像作家为自己的作品做索引不过是一种泄露天机的勾当。有经验的人一看就知道，这是诱惑人更快地找到进入别墅的后门。

生活在现代的人，得面对自身性格的所有报应。

神话总有一个主谋，他设想自己处身于超然存在的天底之下。女人却没有自称自己是主谋，因此，她们没有反映她们设想的男性神话；她们没有自己的宗教或诗歌，她们仍然通过男人的梦想勾画自己的梦幻，男人造出的上帝就是她们所崇拜的上帝。

一个艺术家——画家也好，诗人也好，音乐家也好，用他的崇高的或者美丽的作品把世界装点起来，满足了人们的审美意识，但这也同人类的性本能不无相似的地方，都有其粗野狂暴的一面。在把作品奉献给世人的同时，艺术家也把他个人血液的颜色呈现到你跟前。

不合理的行为所起到的作用只能是重新打开已仔细包扎好的伤口。现代人偏爱重温恶梦，所以暴行经常破门而入。

人既然都要死，那人的沉默比神的语言能更好地为我们的命运作准备。

性格女人总是迷人的。

在大自然的心目中，弱者或生不逢时的生命，就应该完蛋。性格这种大自然，也和大自然本身一样，是十分健忘的！

人类之间过分的互相关心，有时看来完全是多余的麻醉行为。世上最妙不过的事，莫不如尽量使商人们的腰包填满，为大家做出品味生活的榜样。

对一个男人来说，没有什么东西比占有从来不属于任何人的东西更使自己惬意的了。品味征服似乎成了他独一无二的绝对的事情。处女地总是令探险者着迷；每年都有登山者死于非命。他们希望去征服未被征服的山峰；好奇心使他们冒着生命危险去探测深不可测的洞穴。一件人们已经用过的东西就丧失了它最奥妙的内涵。

一个人恋爱的时候，总是以品味自己开始，并且也总是以品味别人告终。这就是世人所谓的浪漫。

风流女人对流言飞语有天生的偏好，而且她生活的忧虑常常是没有足够的流言飞语伴她活着。

要是她的胭脂抹得太浓了，而衣饰却远不够华丽，这无疑表明这个女人已经把绝望的神经都表露出来了。

情人们有时各死一方，生活又总是分开的，在生命的全部时间里完全地占有一个人和绝对地沟通的要求是不人道的。

夸张的恫吓加上愤激的手势配和着的疯疯傻傻的文明戏的台词——这样人才似乎感到生活变得更加富有生气了。

一个男人无论在做什么愚蠢透顶的事情的时候，总是找出一种最有品味的理由。

失恋能使女人变成一个奇怪的人，她的服装看起来好像是在狂怒的时候设计出来，在暴风雨中穿上身的。她总是爱上个什么人，因为她的爱情从来都是单恋，所以她始终能保留住她全部的幻想。她竭力附庸风雅，结果只落得不修边幅。

男人随便跟哪个女人在一起都很快乐，只要男的不真爱上这个女人。

我喜欢来日方长的男人和不堪回首的女人，是他们把生活搞得意味深长。

28 岁的琼安就是一个不堪回首的女人。

我和琼安的谈话是在纽约东 70 街的一家意大利餐厅里进行的。会面的时间是 7 点 30 分钟。琼安到 8 点 25 分才来，不断地道歉。

琼安没有化妆，看上去像一个衣着奢华面容疲乏的少女。"这些年来，那些过去的事情，我很少跟人谈起。"琼安说。

"把它当作一场梦吧，我们都是这样。"

琼安笑了："你已经是我的朋友了，你会把它写成一本书的。"

应该说在 9 岁之前我的生活是相当稳定的。9 岁刚过我的生活发生了变化：我的父母离婚了。原因是那一年我的母亲怀孕了，而父亲认为那不是他的孩子。

离婚后不久，母亲就与一位房客同居了。现在对于我来说，我已经记不起我父亲的模样了，他在离开我们的第二年死于车祸。

我还记得那一夜我已经上床了，母亲和那房客正在睡觉，母亲的呻吟声和喊叫声响得那么厉害，我以为那房客正在杀她呢，所以我就扑上去帛打他，母亲从床上起来，给了我一顿毒打，我简直莫名其妙。于是我就跑到了外婆那里，并把母亲的所作所为告诉了外婆。外婆说：你就呆在这里吧。后来母亲来找过我，我拒绝回去，后来我就不再见她了。

我 12 岁那年，母亲在一个街口堵住了我，她喝了许多酒，看起来很消瘦，像个老吸毒者或妓女。有一个男人和她一起来的，不是那房客，是另一个男人。他们要我和他们一起回去，我告诉了母亲我对她的看法，并说我不愿回去，因为我不能容忍。母亲说她又结婚了，有了一个小男孩。

我说我不想和你有任何关系了，你走吧。

母亲走时，精神萎靡，眼睛里充满泪水。

我 13 岁的时候，母亲死于肝癌。我去参加了葬礼，只是因为他们说那里有咖啡和蛋糕。

13 岁那年我来了月经，我开始常常和男孩们一起去迪斯科舞厅并喝啤酒。

那以后不久，我就被一个迪斯科舞演员强奸了。他是强奸我的第一人，他 24 岁。在这以前许多人试过，但没人能成功。只是这个人干得好。他把我整夜锁在公寓房间里。以后当我告诉他，他是我的第一个人时，他说他很抱歉，他喝醉了……这就是一切的开始。

现在我也说不清为什么，那个时候我怎么会那么迷恋那个"迪斯科舞演员小组"，每一天都渴望着能成为这个小组的成员。那些人利用我当时的天真幼稚，把我从一个人传到另一个人，所有这些人都装作是小组的一个成员。

我竟然不知他们在玩弄我。每次他们来了以后，都是先坐下和我说话，然后互相谈论我。他们常常是笑着说我年龄太小，然后就有人弄乱我的头发，还笑我太小。我当然不愿别人认为我太小，所以我说，我以前干过，常常干。于是他们就轮番和我睡觉。从来没有人给过我钱。

有一次他们给我喝了杯什么东西，后来我就什么也不知道了。等我醒来，我已经被剃过——你当然知道我的意思——很久以后我见到了他们拍的照片。

在这些人当中有个叫恩特的对我不错，他是第一个和我同居的人。

随着时间的过去，他带来越来越多的男人，向我介绍说他们是"同事"，叫我与他们性交。

开始的时候，我不愿意。恩特就撕下我的裤子让来的男人上。

那次我哭了，干我的那个家伙叫里克，他是第一个付我钱的人，走的时候他还给了我一包香烟。

第二天早晨我对恩特说，我喜欢那家伙。恩特说，你不能喜欢他们中的任何人……这就是我如何走上那条路的开始。

"那时，我是多么需要一个能给我指出界线，如果我超过这个界线就能拉住我，狠狠打我的那种男人。"琼安意味深长地说。

"你的意思是你需要对你说不允许那样做的男人吗?"

"是的，我需要这样的人：如果他看到我在酒店里，就打我并说：1，2，3，开步走，回家去。如果他在旅馆里打我，我就会显得像个傻瓜，这样我就不能再回到那里去了。"

"这么说来，那时你需要的是你所尊敬的并能控制你的人?"

琼安笑着说:"是的,经常打我,只是为了让我知道我只能走这么远,不能再远了。如果我不听他的,他就不理我……一个像父亲那样的人。"

在以后的两年半的时间里,我看他们以各种方式殴打、强奸、鸡奸、买卖、拍卖和出卖。我在街道、俱乐部、酒吧、迪斯科舞厅、蒸汽浴室"工作",还是两个公寓房间的电话应召女郎,甚至达到了顶点,在十三街的"爱神中心"和男人们出声地接吻。

每个利用我的男人,如果不拿走我的全部钱,也是拿走了大部分钱。从我的"交易"量来看,我的收入一定是惊人的。我从这些拉皮条的人身上要求和得到的个人关心多于和我在一起的其他女孩。

我只和其中的一个拉皮条的男人谈过话,我还能记着这个人叫斯特克,32岁,表达能力很强,他说话带有十足的南方口音。他非常坦率地和我谈论了他的生活。他说在纽约拉皮条的人通常都是兼职的,当然这是很赚钱的。

他说我很漂亮,只是有些麻烦,每一次时间用得过长。他说我不太适合干这种事,真正做这种事需要的是钱,那些嫖客对妓女来说无足轻重。

那几年我从不与他们中间的任何人断绝关系,那样太危险。

他们因为我显得有些天真,就在我面前谈论所有的事情,他们谈论自己、自己的妻子和事业,这使我学到了很多东西。不过,我对嫖客们说的一切都不感兴趣。我就像在商店里工作一样,向顾客出售一袋糖果,顾客就付钱,"谢谢,再见"就说这些,与我的生活毫无关系。

后来，我爱上了马里斯，一个意大利后裔，在美国出生的拉皮条的人。我常想得到的一切，他都给了我，他给我温情，一种我从来未得到的温情，他使我有了安全感。我不在乎他是个拉皮条的人，我只在乎我感觉到的，那种不同的感受。

可是，我看错了他，我想像中仅有的一点美好的东西被他毁了。

那是我们认识几个月后的一天，当时我躺在床上，我感觉极好，所以当即建议我们一起试试过正常生活。马里斯没有任何表示。我倒了两杯酒要和他干杯。他问我为什么干杯？我说，为你——为我的男朋友而干杯。他把酒泼在了地上，说：琼安，你疯了，我不是任何人的男朋友！

从此以后我非常悲伤，我有很长时间没有见到马里斯。你知道我对有些事情已经习惯了：被他抱着，轻轻搂着，躺在他身上，甚至贴在他肩上，然后睡去。他抚摸我，吻我的头发……我们还干许多傻事：假装打架，在房间里到处追赶，然后他走过来像抱小孩那样抱我——这正是我需要的。他还像对待大人那样地对待我。他知道如何用这两种态度对我。

最后，我渴望见到他的心情还是战胜了我的痛苦和愤怒。

几个星期后的一天，马里斯来到我的房间，和他一起来的还有加里、汉普顿、布洛克。我没有和他们打招呼，马里斯也没说话。

后来，加里盯着我说：琼安，自动把衣服脱了，我不喜欢强奸。我说：强奸，你说的强奸是什么意思？我在说这句话的时候，我看见马里斯低着头猛地把门推开，走了。

其他的人留下了并闩上了门。

加里说：我是第一个。

我说我不愿意。他就打我，然后汉普顿抓住我的头发把我拉到床上。我开始哭了。

最后我想现在不论发生什么我都要忍着，以免把我打得遍体鳞伤。我想我给他们搞手淫也许可过关。我给加里干了，然后是汉普顿和布洛克……

后来马里斯回来了。我躺在床上半睡着，因为我太疲倦了。当他进来时，我大约笑了一下。我想，他一定会觉得这一切都是我自愿干的，至少他会这么和我说。也许他还会对我说对于将自己身体送给每个人的女孩，他当然不愿与她有什么关系。可那天他什么也没有说。可我知道我们之间的关系到此结束。

我想报复马里斯，报复所有人，我下决心要进行的是一种稀奇古怪的报复。

我故意使自己染上了性病，然后将它传染给那些我所憎恨的人。

马里斯是第一个被我染上性病的。他以前从未得过。然后是加里、汉普顿、布洛克。当然他们接着传染给其他女孩——这是一种讨厌的传染病。

可最后玩笑又开到了我的头上。我经过注射摆脱了这种病，其他的人也大多摆脱了，只有加里没有摆脱，所以加里又传回给我……

琼安用一种胜利的喜悦和歇斯底里的语调讲这个故事。故事结束时她显得苍白和筋疲力尽。

我问她："那时，如果你想干什么就可以干什么的话，你要干什么呢?"

琼安说,"睡觉,我要永远睡下去。"

"现在你醒来了,那一切不过是梦。"

"是的,那不是真正的生活。"琼安说,"现在,我已是两个孩子的母亲了,我丈夫约翰很爱我,过去的那一切我对他没有丝毫隐瞒。我不知道我是否在爱他,婚后我曾有过一个情人,现在也没什么感觉了。男人对我来说只是一些普通酒,可我喜欢喝咖啡。当然,你不是酒,你是一杯纯正的咖啡。"

她希望我相信肉体就是一种精神的实体,是灵魂的工具。她是个可爱的女人,非常动人,但是她的这套理论谈吐是一种危险的诱惑,这只会造成更多高傲自负的错误。

和她谈话,真是一件快事,因为她给人一种与生活进行殊死搏斗的感觉。

当一个美丽的女人坐在你身边时,有着脏指甲是多么难以忍受!你必须蔑视这个女人才能从她那里得到快乐!

一个妒忌的人会觉得时间流逝得飞快。

据我所知,女人总是因为迷人而得不到奖赏。女人通常因为迷人受到惩罚!

一个野心勃勃的人,不管做什么事,总会出人意料地遇到一个女人。一位伟大的政治家不管如何有权有势,都必须用女人来抵挡女人,如同荷兰人用钻石加工钻石一样。

常识品味:人的天性不适合为爱牺牲。

她自认为是一个风月场上的老手,对于自己荒唐的过去既没有忘记,也不感到后悔,同时她也是个对这个世界了如指掌的女人，坚信世上没有任何一个男人能为爱牺牲一切；她是正确的，因为她能坚信一个常识。

她的天性有所发展，就像一朵鲜花，红艳艳的花朵已经绽开。她的灵魂刚从她的隐匿的秘密处所悄悄显露出来，欲念便立即迎了上去。女人能以情欲做帮凶，真是选对了生活伴侣。

世上最大的傻子，是为了外在而牺牲内在，以及为了光彩、地位、壮观、头衔和荣誉而付出了全部或大部分闲暇和自己的独立。大家不幸如此做了，我却侥幸地没有这样。

平常的女人绝不会引起我们的遐想。她们受到品味的局限。任何法术也不能使她们变形。了解她们的心就像了解她们戴的小圆帽一样容易，你随时可以了解。她们之中没有任何神秘之处。她们上午在公园里闲逛，下午在茶会上闲聊。她们的笑脸千篇一律，她们的举止入时有度。对她们可以一目了然。

只有神圣的东西才值得碰一碰。

每个男人在某一类女人面前总有做傻瓜的时候，我也一样。

你自己是个高级知识分子，而又去娶了一个高级知识分子。这就是你的错。每个知识分子都有几分傻的地方。

我没有那种才干，能使一个女子失了足，又回到她原有的地位上来。

女人的表里不一，正是惹人爱的原因。
同那种自称不爱管闲事的女人和喜欢把自己的品味（不管是什么品味）藏而不露的女人打交道简直像读一本动人的畅销书。

任何一个女人在漂亮的男人面前，都会使自己成为一个傻瓜。

好的相貌是生活斗争中必不可少的装备的之一。

所有精神病医生都认为，一个滥用乱花丈夫金钱的女人，就是存心要使丈夫失去做爱的能力。

女人一般说来都把"施比受更为有福"这句格言当作男性品味的准则。

你是怎样说服那些体面而显然节俭的女人把她们的积蓄全部那么放心地托付给你的？对一个女人说要把她的资财交给你来管理，6个月内保险翻一番，她就会甭提多快地把钱交给你了，贪婪，就是这么回事，贪婪把情调女人的美都搞乱了。

男人拥抱着他所爱的人，追求在肉体的魔力中遗失自己。他希望将她占为己有，他垂涎刚从波涛中出来的维纳斯。

女人是不决斗的；但是，社会就是这样一个社会，毕竟没有任何一个人，不管是什么性别，在他一生中的某些时刻，不能不遇到使他的生活完全改观的事件，尽管他的生活和钟表般有规则，和铁一般坚强。有谁逃得了这样的规律？

她是一位聪明的女人，更好的是她是个可爱的女人，她有一颗看着你就不安的心。

一个女人不一定非得嫁人不可，而且有充分的理由足以说明为什么人们应该独个儿生活。

婚姻与打官司很相像，如果总是一方欺骗另一方，那么，结婚的人里面，便有一半是损害另'方的利益则在那里装蒜。"我们除了爱情就一无所有了。"这话听起来总像是老祖母的回声。

女人真是奇怪的动物，你可以像狗一样地对待她们，你可以揍她们揍得你两臂酸痛，但是到头来她们还是爱你。

碰到一个没结过婚的老处女，我总以鳏夫的身分去对付。效果就跟魔法一样灵。您知道，老处女喜欢那种略知一二的男人。可是，撞上一个寡妇，我就总是说自己是个老处男，寡妇害怕事情知道得太多的结过婚的男人。

我不喜欢女人往脸上涂脂抹粉，看上去那么千篇一律；我认为：香粉、胭脂和口红有损于她们的自然美，是不明智的夸张。

现实中有下面这些东西，如服饰，外观，家具，轻松的消遣，推理小说，诱人的时装杂志，电脑网络，愉快的晚会。一个人能对这些东西说些什么呢？女人们——我是这样考虑的，没有受过抵制这些东西的训练。你可以强迫她们读10 年黑格尔美学的书，而不能减少她们对这些东西的品味欲望；你可以教会她们欣赏古典油画，但永远不能说服她们穿旧衣服。

为了一个女人的品味，我甚至可以忘记自己的性格。

女人是挺不幸的；时常，她们二堕人情网，自己就变得不可爱了。

心性不高的人幸福和快乐的惟一源泉是他的感官品味，充其量过一种舒适的家庭生活，与下层的伴侣在一起俗不可耐地消磨时光。品味对这类凡夫俗子也无能扩大他的精神价值。

自我牺牲是压倒一切的情感，连淫欲和饥饿跟它比较起来都微不足道了。它使人对自己人格作出最高评价，驱使人走向毁灭。对象是什么人，毫无关系；值得也可以，不值得也可以。

没有一种品味这样令人陶醉，没有一种爱这样摧毁人，没有一种罪恶使人这样抵御不了。当他牺牲自己时，人一瞬间变得比上帝更伟大了，因为上帝是无限和万能的，他怎么能牺牲自己？他顶多只能牺牲自己惟一的天性。

在美国，眼泪洒落在黑布上的数目也要上税，法律规定七个等级的葬仪，基地要用金钱买来，悲哀受到双倍的盘剥，教堂的祈祷收费昂贵，教堂财产管理委员会也要插一手，在安魂曲之外加点什么，索取代价，要摆脱行政方面给悲痛划出的轨迹，办几件事，那是不可能的。

一个穷光蛋由于从每个方面来看都是完全的、深深的、绝对的不如人，更由于他是全然的渺小和微不足道，他反而能轻悄悄地在政治把戏中取得一席之地。

他能够深深的鞠躬，必要时还可以砍头；他能屈服于任何事且能暗自解嘲；他知道仁义道德一文不值；他在说及或写到某长官要人时，能用最大的声音和最大胆的笔调；只要他们涂鸦一二，他就可以把这些誉为是神采的杰作。惟有他了解如何乞求。

平常人仅思考如何去"品味"时光，有心的人却"利用"时光。

才智品味有限的人易生厌倦，因为他们的才智不是独立，仅用来做别人意志力的殉葬工具，以满足自己的动机；他们若没有特殊动机，则品味无所求，才智便也休息了，因为才智与品味都须外力来发动。

魅力是惊人的奇迹，只有浅溥的人才不从相貌品味人性。

魅力女人一旦坠入到情感的手里，她不是一个万物之灵了，那就再没有什么权利或事实的问题，而只能成为一个男人怀里乖顺的兔子。没有什么比一个泼妇引经据典时的表情更为冷酷无情了，每一个泼妇都源于一个漂亮的处女。

情爱都是不确定和不稳定的，它们都如过眼烟云，随机缘而定；像经常无法把握的天气，所以在极得意的情况下，也可能轻易消失，这原是人生不可避免的事情。

当你年迈时，这些幸福之源也就必然耗竭：到这个时候所谓爱情、才智、旅行欲、爱马狂，甚至社交能力都舍弃我们了；还有频繁的讣告不定期地带走我们的朋友和亲戚。这样的时刻，自己才是惟一活生生的避难圣地。

时光转瞬即逝，无法挽回，它是世间最锋利的宝剑。

滥用时光无疑是人们物质文明暗害人性命的一种方式。当你虚度短暂、宝贵的光阴时，就好比端起里面溶化了珠宝的酒杯，但是却把里面盛的东西泼在地上了。这种举动貌似落落大方，不过，如同所有落落大方的举动一样，是荒唐可笑的，无非是给这种荒唐举动找的一个借口罢了。

新品味本身就是新思想，她不仅是茁壮的阳光，而且是未来的原野。

生活在一个品味丰满的环境中，抚摸真理，向往自由，爱别人，追求充实的生活，在清明的意识中和死亡同住——有了这种品味，心灵就不会设法逃避死亡，屏息凝神你会看到的末日跟迎接节日一样。

一天有人对我说，他失去女儿已有 5 年，从那以后他变化得厉害，此事"毁了他"。再没有比这更确切的词了。人一开始想，人就开始被毁。

有时候我装作严肃地对待生活。

性格品味 Grade Of Character

　　但是，严肃本身的轻挑很快就显现出来，我只不过是尽可能好地继续演我的角色。我装作能干、聪明、讲道德、富于公民心、有品味、宽容、友爱、循循善诱……

　　我既是国家的品味又是社区的心情，我在四分五裂的内心目光里抒情性地抚摸着周围每一个细小的情节。

　　大人们还在把手淫看成一种危险的犯罪行为，许多患手淫癖的儿童和青年男子犯手淫时总是带着恐惧和焦虑。社会尤其是父母们的干预使单独的快乐被看做是罪恶。

　　很多男孩本能地对射精感到害怕，血液或者精液，自己本体的任何流失都使他不安，流失的是他的生命，他的精华。

　　然而，即使一个男人在没有人在场时也会获得性的体验，他想像着女人的性器官。男人是在品味自己的天性时发现了女人。

　　那是一个盛夏炎热的下午。艾文斯当时只有15岁。

　　他穿着三角裤横躺在阳台上，顽强地抵抗着想回到自己卧室去做那种他发誓要改掉的恶习。

　　在一侧的花园里，有一位穿着紧身运动衫的姑娘正在采摘玫瑰花。

　　她长得漂亮，丰满，可25岁的年龄对艾文斯来说却像是一个"老妇"。

　　当她俯身时，艾文斯看到了她的酥胸和柔嫩的双乳。他想：她是不会走过来的。他忽然有一种想和她交谈的欲望。

　　"今天的天气可真热呀。"艾文斯一边说一边感到自己说这话是多么的愚蠢。

　　可她却赞同地朝他点了点头。

　　几分钟后，她递给了艾文斯一杯啤酒。

　　他走上去小心地接过来。这种友善的接近，使艾文斯如堕梦幻之中，他似乎发现世界刚刚开始，就像亚当和夏娃一样。

　　当那姑娘叫他坐在她身边的椅子上时，某种恐惧和欲望一起涌上他的心头，某种东西突然撕裂了他。

　　姑娘吃惊地望着艾文斯的眼睛说：你还是个孩子，回去做你的功课吧，这对你有好处。

　　从那天起，那姑娘便不再和艾文斯打招呼了。

　　那以后的许多白天和黑夜艾文斯不断地重复着男孩子都在做的那件事，为此他付出了大量的精液。

　　后来，他又遇到了一个和那姑娘年龄相仿的姑娘。

　　他们是在地铁上认识的。

　　那天坐地铁的人非常多，艾文斯挤靠在一个女人的后背上。后来这个女人转过了身，艾文斯发现是一个还算漂亮的姑娘。那姑娘望着他，就那么一直望着他。艾文斯紧张得呼吸都感到困难。

　　后来那姑娘就握住了他的手。

　　下车后，那姑娘仍一直握着艾文斯的手。后来那姑娘把他领进了一个楼道，然后她用手指着一个门，向艾文斯笑了笑，艾文斯就跟她走了进去。

　　20 分钟过后，艾文斯又站到了街上，他有一种想飞的感觉，他觉得自己一下子就长成了大人。尽管后来他突然想起他把在课堂上募集的钱都给了她，有些后悔……

　　许多年后，艾文斯还记着在那房间里发生的那一幕，回味起来感到有点恶心。

有识之士已经指出，品位的荣誉和尊敬，以前只有正义、勇气、节制、仁慈的人才能获得，而现在却普遍被欺世盗名的混蛋在各类交易的行为中购买得干干净净。

把男女文明，甚至于道德，统统包含在技术改革之中真是我们时代身不由己的不幸。把面包给饥饿的人，把衣服给赤裸的人，这只是古代的善行。

不管什么义与不义，只要能够达到尘世的天堂，享尽繁华之福，化心肝为铁石，胼手胝足地去争取暂时的财富，这就是今日最普遍流行的文明风气，甚至法律上也这样写着。这种快节奏的打击，人是无法回顾和怀念什么的。

你为自己获得了自由而高兴，你觉得终于成为自己灵魂的主人了。你好像昂首于星斗中漫步。但是突然间，你忍受不住了。你发觉你的双脚从来就没有从污泥里拔出过。

你现在想索性全身躺在烂泥塘里翻滚。于是你就去找一个女人，一个粗野、低贱、俗不可耐的女人，一个性感毕露令人嫌恶的畜类般的女人。你像一个野兽似地扑到她身上。你拼命往肚里灌酒，你憎恨自己，简直快要发疯了。

新闻传媒能强制全民注意一个平凡无奇的人的绝望，全民也可能糊里糊涂地推崇一个毫无才干的总统，但是这两种情况的结果都无助于改变本时代沾满铜臭的精神品味。

美是会令人心醉神迷的单纯品味。

就像玫瑰花的芳香：你只能闻得到而已。对美的占有都会遇到美的报复，就像对信仰的占有结果被信仰抛弃一样。

任何人都能告诉你，为了烤小猪烧掉房子是不值得的。世界上要有什么比怀才不遇更可悲的事，那就是无人了解的肚子了。

一般人夸张失恋的悲剧，其实心灵的爱情需要并非真正的需要；因为没有人爱我们，我们可以爱上帝，他是不吝施舍的。至于口腔的饥饿，那又有什么痛苦可以相比？人不是第一要生活吗？

这里有一句著名的劝告，伟大的劝告……那就是：忘记你所不能忍受的事。强者能够忘记，能够对历史视而不见。

制造神话是人类的天性。

对那些出类拔萃的人物，如果他们生活中有什么令人感到诧异或者迷惑不解的事件，人们就会如饥似渴地抓住不放，编造出种种神话，而且深信不疑，近乎狂热。这可以说是浪漫主义对平凡暗淡的生活的一种抗议。传奇中的一些小故事成为英雄通向不朽境界的最可靠的护照。

瓦尔特·饶利爵士之所以永远珍留在人们记忆里是因为他把披风铺在地上，让伊丽莎白女皇踏着走过去，而不是因为他把英国这个名字带给了许多过去人们从来没有发现的国土。

每个男人都以一种方式展览自己的妻子，因为他相信这种方式是显示他的奇迹。

女人并不仅仅展示了男人的社会虚荣心，她还是他内心深处骄傲的源泉。

他乐于统治着她。除了犁头挖出犁沟这些现实的标志外，他还可以更高兴地认为拥有精神的标志——因为女人是人！丈夫不只是在性上控制着他的妻子，而且在道德和智力上表现出来。他教育她，给她以评价，从而在她的身上打上他的烙印。

男人的一个白日梦就是认为凭他们的意志可以影响事物，规定它们的形式、浸透它们的本质，而女人则是手中最好的陶土，她可以被动地接受而形成一定的形状。

　　每一个勇敢的人都会这样想的，他不会靠把自身受的亏待转嫁给别人来过日子的。

　　勇敢的人将努力使邪恶终止在自己身上。他将保留住这个打击。谁也不会从他手里受到打击，这是一种崇高的抱负。

　　于是，一个人自己投身于打击的海洋之中，说他并不相信打击是无休无止的。许多勇敢的人就这样死去了。不过，还有更多的人，他们的忍耐小于勇气。他们说："积怨太深重了。我难以忍受自己给弄得不能自由自在。我再也喝不下这劳什子恐惧汤了。"

　　爱情似乎就是把性欲灌输到男人的神经中去。

　　觉醒的女人，即使是集体的也罢，总是群面对现实无出路的羔羊，她们是一种既不牵涉罢工也不涉及破坏的无力的恶梦而已。

　　男人的历史在某种意义上讲是男人前赴后继进行的摸索的总和。在一个生活富裕的国度，例如：美国，没有人有过于明确人生的意义，所以女人被奉若神明。

　　假设你从这样的命题开始：厌烦是由未被利用的力量引起的一种痛苦，是被埋没了的可能性或才华造成的痛苦，而这种痛苦是由人尽其才的期望相辅相成的。

　　凡是实在的东西，都不符合纯粹的期望；而期望的纯粹性正是厌烦的主要源泉。

　　多才多艺的人，性感强烈的人，思想丰富的人，善于发明的人——凡是天赋高超的人都觉得自己数十年来怀才不遇，颠沛流离，囿于樊笼。想像企图通过迫使厌烦屈服于兴趣的办法解决这些问题。

有那么一些机灵的人，他们利用为政治服务的办法挽救自己私人生活的过错，而且也可以反过来加以利用。

聪明人总爱使用一些现成的词语，通俗的形容词，只有生活在某些人中才懂得其涵义的动词，这些词使闲谈显得愉快自然，平凡朴素，他们倒是信手拈来，毫不费事。

美国人是世界上最讲效率的人，他们使用这种手法达到尽善尽美的程度，发明了大量精辟有力而又平凡无奇的词组，因而可以进行生动有趣的谈话，而不必费脑筋去想他们在说些什么。这样，他们的头脑就有闲空，可以考虑大买卖和私通之类的更为重大的事情。

美国人天生好动手动脚。

美国人是不会对那种欲行又止的幽默手法垂青的。

在共同的话题中，古老的要求又诞生了；本性又一次摆在人们面前。显而易见，问题不在于蔑视什么，也不在于颂扬一种文明反对另一种文明，问题是谁也没力量逃出人性的弱点。

情爱之所以为情爱，只因为它可以使人类在这面镜子面前看到自己多么可耻，多么消沉。因此，如果情爱不显现罪恶，那这就不是情爱，仅是一种幻象而已。

戴安，28 岁，单身，很有野心，而且也是个成功的自由作家。许多男人都觉得她很迷人，而她也愿意和那些钟情于她的男人保持着往来。可是，那些男人似乎都是一些比较独立、以自我为中心或感情自闭的人，而且都不愿意对她作长远的承诺。

戴安决定找一个比较开放、性感，而且比较脆弱的男人。

最后，她选择了30岁的建筑师尼尔。

尼尔很开放，有许多不平凡的经历，他喜欢这个当作家的戴安，但却和戴安以前的情人一样不愿对她有所承诺。

尼尔有着极强的性能力，这是戴安没有想到的。

在同居的半年间，他们在一起至少性交了上百次，他们性交的地点没有选择，他们甚至在纽约夜晚的大街上做过。

虽然陶醉在他的开放里，戴安却发现自己正在抽身而退。她忽然觉得自己所做的一切毫无意义，和从前一样她仍感到空虚、无聊。从此戴安离开了尼尔。

不久，戴安又选择了一个当律师的男友，是个工作狂，这一选择又使她的欲望无法得到满足。

达米科是一个42岁的房地产掮客，有一家30名员工的公司。从她23岁那年第一次做成一笔令人兴奋的百万生意后，她就一直想有一个美好的婚姻。

许多年过去了，她接触过无数个男人，也多多少少和他们发生了一些故事，可没有一个使她想到婚姻的。现在她发现自己独处的时候，并不怎么感到忧郁。现在她和加拿大的一位电影导演来往，而她也知道，这个导演暗地里还和另外一个女人同居。所以她把那些事情看得很淡。平时无聊时，她也常常找一些应召男郎来取乐。

现实生活是一团混沌，而在想像中却存在着某些十分合乎品味的东西，正是这种想像才使得悔恨紧紧尾随在罪孽之后。正是这种想像使每一颗罪恶的种子结出了丑恶畸形的果实。

在平常的现实世界中，恶人往往得不道恶报，好人有时也没有好报。成功的总是强者，弱者终归失败，历来如此。

根本就不存在预兆这种东西。

命运之神从不给我们通风报信。

万贯家财赋予人美妙的特权。有人能将感情尽情铺展开去，通过满足千百种心血来潮的欲望使情感更加丰富，用富丽堂皇精致考究的环境将情感包围。富丽堂皇能使感情增长，考究能使感情纯洁，精致能使感情更加诱人。而能够做到这一切的人，当然是最令人羡慕的了。

世人是自愿走向祭坛的。

尤其男人注定走向死亡。子宫（像一座坟墓一样密封的子宫）里的颤动胶状物使他清晰地想到腐尸，令人不寒而栗。

生命不论在哪里创造，都令人作呕，因为它诞生于废墟：从胎儿到腐尸，生命完成了一个循环。由于男人害怕虚无和死亡，碰到这类情况就感到恐惧。

眼看希望化作悲伤，爱化作恨，化作死亡，化作静默等等，谁也忍受不了。

大脑有权作合理的怀疑，而且在每个人短暂的生命中，大脑经历的过程是意识觉醒并遗留下来一切。

我不相信在这许多短暂的生命中可能立下丰功伟绩，这是很自然的事。也不相信人类靠思考能做到正确。正是这一点使人吃惊。是的……也正是这种生命短暂的人，才是驾驭想像力的大师。然而，等他有了这种富有想像的宝贵品质时，人又得回老家啦，根本不可能继续生存啦……这是一种多么令人沮丧的情景啊。

至少在眼下，还需要法官和警察，然而，我不能理解人可以指派自己去担任这种令人惊奇的职务。既然我看见了他，我还是容忍了，有点像我容忍蝗虫一样。

一个法官和警察繁荣兴旺的社会，空气基本上应该是火药制成的。

高品味是天才的一种形式，实际上要比天才更高明。

这一点不言自明。这是世界上最伟大的事实，就像阳光、春华，或者是我们称之为银贝壳的月亮映在黑黝黝的流水中的倒影。这是毋容置疑的。它有自己至高无上的神圣权利。谁拥有它谁就可以成为王子。

美貌是惊人的奇迹。只有浅薄之辈才完全不以相貌看人。世界上真正的奥秘是肉眼可见的，而不是看不见的。

女人有一种奇特的激情，这种激情把永恒同一无所有昙花一现连续在一起。

奥妙的模仿者。

由于人为万物之灵，所以人是适应环境的大师。

人是品味联想的艺术家。他本身就是自己的主要艺术作品，这是用血肉塑成的躯体。多大的奇迹啊！多大的胜利啊！同时，也是一个多大的灾难！要流多少眼泪啊！

多情女人往往很计较别人的想法而忘了自己的感觉。

女人颠倒了自然的次序，把别人的意见当作真实的存在，而把自己的感觉弄得含混不明。

冲突反正总是发生于内部的。

情欲就是心灵的一种盛开的语言。这是一个可以容许的隐喻。我们说花有表达爱的语言。百合花表达纯洁，玫瑰表达激情。雏菊却什么也不表达。旅游者经常把在他所参观的国家中寻找女人作为关键。当他拥有了一位意大利或西班牙女人，对他来讲，似乎就拥有了意大利或西班牙芬芳的本质。

只要你走出可以感知的世界，沉思的对象就无关紧要了。

当你离开可以感知的世界以后，你也许会体验到那从来没有觉醒的灵魂的每个部分都苏醒了。

我说过在初恋之后常常潜有悲哀。不如说在初恋之后常常潜有灵魂，嘲笑人的灵魂是件很可怕的事情。

感觉上这种失误很普遍：以为成为大悲剧的原因和理由的人都能享受适合于这悲剧的情调和品味。希望他们有这些感情，那真是最足以致命的谬误了。

强烈的热情，是为丰满的灵魂运动而存在的；而异常的事情，也只为和超然的品味相并行的人们所能悟到的。

当然一个女人可以原谅一切，除了不能原谅人家不要她。

可以说一个身体健康的乞丐要比疾病缠身的国王幸福得多。一种平静欢愉的气质，快快乐乐的享受非常健全的体格，理智清明，生命活泼，洞彻事理，意欲温和，心地善良，这些都不是身分与财富所能作成或代替的。

身体的本质就是性，性特征从一开始就存在，它是天生的，自始至终，无时无刻不在。

平凡的、毫无诗意的感情，这种感情之于家庭，正如空气对于肺脏一样必不可少。没有这种普通的感情，就不可能有幸福。像正直的人那样做事，像诗人那样思考，像女人恋爱那样爱恋。而有一种女人看起来像一部精装的法国安逸小说，专门为英国市场预定的。

她盛装的时候，活像一本豪华版的畅销而又蹩脚的小说。她实在是个尤物，花样特别多。她对家庭之爱可以说无独有偶，当她第三个丈夫去世的时候，由于伤心，头发反而变成漂亮的金黄色的了。

可能这样的家庭算不上是坟墓，而是比坟墓更糟的东西，一座修道院。在这个冷冰冰的环境中，男人用没有爱情的眼光打量着他的妻子：他怀着剧痛注意到她的思想的狭隘，表现在她头发紧贴着低矮而微凹的额角；他发现她的端正的脸上有一种刻板和固执的表情，使他过了不久就憎恨起以前他被迷惑住的伪装的温柔。

一个人可以通过真诚的冲动显示其本色，也同样可以通过演戏显示其本色。

重要的不是治好病，而是带着病痛活得很好。

上帝的惟一用途将是保障无辜，我则将宗教看成一个大洗衣场。

别等末日审判了，它每天都在进行。然而，有一种女人很善于把末日改装成节日。她们对付男人制定的法律有一整套天才的功夫。

谋害一个人的感情总是有理由的。相反，为他活着找出理由却很难。这就是为什么总可以找到律师为犯罪辩护，而为无辜辩护却只是有时候可以找到。

那些经常受苦的人，一但脱离了困乏的苦痛，便立即不顾一切地求得娱乐消遣和社交，惟恐与自己独处，与任何人一拍即合。只因孤独时，人须委身于自己，他内在的财富的多寡便显露出来；愚蠢的人，在此虽然身着华衣，也会为了他有卑下的性格呻吟，这原是他无法摆脱的包袱，然而，才华横溢之士，虽身处荒原，也不会感到寂寞。对现代人的不幸你可以骂他无能，但千万别同情。

　　两个同性者之间任何的过分亲热，都会引起人家的怀疑，这是很不公平的。

　　法律应该规定，孤独也是犯罪。

　　在美国，丑恶似乎是今天的美德之一，是啤酒、经文和要命的法律把我们的帝国弄成了现在这个样子。这是一个没有习俗、没有信仰、没有任何像样品位的国度。然而，各种情感、各种信仰和各种人又从这里开端，在这里终结。那么，主宰这个国度的是谁呢？是金钱和享乐。

与其说现代人注重实惠，不如说他们老奸巨猾。

　　他们在结账的时候，总是用财富来抵偿愚蠢，用伪善来抵偿邪恶。有些非法的行动，如果是个人对个人的，那就是犯罪；如果扩大到很大的一群人，那就不算什么，好比一滴青酸滴进一桶水里就完全无毒了。

　　谁要有所作为，谁就会给自己树敌。要想有人缘，就必须做一个庸才。这是常识，比法律更实用。

　　犯罪的欲望（或被世人称之为作恶的欲望）有时会左右人的本性，会使人体中每根纤维、脑子里的每个细胞都本能地产生热切的冲动。在那种情况下，男人女人都会丧失自己意志的自由。他们像自动装置那样运动，一直走到不堪设想的结局。

　　他们失去了选择的能力，良心也被扼杀，如果还有一点良心的话，也只是给本能冲动增添魅力，使作恶行为更加诱人。是国家使作恶像一个解放了的私生子降到人间。

　　我说的都是明天的真理。

　　我爱听的全是今天的谬论。

　　自私的人怕被人麻烦，就不去麻烦别人，他们从来不用刺耳的忠言、苦口良药般的责备去妨碍周围的人生活，他们也不会由于过分友爱，想知道一切和控制一切而困扰你，使你受不了。

美感和骄傲都是短暂的。以天狼星为坐标，歌德的作品在一万年之后将化为灰尘，其名也将被遗忘。而当谦虚成为公认的好德性时，无疑地世上的笨蛋就占了很大的便宜；因为每个人都应该谦虚地不表现自己，世人便都类似了。这真是杀人的平等啊！

任何一个想要和人类保持情感的哲学家，必须使他自己那一套体系变得反常，以便事先看看在他的体系被人类采用后的几十年内，到底会是个什么样子。

美国就是这么一种性格：私生活高于一切。

心灵是通晓多种语言的，因为如果说它把恐惧转化为各种表象的话，它也把希望转化为各种表象。有时用脸颊或者整个面部表达希望，足部表达尊敬，手部表达正确，眉毛表达安详等等。但能在一言半语之间放进那么多意思那么多感情的，也可能是高明的骗子。一个人所能表达的真情实意往往是不完全的，真情绝不显露在外面，只让你揣摩到内在的意义。

一个人的精神，在人道意义上，应该是他肉体创造的。

从来改革者都试图在自己身上建立莎士比亚、塞万提斯、莫里哀、托尔斯泰曾要创造的东西：一个始终准备满足在每个人心中的对自由和尊严的渴望的世界。他们忘了，只要在夜幕的掩护下，男人就拉女人作恶；但在光天化日之下，他又是无罪的，也不是罪人。

雕刻艺术家鲍伯就说：和一个有夫之妇经历一个非常美

好的夜晚之后，我会送她花或者留下一纸讯息，但是我至少在相当长一段时间内不会再和她见面，这种步调会使我看起来好像还有许多其他重要的事要投入，或者在我的生命里还有另外一个女人。我希望这种做法可以保证将我的诱惑力扩展到最大。因为现在的许多女人都有着一种危险的需求组合：热望、神秘及冒险。这些引人入胜的情绪使得女人和一个不爱施与，但是却又充满诱惑的男人发生无结果的关系。

马玲达是个 30 岁的艺廊主持人，鲍伯就曾走进过她的生活，可只是两个美好的夜晚。

马玲达是个久经世故的女人，却屈服于鲍伯的才智与魅力之下。而当鲍伯不再和她见面时，她非常清楚自己算是被他使用了一下。

马玲达说：我要努力成为一个他所愿意在一块儿的人，一个与众不同的人。和他在一起的感觉很好，我真的很想念他。

茱俐是个年轻的纺织品设计师，她在纽约拥有一栋奢华的房子。她认识鲍伯的时候，就知道他结过四次婚，一次比一次时间短，最后一次婚姻也是以开快车的方式开始和结束的——和一个 22 岁的模特儿——那时茱俐已经认识他了。离婚前，他同时和三四个女人同时来往也是经常的事。

茱俐发现鲍伯这个人是很刺激的、复杂的，有着许多可爱的弱点，不像一般女人心目中的男人。

经过若干个美好的夜晚之后，茱俐深深地爱上了他，鲍伯却没了音信，茱俐知道也没必要再和他联系了，她突然对鲍伯产生了恐惧……

如果我们所做的一切并不是为了收获比以往更优美的日子，那么我们确实只是一片转瞬即逝的严酷的阴影，在这片阴影中不再有人的份。谁献身于今天谁就是献身于虚无，而他自己也是一无是处。

人竭尽全力只能设法在算术极数上缩小恋爱的痛苦。

现在得让每个人都检查一下自己的良心。只要良心没有大变，当了权，有了地位，也不会只疼爱自己。

生活是最直接的品味

以前人类的天才主要用于创作隐秘，而现在的天才主要用于创造事实。一朵少女盛开的裙子，就能创造一种世界观和方法论。

有的人被上帝选中了保持着某种男女关系。也许每一种关系不是一种开心事，便是一种刑罚。

对我来说，生活本身是首要的、最直接的艺术，一切别的艺术都是它的传说或盗印本。

时髦，可以使确实怪诞的东西风行一时；华丽，是以独特的方式证明美的绝对现代性。这二者当然都是我极其爱好的。我只信仰活人，我知道活人都信仰见异思迁。

人本能地害怕比他们自身更强有力的欲念和知觉，同时他们明白这种欲念和本能较低级的动物身上也是存在的。男性对处女的恐惧、欲望，甚至需求，使处女似乎代表女性神秘的最完美形式；因此，处女最搅动人心，也最逗人销魂落魄。常有这种事，男人总是渴望自己的妻子经常像个处女。

感觉的真谛之所以至今未被理解，仍然停留在奴性和兽性的阶段，仅仅是因为世人企图用饥饿迫使它就范，或者用痛苦加以扼之，而不是寄望于把感觉造成以追求美的良好本能。

开诚布公与探究友情的深浅是无法用时间的长短来衡量的。我们作为人，至死都是互不了解的，这是女人和作家不谋而合的苦恼。

一个活人就是一种精神品味。

对于已经专门化的感情来说是泥土深处的根，对于作为其基础的不明确的激动来说就更是真实的了，这种激动如同美给予人的模糊"现实"。

在骑士的传说中，他排除路途的艰险，穿越多刺的灌木丛林去采摘那迄今尚未透出芳香的玫瑰；他不但发现了它，而且破坏了它的茎，由此，将它据为己有。"采花"对女人来说就意味着失去处女的身分，当然，这种表达也创造了"破坏童贞"一词。

问题是，我们是否被别人役使以及我们是否役使别人。不存在这种真正的役使，你就绝不会恐惧死亡，而只会培养死亡。

那种不明白为什么而生和为什么而死的人，只会难为自己，和自己开玩笑。

在美国，像在其他的社会领域一样，为了完成一件好事，人就要触犯一些利益，而且还得触犯一件对付起来更为危险的东西，那是转化成迷信的宗教思想，它是世俗人群中最牢不可破的精神牢笼。

世界相同，各人却大异其趣；有的人觉得枯燥乏味，了无生趣，有的人又觉得生趣盎然，极具意义。

听到别人在人生经验历程中颇饶兴味的事件，人人也都想经历那种悠扬情调。愚蠢的读者嫉妒诗人有那么多令人愉

快的事物，他们除了嫉妒外，不想想诗人丰满的想像力把极
平凡的经验变得美丽的同时，他几乎已经饿得快睁不开眼睛
了。

第 3 章

摆脱时尚品味诱惑的惟一办法
就是让步

男人的心中存在矛盾的情感。他开垦了女人，而她将他搞得支离破碎；他诞生于女人宫庭之中又死在女人怀里；她是他存在之源和屈从于他意志的王国。但在女性肉体里，他的灵魂受到束缚。

肉体一旦犯了罪，作恶的欲念也就消失了，因为行动是洗刷罪恶的一种方式。那时就只留下快活的回忆或者无尽的后悔。

摆脱引诱的惟一办法就是对它让步。拒绝千方百计的引诱，你的灵魂会受到极大的痛苦，因为它所渴望的是恶的东西，它所追求的是极可恶的——法律使之成为极恶的、非法的东西。

爱情意味着要么得到一切，要么全无。
爱情是完整的，否则它就不存在。而最谦逊的男子也免不了有点自命不凡，而且死抱住不放，就像一个女人不能放弃她的卖弄风情一样。

令人怀疑的名声都享有一种难以想像的威信，不管名声从何而来。对女人说来，就似乎对古代的家庭一样，罪恶的阳光可以消除罪恶的阴影。

爱情早已不是医治男女彼此搭错车而引起的悲痛的灵丹妙药了。

有的女人以为诚挚就是一种求婚的方式，结果把诚挚的人害得一无是处。

女子迟早都会变得像她们的母亲一样，这是她们的悲剧；男子却怎么也不会变得像他们的母亲一样，这也是他们的悲剧。

爱上了一只鹦鹉，我却得和一条蛇睡觉。

在丝绒手套下面瞧见了铁掌，在仪态万方之下瞧见了熊的本性和面孔，在油漆之下发现了木料。一言以蔽之，婚姻使这只孔雀已经羽毛掉光，原形毕露。

这种天下无双的完美，当然掩藏着重大的缺点，对于这么狡猾的人单看一眼是不能下判断的；能够讨每个人喜欢的人是不能令人喜欢的。

最大的缺点就是一点缺点也没有。于是，我到别处去寻找书本上才有的、而我在生活中从未遇到过的爱情。

怎么能指望丢掉这样一种习惯呢？我根本没有丢掉，我还是一个在爱情上只想不做的人。

我增加了许诺。我同时有几次艳遇，如同我过去同时保持许多关系一样。我积聚了比我在冷漠的黄金时代更多的不幸，当然是对别人来说。我的鹦鹉失望之余想要绝粒而死，幸好我及时赶到，忍气吞声地握住她的手。

最能深测人类天性中的恶德和美德的人，就是老老实实地研究过他们自己的人。我们的良心是个出发点。我们从自己走向人家，而绝不是从人家走向自己。

你所亲过嘴的每个女人都拿走了你的一点元气，却一点没有把她的还给你；你在和妖怪打交道时消耗你自己；哪儿滴了你身上一淌汗珠，哪儿就会长出一株不祥的植物，并在基地上繁殖起来。死去吧！你是所有相爱的人的仇敌；克服你的孤独吧，不要等待衰迈到来；不要让你腐化的血统繁殖下去；让你如轻烟一样消逝吧，不要浪费掉那发出太阳金光的麦粒！

正因为相爱，我的一切都尽量瞒着她。

当然结过婚的生活仅仅是一种习惯，一种坏习惯，但是即使是坏习惯我也舍不得丢掉。也许恰恰是坏习惯最难舍难分。因为它们已经构成了我们生活的不可缺少的组成部分。

每一对配偶，相比之下总有一个是优胜者。

既然我们相爱，你当然有权知道我的一切。

老婆和情妇截然不同。老婆占有欲极强，又怀有嫉妒心。

早晨接个吻，夜间接个吻，这样就会使你的妻子保持安静，其余的时间你尽可以去工作和看报。

一对情人之中，总有一个是爱者，一个是被爱者。……而爱才总是有错误的。爱上我这种天才的人，错误之大是不言而喻的。

当你在一个吸引你的女人身边，最初的顾盼是多么甜蜜啊！当你和她在一起时所说的一切话语，似乎是一种胆怯的尝试，是一些轻松的考验，不久就会产生一种奇特的快乐；

你会觉得你像是听到了一个回声；你会觉得你像有了两条生命。

多么愉快的接触！多么动人的靠拢！而当你确实知道你是在和她相爱，当你在你那亲爱的人儿身上发现了你所找寻的友谊，在你灵魂中是多么轻松愉快啊！语言本身已经失去作用；你早知道你们将要说的是什么；灵魂彼此起了共鸣，嘴唇就用不着说话了。

恋人和殉道者是一对同病相怜的兄弟！两者痛苦相似，知己如同知彼，可说是世上绝无仅有。呵，这是多么安静！

我们经历的每件美好的事情，背后总陪衬着某种悲剧的成分。

最可怜的小花儿都要熬过阵痛才能开放。一旦爱情变为私有化，它就会变成贪婪的自我主义，从而色情主义的奇迹也就消失殆尽。

观察自己对别人的影响，真是太吸引人了！没有任何别的活动能与之相比。

把自己的灵魂放进优美的形体中，并让它在里面停留一会儿，倾听自己聪明的见解而引起的配着激情和青春的音乐的回声；把自己的气质像输送稀薄的流体和淡雅的异香一样注入别人的躯体：这实在是一种享受——在我们这个狭隘和庸俗的时代，在这个赤裸裸地追求肉欲和实利的时代，这也许是我们最感满足的享受了。

我的前妻像女人中最完美的圣人，但是衣着邋遢不堪，活像一本页码完全装错了的诗歌集。

但她保护孩子，她怜悯之爱心在海上、在战场上、在歧路上追寻着男人，她支配着神的公子，微笑着站在衡器上慈善的一端，展示着灵魂的价值。她也在暗中扩大着自己的边界，因为她有隐密无穷的生命。

恋爱，就是把肉体和灵魂都供献出来，说得清楚一点，就是把两个人合成一个人，变成一个有四条胳膊、两个头和两颗心的一个人，在太阳底下、在大风中、在草场上、在麦田中间散步。爱情就是信仰，是地上幸福的宗教；这是悬在被称为世界的这座神殿的拱门上的一个发光的三角形的东西。

恋爱，就是自由地在这个神殿里走动和有一个知心人在他的身旁，这个人能够了解为什么一个思想、一句话、一朵花能够使你自己停下来，并且使你抬起头来观望那神圣的三角形的东西。

运用男子的各种高贵的机能是一件大好事，这就是为什么天才是一件美好的东西；但是使他的机能的作用增加一倍，把另一颗心和另一种智慧加到他的智慧和他的心上来，这就是最高的幸福。

上帝没有给人类作出比这更多的好事了；这就是为什么爱情常常显得比天才更可贵。

人的天性是脆弱的，你绝不能要求过高。

她坦白承认，她"喜欢跟男人厮混"，条件是这些男人属于她感兴趣的类型。我能使她感兴趣。我们互相友好相待，经常相视而笑。我们都明白，友谊和微笑的内涵是双重的：欲念和对欲念的抑制。微笑对我们起了抑制作用。我继续微笑。

我犹犹豫豫地恨我曾爱的女人，她们那么靠不住，那么恶毒。

女人成了攻击的目标，她被控为朝秦暮楚，不贞不忠

——只因为她的身体奉献给所有她钟情的男人，而不是仅献给我一个。这公平吗？

人类什么时候容忍过公平呢？我相信她是我见过的最美丽、最纯洁的少女。我钟爱她。爱情使我最隐秘的特质焕发出来了。

我所遇到的最稀罕的幸福，就是把我的童贞献给了爱情。但是，它的后果却是使我在思想上对一切官能的快乐的看法都和对爱情的看法分不开，这就是我的致命伤。

两年前一个偶然的机会，我发现了妻子写给她心理医生的一封信，信中写道："我从来不能满足我的丈夫。我也一样，我在同丈夫做爱时，从未得到过一点满足。我准备满足他的欲望，只是想别发生争吵。起初，我尽力地去满足他，依从他的一切欲望。近一年多来，我已不那样了。每个月我们最多发生两次关系。为此，我们吵起架来。但我不能总是这样忍受呀！然而一件更糟的事情是：一个我小时候的、现已结婚的男友常来我家做客，我终于依从了他。可是我要指出的是，我在他那里也没有得到极大的快乐……"

我们离了婚。

离婚后，我当然要接触一些女人，可我从她们那里从未得到过真正的快乐。

一天黄昏，我在乘坐纽约 35 大街下行地铁时，一个和我年龄相仿的女人呈直角地横站在我的前面，她的侧身紧挨着我的胸部、腹部和大腿。

我的右手从她两片屁股中间往里伸，左手从下腹部的鼓起处往下抚摸。那女人的个子和我差不多，我呼出的气息轻轻拂动她兴奋成玫瑰色的耳朵上的汗毛。

开始的时候我紧张得浑身发抖，呼吸都不顺。

我一直在想：她会不会喊叫？她会不会抓住我的手腕向周围的乘客求救？但她并没有叫喊，嘴唇紧闭着，眼睛也闭上了。

车到终点的时候，我看到她的眼睛里流出了大粒的泪珠。

车已经开了，我被人群拥出了车外，我看见她仍站在车内，连头也不回一下，我感到了难言的孤独。

说起来也许荒唐可笑，那以后我常常会想：如果再遇到这个女人，一定哀求她和我结婚。

有好多个黄昏的同一时间，我都在那个终点站等候她，尽管我已记不清她的长相，但那泪珠的形状已经清晰地印在我的脑海里。

我在地铁车上再没有遇到她，却用同样的方式接触了另外一些女人。

一天傍晚，在地铁车上我把一只手贴在了一个大个女人袜子与紧身衣之间的皮肤上。

开始的时候那女人没有动，后来她的一只手开始抚摸我的手，车到终点时，她一下子抓住了我的手，我一身冷汗地被她拽着从人群中挤下了车，但是她并没有把我带到警察那里去，而是把我带到了一个简易的小旅馆……

通过那次难堪痛苦的体验，我明白了，在人群中抚摸女人的东西，会产生一种把自我全部投入的兴奋，而一旦与这个女人同床做爱，我的所有的性的狂热都会转向拒绝，尽管我一直处于性饥渴状态。

我不能阻止自己不常常去想女人，也不能够在做别的事

情时不日以继夜地在脑子里回忆起所有的放荡行为，虚伪的爱情和女性的负心，其中特别是女性的负心，我是领教够了的。

对我来说，占有一个女人，就是恋爱；因此矛盾的是，我所想的虽只有女人，而我却再也不能相信会有真正的爱情。

为了健康的缘故我们的善行和爱心要求锻炼，而人毕竟是有感情、易激动、富表情的，是一种互为相关的动物。

我是一个深有特点的人，一个复杂交织而成的思想感情罗网，现在已经接近于组织化和自动化的水平，在这样的水平上，我可能希望摆脱人类的依赖性而独立自由。人们已经在练习使用他们未来的条件。

我从不把人划分成好人与坏人，好像他们是两种不同的生物。所谓的规矩女人，她们身上也可能有可怕的东西，发疯般地轻率、独断、嫉妒和罪孽。被人视为坏女人的，她们身上也可能有悲哀、忏悔、同情和牺牲。

伦敦的雾太大了——正经人也太多了。到底是雾浓了正经人才多呢，还是正经人多了雾才浓，这我就不知道了。

我试图以某种方式放弃女人而纯洁地生活。无论如何，她们的友谊对我也该够了。可是，我怎么也不能放弃了演戏。

除了欲望，女人常令我厌烦到无以复加的地步，显然，我也令她们厌烦。没有了戏，没有了剧场，我无疑是处于真相之中了。然而真相，亲爱的朋友，真相比演戏更令人厌倦。

我们爱过，但什么也留不下。

对爱情和贞洁感到了绝望，我终于想到还剩下放荡，它足以代替爱情。它消弥讪笑，带回安宁，尤其是它使人永生。

女人再嫁是因为她恨前夫，男人续弦是因为他爱前妻；女人结婚是碰运气，男人则是冒风险。

不管遇到的是什么天气，吹来的是什么风，碰到的是什么女人，请你顺其自然地享受吧。

西班牙女人，是女人中的尤物，她们贞洁地爱人，心地诚实，感情激烈，但是她们怀中藏着短剑。意大利女人生性淫荡，她们专找宽肩膀的汉子，并且以裁缝师的尺来量度她们的情人。英国女人激动而多愁，但是她们既冷淡又矫饰。德国女人热情而温柔，但她们既无味又单调。法国女人聪明伶俐，既娴雅又风骚，但她们却像魔鬼一样撒谎。

趣味的改变、时尚的倏生倏灭、男女思想的变化，谁能够预见到呢？每个时代到来的时候，把它在路上遇到的偶像连痕迹都一扫而光，它又铸造一些新的游戏方法，这些将来又被人推翻。

我对她说，如果一滴眼泪也是知识分子的东西，那么纯洁的爱情还具有多少知识分子的味道呢？它根本不需要我四肢的补充了。这样是不是太过分了？

一个女人，假如她不是一位天使，就一定有资格当一个负心的魔鬼。把自己奉献给孩子、丈夫、家庭、财产、国家、教堂——这就是她的命运，这就是美国一直分配给她们的命运。男人献出了自己的活动，女人献出了自己的身心。

我的经验是：人们一旦到了该通达事理的年龄，反而都不明事理了。

我曾经决定倾听从我内心深处发出的声音。这种声音说，自然界有我的肉体，也有我。我通过自己的肉体同自然界发生了联系，但是我的一切却并不完全都包含在肉体里。

我们生活中的爱情是一种轻飘失重的东西，假定我们的爱情只能存在，那么没有它的话我们的生活也将不复如此。

爱情的核心可能是对爱情本身坚硬的信念，如果世界有过坚硬的东西。

女人只应当结婚。如今不少的女人都希望独身，对她们的上帝简直不能容忍。

爱情是建立在幻想上的，如今幻想既已成为现实，那还有什么呢？女人既是戴丽拉与朱迪斯、埃斯帕西亚与鲁克莱西亚、潘多拉与雅典娜——同时也是夏娃与圣母玛莉姬。她是偶像，仆人，生命之本；又是魔鬼，阴谋家，搬弄是非之人，骗子。她是男人手中猎物，又是毁灭他的祸根。

许多虚伪的人用时髦来掩饰他们的平庸；你碰撞他们一下吧，他们就像用别针刺着的气球一样，瘪了。女人则因为赶时髦突然地变得衰老，我曾见到过许多这样的事例。

两个恋人当中总是一方爱另一方，而另一方只是听任接受对方的爱而已。这一点对我们大多数人来说，都是一条必须服从的痛苦的真理。可是偶尔也会有两个人彼此热恋而同时又彼此被热恋的情况。

人们说，幸福的人儿觉得日子过得快。有了美满的爱情当然也是如此。

一旦她对一个男人有了把握，就会放任地谋算再去跟另一个一起过。而我呢？显然是哪个女人对我威胁最大，我就最渴望占有哪一个。

凡事从品味自身开始。

真正的爱情是男女生活的例外，那是百年之中只有二三次的。余下的时间里，只有虚荣或厌倦。

我的心并不干枯，相反，却充满了温情，还容易流泪。只是我的热情总是转向我自己，我的温情也是为了我自己。

人的合群性大概和他知识的贫乏，以及与俗气成正比所致。因为在这个世界上，人只有独居和随俗两种选择。

曾有一位深谙世故的女人。她抛弃了我，不是急急忙忙一下于抛弃我。她无限和蔼地抛弃我，无声无息地抛弃我，就像她决心做某些违心的事情自然要落下的眼泪那么悄无声息。

她是那么巧妙，那么机智地抛弃了我。她绝不说我的坏话，她根本不提我，如果提到我，也只是微微一笑，有点悲伤，叹一口气。不过她那微笑是一了百了的"慈悲的一击"，她用叹息把我深深地埋掉。

然而，我有虚荣心的人生法宝，我会像自然界一样的遗忘。自然界从不知道有什么过去。

我也不在乎明天头上有没有阳光照耀。要激怒一位文学家的妻子，最好的方法就是由另一个女人去夸赞她的丈夫。

当然要允许有的女人想撕碎我们的心，要允许她们用匕首在我们心上戳一下，并在里面转一圈，这样才能给她们带来快乐，其实这种女人是最值得钟爱的，她们是在真爱或是希望被人死！

在任何情况下，我的好色，姑且只谈好色吧，都是那么实在，哪怕为了一次十分钟的艳遇，我也会不认爹娘，不顾事后会辛酸地后悔。反正卖淫与盗窃是自然状态，反对社会状态的女性和男性的两种生动的抗议。

在美国，两个极端可以通过爱情相遇。邪恶通过爱情把富翁和穷人、上层社会的人和红灯区的人永久地结合在一起。美国习惯奇迹。

我只有在罪人以及被告的罪过对我毫无损害时，我才站在他们一边。

犯罪使人雄辩，因为人并不身受其害还能一边品味自己的天性。

当我受到威胁时，我不仅变成法官，更有甚者，变成一个狂暴的野兽，要不顾一切法律，痛责罪人，使其屈服。犯罪和爱情我什么都不愿放弃。

什么是魅力？

那是一种从不向生活提出任何明确的问题而总是得到肯定的回答的艺术活法。

她就是天生深情的人。如果她喜欢我，很自然她就和我去睡觉。她对这事从不犹豫迟疑。这不是缺点，也不是淫荡，这是她的天性。就像太阳发出热，花朵发出芬芳，她就那么自然地把自己给人了。

她觉得这样愉快，她喜欢把愉快给人家。这无损于她的人格，她仍旧是诚挚、完美、朴实自然。

对于女人，我认为她们个个色厉内荏，只要死死地盯住不放，她们总有俯首就范的时候。

关键在于耐住性子，窥伺时机：不时向她们献点殷勤，以消蚀她们的意志；趁她们身体累乏之时，对她们倍加温存，从而叩开她们的心扉；每当她们在工作中遇到什么不称心的事儿，能及时为她们解怨排闷。

感情在无论什么东西上面都能留下痕迹，并且能穿越空间。当然，跟一个既无想像力又无幽默感的姑娘谈情说爱，实在没有多大的乐趣。她要抽烟就更叫人看着不顺眼。

　　我把女人看成生存游戏中的伙伴，她们起码对天真无邪特别喜爱。

　　在我20岁的时候，我经历了一个特殊女人带给我的最初的惶恐。

　　她是我的姑姑苏珊娜。

　　她是一个漂亮的女人，她那双眼睛永远闪着一种亲切而又机警的光。

　　那一年，苏珊娜33岁，她是我父亲最小的妹妹。她从华盛顿来纽约看我们。

　　当地站在我面前的时候，我真恨自己是她的侄子，因为她用一种长辈的神情看我。

　　在后来的接触中我发现苏珊娜的智商很高，思维之敏捷令人惊讶。她文化基础雄厚，多方涉猎，对国际上的事了如指掌。她周游过很多地方，会讲法语和德语。

　　和苏珊娜在一起的那段日子，我领她去了纽约许多我认为可去的地方，我几乎花光了父亲给我的所有的钱。苏珊娜很开心。

　　有一天，苏珊娜请我去了一家价格昂贵的夜总会，我们很快就喝光了一瓶酒。我们都已经醉态可掬了。

　　于是我们开始跳舞，苏珊娜搂着我。不停地对我说着："我们还要喝，喝呀，亲爱的，你要和我一起喝；我喝酒是因为这里有酒，而我跳舞是因为我那笨蛋的丈夫不在这里，也因为有人和我跳舞。我喜欢你的脸蛋儿，所以我把脸贴在你的脸上。我非常高兴，我很久没这么高兴过了。"

　　苏珊娜的声音非常动听，若是在另外的场合，我不会相信这种事，因为她是我的姑姑。

　　后来，苏珊娜又说："我对你印象很好，侄子，印象很好，我很喜欢你，我真想吻吻你，不是长辈对晚辈的吻，也不是姑姑对侄子的吻……"

　　她的吻是那么热烈，当时把我吓坏了，只好挣脱着。

　　苏珊娜笑了，"我对你说过了，我说过了要吻你。"

　　我们仍旧跳着舞，紧紧贴在一起，她也仍旧不停地说着话。后来我们又喝酒，又跳舞，再喝酒，再跳舞……后来不知道什么时候我们来到了一个房间，我看见苏珊娜在关百叶窗，房间里更黑暗了。苏珊娜的双唇贴在我的唇上，我们倒在了床上。

　　现在我依然还能记起那个夜晚我们在一起做过的那些事情，像梦一样，非常美好。

　　这么多年过去了，我再也没有遇到过像我姑姑苏珊娜那么美好的女人。

　　现在我常常还会想起我离开苏珊娜的那个早晨。

　　那个早晨，当我醒来看到姑姑那裸露的脊背时，我恨透了自己，立刻跑出了房间。

　　当时我对姑姑及那个夜晚的回忆，犹如空空如也的酒杯。我有如惊弓之鸟般地逃离了我的姑姑苏珊娜，躲进了附近的一家旅馆。

　　我的姑姑苏珊娜是在那个早晨离开纽约的，我没有去机场送她，我不能再见到她了。

　　在她走后的那天下午，我在上衣的口袋里发现了一张叠好的纸条，上面写着：

　　忘掉那个混乱的夜晚吧，请原谅我喝多了，同时感谢那难忘的时刻。

读完纸条，我流泪了，然后我笑了起来，笑得有些控制不住。在纸条的背面，我写道：

那是一种可怕的音响

痴笑或者嘈杂之声

也许是幻觉所致

也许是确有其声

许多年来，我一直受不了厌烦，我在生活中只看重娱乐。任何一种团体，哪怕是出类拔萃的，很快就使我厌倦，而我对喜欢的女人却从不厌烦。我会拿十次与爱因斯坦的谈话去交换与一个漂亮的女配角的初会。真的，在第十次幽会的时候，我就希望与爱因斯坦谈话了或是去作艰难的阅读。总之，我从来只是在我的短暂的放纵间隙才关心总统选举。

很多男人不懂如何对待女人，他们羞羞答答的。男子汉还羞羞答答，多可笑。他们不懂得如何向女人求爱，甚至在恭维女人的漂亮迷人时，也免不了显出一副傻相。

我时常对女人寄予异常希望：我期望从肉体上占有一个生命来实现我作为一个人的自我，同时通过管教一个自由的人来证实我的自由感。

世界上只有两件东西使我们的生活值得苟且，这就是爱情和艺术。

天底下有哪个女人不喜欢受人奉承。

生活经常改变场景，但总是演同一场戏。

我的女友中最敏感者竭力理解我，她的努力使她愁肠寸断，委身于我。其余的满意地看着我尊重游戏的规则，因为我具有行动之前先委婉的说说，接着就毫不拖延，直插现实。

我赢了，而且是双重的胜利，因为除了我对她们的欲望之外，我还每次都通过检验我的魅力而满足了我对自己的爱。

我这种从头到脚全面热爱生活的方式把我最稀有的感觉变成了习惯，并加以概括、总结，用来丰富我的怀念，一种戏剧性的生活，促使我过度地、迅速地消耗自己的精力。

情人的誓言拴住了她们，却解放了我。

一个政治家所能有的最宝贵的东西就是一份同女人毫无瓜葛的清白记录。我看不上那些为了女人而身败名裂的人，我瞧不起他们。

我的真相必须是高度艺术化的真相；我的身败名裂也必须是四处飘香的身败名裂。人要有追求。

两个坏蛋分享一件不为人所知的秘密，彼此也就分外亲近了。纽约是我的同谋，我跟联邦宪法相处得亲如弟兄。

我一向坚信，一旦哪位女士下决心要嫁给一个男人，那么，能使这个男人幸免于难的惟一方法是立即逃之夭夭。

这里的一些女人水性杨花的。这是我们如鱼得水的原因。

由于缺少永不厌倦的幸福，一种长期的渴望至少会造成一种命运。

一天早晨，在经历了如此多的艳遇之后，一种不可压抑的求生的渴望将宣告一切已结束，女人并不比宁静具有更多的含义。

任何人，哪怕是最被爱着的人和最爱我的人，也不能永远占有我。

每种道德的堕落同时也是的性的堕落，而我在深秋的时候也能像春天一样精力茂盛。

有一种女人也和男人一样，在某种情况下，她也可能会受到攻击。如果她是勇敢的，她便应当挺身而起，表示愿意与人较量一下，然后重新坐下来。

对这种女人来说，动一下刀剑并不足以证明什么。她不但需要保护自己，而且还要用由她亲自铸造的武器。人家在怀疑她；谁？如果是一个不关痛痒的人，她不但可以而且应该蔑视他。如果怀疑她的是她的情人，她爱这个情人么？如果她爱他，这就是她的生命所在，她不能够蔑视他。

她的惟一回答可能是沉默。

凡是要自由行动的女子都不能不看准丈夫的性格，知道做到哪一步还不至于丧失丈夫的信任，也从来不在小事情上闹别扭。

甩掉一个女人会使男人的处境非常尴尬：人们往往觉得他这样就是品行不端。没有一个动物，只为折磨而折磨另一动物，但人却如此，正是这种情形，构成人类性格中的残忍特质，这种残忍特质比纯粹兽性更坏。

谁会拒绝女人？

等到他们学会对女人们所说的话认为无关轻重时，年纪已经太老了。结婚固然是件好事，但我认为结婚成了人们的习惯就大错特错了。结果凡是想获得家庭和平的妻子，都不得不毫无怨言地把她所经受过的残酷的苦恼，深深地埋藏在心里。

他头脑太清醒了，从来不自欺。他并不是个讨人喜欢的人。要说他在我的感情中占有重要的地位，而这些感情又是那么复杂和敏锐，其原因也许是我出奇地不成熟，甚或我还不知道自己在干什么就已经上了他的贼船。

她投给我的越多，我就越需要她；我越需要她，她的身价就越高。

现在，天底下第三流、第四流，以至第十流的男人都懂得怎样用英语向女人求爱。来美国的很多人，宁可不吃饭，也要先学会美式英语。

人也像动物一样，有想蹑手蹑脚躲起来的时候。

她一定认为，假如一个人已经如此谦让，目标已是如此微弱——餐桌、市场、洗衣房、小孩——而仍然会在这场斗争中失败，这是难以想像的。生活不会那么不像话。

她讲起话来活像个歹徒的情妇，所问的却是研究生的问题。这样的女人哪怕再性感，你也要小心翼翼。

生活说来也很有趣，假如你除了最好的对什么都不屑一顾，到头来很可能就如愿以偿；假如你对到手的东西不愿意凑合，不知怎么回事，最后真的会得到你想要得到的。

这仿佛是命运女神在说，这个人是十足的傻瓜，他居然要在生活中追求尽善尽美。出于这位女神的怪性子，反倒把你要的东西抛到你的膝头上。

假如生命不使人陶醉，那它就不是生命，什么也不是，让生命要么燃烧，要么腐烂。人可以没有童贞，但应该坚守童心。

有的女人哭起来十分轻柔，像花园里的洒水壶一样，而她却哭得十分伤心。只有相信自己有罪的女人才会那样哭。当她痛哭的时候，你不仅会怜悯她，而且会被她灵魂的力量所震动，对她肃然起敬。自从罗马只在名义上成为基督教世界的皇后之后，就没有给伤心的女人留过什么出路。

　　我为什么这么迷人，因为我身上到处都是女人的出路。爱上我等于乘上了纽约地铁，以后的日子当然四通八达。

　　尽管我们每个人都同样感觉到自己的身躯是个独立而完整的机体，但并非所有的人都同样感觉到是以完整而独立的个性存在于世的。

　　大多数人随着青春期的到来，会产生一种落落寡合的感觉，但是这种感觉并不总是发展到明显地同他人格格不入的程度。

　　只有像蜂群里的蜜蜂那样很少感觉到自身存在的人，才是生活的幸运儿，因为他们最有可能获得廉价的幸福：他们群集群起，融成一片，而他们的生活乐趣之所以成为生活乐趣，就在于他们是同游同行，欢乐与共的。

　　那些时髦的传媒骗子们，即所谓讽刺文章的著作，对这类作家的东西，即使为了公共卫生着想，也是应该禁止散布和宣扬的。我每天睁开眼睛，最不关心的是社会常识。

　　一个人应该能够对自己的情妇信任，这是真的。爱情也许是一件好事或者是一件坏事；如果是一件好事，就应该相信它，如果是一件坏事，就应该救活自己。

　　她这样撒着谎，居然不动声色，笑脸盈盈，扇着扇子。但是，谁有权利把手探到她的腰部和背脊，准会发觉是湿漉漉的。好在这一点也没影响她把男人哄得抱头鼠窜。你看，这一切就是我们在进行的赌博；而作为赌注的可是我们的心和我们的生命，这是多么过瘾！

　　为一个男人而战。一场猫对猫的苦斗——一场女人性的战斗。但是她会打败你。因为她是一个精神变态者。我知道你有潜力。但她是一个疯子，而疯子总是会赢的。

　　最好的人应该善于谈情说爱，而她是最好的人之一，所以她爱上了不少家伙。即便她并不是一个好到能教养孩子的女人。

　　在这个社会里，爱情与谎言总是携手并行的。真话实际上是会致人死命的。

　　抱女人要搂腰，可拿酒瓶子得拿瓶颈。

　　接近男人的方法：倚小装小，就可以想什么说什么；装成小孩样，就可以跳到他膝上搂着他；更有甚者，装成小孩样，就能睡在他身上！

　　女人的这种有利条件，过了 25 岁，她们像掩饰一种不正当的行为一样来掩饰自己的生日。一个男人进入社会生活后，却完全以其聪明机智引人注目，因庆祝寿辰而感到高兴；其实，只有傻瓜才会认为这种事使别人也感兴趣。

　　我真正应该做的事情是发挥我具有的潜能天赋、聪明才智、高科技般的人格和业务专长，我应该解放自己去追求人生的真谛，而不应当让自己的生命分崩离析，因为在分崩离折之中，我永远找不到人生最后的含义；我应该既谦虚又骄傲地继续从事我高深的人性研究；而她……愿为我的生命增添财富。她可以借助于爱情和艺术来成全我的财富。

　　要教会一个男人怎样管理妻子，没有任何东西比饲养知识以及对家畜的了解有用。其实假装的爱情比真实的爱情还要完美，这就是为什么很多女人都受骗了。

　　假如你生得结实，自己有把握，真正是男子汉大丈夫，我就要这样劝告你：请你毫无顾虑地投身到热闹的交际场中去；不管她是妓女、舞女、上流妇女、总统夫人，把她们都占有吧。既要钟情又要负心，既要悲哀又要快乐，受欺骗或受尊敬，可以不管；但是要知道你是否被爱，因为，既然你被人爱，其他一切对你又有什么关系？

　　假如你是个体格平凡的普通男子，我同意你在决定选择一个情灭之前，不妨先花一些时间来物色恰当的对象，但是请你千万不要相信你认为在你的情人身上找到了任何东西。

　　男人的嫉妒往往会更加煽动起女人私奔的热情。

　　在自由的纽约市，男人和女人，披着丽俗的伪装，就像两个属于敌对部落的野蛮人，面面相视，男人想占点便宜，然后一溜了之，女人的战略是解除男人的武装，要他俯首称臣。她就是这样一个女人，她懂得如何照料自己。可是请想一想，有的年轻女人，却只会抬起涂过眼圈的眼睛，向着苍天祈祷说："上帝啊，别让坏人接触我的肉体吧！"

　　结婚 10 年来，马丽莎一直很爱她的丈夫和她的两个孩子。然而，坐在电视机前的夜晚缺乏情趣，使得他们的婚姻显得有些枯燥无味。只有在周末时，偶尔才会有一些情爱，不过很长时间以来，都是千篇一律的俗套。

　　他们之间并不相互指责。

　　有一天，他们"明智地"决定把孩子托付给老人，他们各自去度假。他们希望在这次离别之后，能重新获得以往的那种甜蜜的幸福和冲动的爱情。

　　马丽莎去了夏威夷海滩，在那里她孑然一身度过了第一周。她拒绝了众多男人对她热情主动的接近。因为她不是"为了这个"而到这里来的。

　　就在这时她接到了丈夫寄来的信，丈夫说他在多伦多玩得不错，有许多女人想接近他，可是他对她们不感兴趣，心里只有她，等等。

　　马丽莎看完信后，她忽然怀念起自己的丈夫，她像订婚时那样给他写了一封充满柔情的情书，她将千百倍的温柔与亲吻揉进了这封情书之中。

　　当晚，她就去邮局发了这封信。

　　在回来的路上，她碰见同住一个饭店的几个游客。他们终于说服她，他们一起去了附近的一家小酒吧。

　　于是，一切都起了变化。

　　马丽莎从来都不相信，这类事情会在她的身上发生。

　　那天晚上走进酒吧时，马丽莎看到了一个男人，一个目不转睛地望着她的男人。他40岁，是个相当漂亮的男人。但这还不是原因之所在。而是因为10年来，没有任何男人像他这样看过她。他们坐在同一个餐桌，当乐队奏起（献给忧郁小姐的红玫瑰）的迪斯科舞曲时，他向马丽莎走来，将一支红玫瑰给她。于是，他们一同跳起舞来。后来，他们穿过沙丘，来到海滩。他把她紧紧地搂在怀里……

　　这是爱情吗？当然不是。

　　这天晚上和后来几周里，马丽莎耽于声色之中。

　　这个男人使她发现，她是一个真正的女人，她有一个真正的躯体。情况就是这样。

　　后来，马丽莎再也没有见到他。

　　她从不感到后悔。

　　人们常说，女人不忠时，是会焦虑不安的，她们很难与自己的情人断交的。可对马丽莎来说，却不是那么回事，她比以前更爱她的丈夫了。

　　这在众多的女人当中不能不算是一个例外。

　　一个人因为自己老婆10年前犯过通奸罪而离了婚，这简直太傻了。在行动上，她通常是情感的同谋，只有通过欺骗和通奸，她才能证实她不是任何人的附庸，也不是只需要一个保护的东西。

不幸的是，男人们有种回避当父亲的义务、拖欠瞻养费、对孩子不闻不问的坏毛病，这是尽人皆知的事实。他们根本不理解孩子是爱情的结晶。

是的，每次爱情的结晶便是一个孩子，至于它是否真地受孕或产出，都没有根本性的区别。

在爱情的数学中，孩子象征着两个生命不可思议的总和。一个男人爱着一个女人，即便不曾触碰过她，他也一定会考虑这片神秘的泥土，他的爱会结出一个籽实。

大多数人都能享受爱情，同样也能摆脱爱情；但有些人往往掉进情网，而不能自拔。

一个男人不需要为他自己寻找幸福。不，他能够忍受任何分量的痛苦——用回忆、用他自己所熟悉的邪恶和绝望作为支柱。这就是人类未曾写下的历史，他的看不见的消极的累累硕果。

他有力量去完成任务，而且不在寻求自己的满足，只要有伟大的目标，让他的生命以及所有人的生命都投入其中。他不需要意义，只要这种热情有施展的余地就行，因为那样，一切就不证自明；那就是意义。

一个男人为他自己的生活方式多愁善感，如同他盗窃自己的钱包一样稀罕。

没有经验的青年人的大不幸就是根据那些使他受感动的最初的对象来设想世界；但是应该承认，还有一种更加不幸的人：那就是遇到这种场合他们总喜欢在那里向青年们唠叨说："你们有理由相信罪恶，而我们却知道怎么创造罪恶。"

这些熟知美国腐化堕落的老资格评判员，都有过人的才智，各有不同的职衔。他们受人腐蚀，又腐蚀别人，个个怀着狂妄的野心，习惯于对一切作出假设，对一切进行猜测。

老人们最高尚的过错就是妄想把他们过时了的深思熟虑、谨慎小心地赠给被男女关系逗得如醉如痴，被享乐引诱得像热锅上蚂蚁似的孩子们。没廉耻的女人和眼盯着她们的男子彼此达成的某种默契，他们把这叫做露水姻缘。

好些妻子都能忍受住来自她们丈夫的任何事情，这已是常事；男人们的蛮横使她们更加喜爱他们。

她对他非常同情，知道他正处于痛苦之中，也知道他的痛苦是什么，她要给予他显然是在为之追求的安慰。

别人企图使你自己感到你已经老了，不中用了。但是让我来说明一个事实吧。

一个年老的人闻起来都是老的。任何一个女人都能告诉你这一点。一个年老的人把一个女人抱着时，这女人可以闻到一股陈腐的、灰尘般的气味，像需要晒太阳吹风的旧衣服。假如那个女人居然让事情发展到那地步，而且当她发现他真正老了（人们常常把自己伪装起来，使人难以猜透），又不愿让他丢脸，她也许会让事情继续下去。那就糟糕透顶了。

那种毫无节制的谈吐、那种对知识的渴求、无尽无休的问话、千篇一律的语调、那永远讲不完的话——所有这一切都是未婚女人爱唠叨不完的话——所有这一切都是未婚女人爱唠叨的特征。一个情人可以给她带来平静，使她那喋喋不休的神经缓和，至少她会安静一个小时。

一个终日没事可干的女人比一个有职业的女人的开销大

得多。

　　吵架、厌烦，以及其他的一切都是意料中的；它们是每个婚姻的伴随物。一个没有爱情没有金钱的男子，还是自己生命的主人；但是一个陷入家庭的可怜虫，已不再属于自己，他甚至没有权力自杀。

　　追求众多女色的男人差不多都属两种类型。其一，是在所有女人身上寻求一个女人，这个女人存在于他们一如既往的主观梦想之中。另一类，则是想占有客观女性世界里无穷的种种姿色，他们被这种欲念所诱惑。

　　前者的迷恋是抒情性的，他们在女人身上寻求的是他们自己、他们的理想，又因为理想是注定永远寻求不到的，于是他们会一次又一次失望。这种推动他们从一个女人到另一个女人的失望，又给他们的感情多变找到了一种罗曼蒂克的借口，以至于不少多情善感的女人被他们的放纵追逐所感动。

　　后者的迷恋是叙事性的，女人们在这儿找不到一点能打动她们的地方，这种男人对女人不带任何主观的理想。对一切都感兴趣，也就没有什么失望。这种从不失望使他们的行为带上了可耻的成分，使叙事式的女色追求给人们一种欠账不还的印象（这种账按理该用失望来偿还）。

　　抒情性的好色之徒总是追逐同一类型的女人，我们甚至搞不清他什么时候又换了一个情人。他的朋友们老是把他的情人搞混，用一个名字来叫她们，从而引起了误会。

　　叙事性的风流老手则在知识探求中对常规的女性美不感兴趣，他们很快对此厌倦，也必然像珍奇收集家那样了结。他们意识到这一点，感到有些不好意思，为了避免朋友们的难为情，他们从不与情妇在公众场合露面。

　　很少有男人除了看一个女人的面孔之外还看她身上的任何部位，他们几乎想不到女人的手具有最优美的轮廓，千般雅致，万种娇柔，那纤细的指头和玫瑰色的指甲俏美尤甚；他们从不寻求那双手表露的万种风情。

　　一个小伙子爱上一个比他年长许多的名副其实的美妇人，对他来说是一种最好的熏陶。这会教他怎样为人，并可防止他陷入困境。

　　我把一生中的 20 年奉献给一个轻薄女人，我为了她牺牲了一切，友谊、工作，甚至一生的体面，却在一天晚上发现自己从未爱过她。

　　我厌倦了，一句话，像大部分人一样地厌倦了。我为自己制造了一个复杂悲惨的一生。

　　应该发生点什么事，这就是在大多数情况下人类承担义务的原因。应该发生点什么事，哪怕是没有爱情的奴役、战争或者死亡。丧葬万岁！

　　我终于认识到我来看她对我毫无益处。"我耕耘，我播种，可是我毫无收获。"

　　好在我值得一个男人应该如何来取悦一个女人。孔雀的骄傲，山羊的好色，狮子的激怒，全是上帝的荣誉与智慧。

　　当然，人总是有点什么过错才能活出些道理。

　　我曾见大部分男人都急于把爱他们的女人弄到手；我却常常与此相反，这并不是由于别的打算，而是出自一种自然的情感。爱你而又抗拒你的女人是爱你不深，爱你很深但又抗拒你的女人则是自知你爱她不深。

　　一个放荡者忏悔得太晚了就像一只破船：它既不能再回到岸上，也不能继续它的航程；尽管风在吹送它，海洋却把它吸住，它打一个旋转，终于沉没了。

男人的本分是责任、义务、礼仪和生意活动。

如果你要成为一个有出息的人，你必须把诺言视为第二宗教，遵守诺言就像保卫你的荣誉一样。当然，这只是男人对男人而言。

允许丈夫阅读妻子的信是一种不好的制度……事实上，一对幸福夫妻要装成彼此之间毫无隐私，那真是发疯，只会导致他们之间大量的欺骗。

男人要证实自己的力量，有时就只有滥加使用，在蔑视生活的同时，给荒谬绝伦的寻欢作乐戴上成功的桂冠，这就是男人能拥有的另一种魅力。

女人总是时常喜欢发脾气的，要是男人给她们一些绳索，她们一会儿就会平静下来的。文明社会，最好别举起鞭子。

一个20岁的男子可以比一个20岁的女人有更丰富的人生经验。男子所享有的自由，使他们能够很快地深入到一切事物的内部；他们可以无障碍地奔向一切吸引他们的方面去；他们可以尝试一切，当他们一旦达到了目的，他们就会回头；经验被留在中途，而幸福却没实践诺言。

女人认为她能够使我的生活恢复秩序，恢复正常。假如她能做到这一点，我便必然会和她结婚。或者以她的方式来表达，我会期望和她结合，而这种结合将是真正的结合。桌子、床铺、客厅、金钱、洗衣机和汽车、文化娱乐和性生活，全部被编织成一个网。每件事最后都会变得挺有意义，这就是她所构想的。

幸福除非真正能包含一切，要不就是一个荒唐甚至有害的空房子。

用通行的话说，我爱她们，这就是说，我从未爱过其中任何一位。我一直认为讨厌的女人是庸俗的、愚蠢的，而且我认为，几乎所有我认识的女人都比我好。不过，这有什么关系？我把她们抬得这样高，更经常地是利用她们而不是为她们效劳。

在生活中，必须给色欲以适当的地位，尤其是在一个解放了的社会之中，因为这个社会了解性的抑制和疾病、战争、财产、金钱以及集权主义的关系。事实上，做爱是公民一种富于建设性、有用的社会行为。

习惯于和难对付的女人相处，是一种高品位的享受。

习惯于挣扎。也许那些女人给你吃点苦头，你倒应该高兴。

人们以为死是为了惩罚他老婆，实际上反而还了她自由。

在婚姻把她们变成摇钱树和引人上钩的姑娘们的平庸之中，也有令人迷惑不解之处。

在我以为自己正把她捆住时，实际上我已捆住了自己。干这种聪明的事，其最后结果，也许是作茧自缚。自我发展，自我实现。这些疯疯癫癫的事就是在所谓"幸福"这个名堂下干出来的。

有一些男人，慈悲的天意注定叫他们终生作个单身汉，但是他们有的人由于任性，有的人由于拗不过环境，却违背了上帝的意旨。再没有谁比这种结了婚的单身汉更叫人可怜了。

男人若认为她会永远一成不变，那就太莽撞了。

过度的享乐削弱想像力和判断力。于是，痛苦与男子气概一道睡下，而睡得同后者一样地长久。同样的道理，青年人同他们最初的情妇在一起而失去了先天的不安。

很多婚姻，是经过行政权力批准的放荡，变成了大胆和手段单调的枢车。当然，婚内奸杀的鲜血是冲不开法律的铁锁的。

一个男人可以弄到他所喜爱的任何一个女人，只要是竭尽全力，这里面没有许多的文章。一旦你把她搞到手了，又想把她抛掉，尽管抛弃也不会使她丢什么面子的。

我要请问你，一种既看不见也摸不到，比铁还坚比铁还牢固的联系，究竟是什么东西？当你遇到一个女人，你望着她，只和她谈过一句话，就永远忘不了她，这到底是什么道理？为什么喜欢这个女人而不喜欢另一个女人？你可以搬出理性、习惯、官能、头脑和心灵来，请你给我解释吧，如果你能够。

你将只能找到两个肉体，一个在那里，另一个在这儿，而在它们之间的是什么？空气、梦想、无限。

呵，谁相信你是男子，谁又敢来议论爱情！要来谈它，你看见过它没有？不，你只感觉到有那么一种微笑的芬芳而已。

如果一个人是上乘的人，他能品味的东西就绰绰有余。如果他不是上乘的人，他知道的东西对他来说就只能是井底之蛙的天色变幻。

我实在无法相信自己有多天真。

我们结婚10年了，已经有了两个孩子。那年夏天，我那位经营矿产品的丈夫哈里斯，多半时间住在郊外的家里工作，我则在城里上班，周末才出城和他相聚。这种生活方式我们已经维持了好几年，以前我总以为自己很幸运，可以找到保姆替我来照顾小孩。

我想，类似我这样的故事大概是很普遍的。

8月那个星期四，我想给大家一个惊喜，我提前一天回家了。我晚上10点左右到家，孩子们都睡了，哈里斯却跟那个19岁的小保姆睡在我的床上，我恨不得当场就死去。哈里斯发誓说这是第一次，以前从没发生过，他说他们是一时喝多了。

那一夜我不知道自己是怎样度过的。

那个保姆第二天当然走了。

我们也都冷静下来，决定一起去看婚姻顾问。

在交谈过程中，事情逐渐明朗。

整个夏天哈里斯都在和那个保姆上床，她也不是他的第一个外遇。哈里斯跟前任的保姆和办公室的秘书都发生过关系。即使如此，我还是不断地告诉自己，再给他一次机会。因为我无法向双方家人及朋友们解释。而且，他还让我觉得自己十分无能。

可是不久我发现他的老毛病又犯了，这次是跟他的销售助理。所以我决定和哈里斯分居。

跟哈里斯分居是我这辈子最难过的事。

我不断地告诫自己，事情再坏也坏不过从前。

我开始经营自己小小的公关公司，这对我来说真是进了一大步，我甚至开始约会了。那是个很不错的男人，虽然没有哈里斯那么英俊，但为人却温柔有趣，对孩子也很好。

和哈里斯分居后，我才发现，朋友们多半都知道他的那些事情。现在对我来说那都是过去的事了，虽然偶尔还有点想念哈里斯，不过也仅止于此。我知道分开对彼此都好。

　　告别就是人对他自己的不变的怀念。

　　告别就是人和他自己的阴暗面之间的永恒的对抗。它是一种不可能的透明。它时时刻刻都对往事提出疑问。正如每一次男女分手向人提供了不可替代的新的机会，告别把情感的忧伤贯穿于经验的始终。

　　告别不是向往，它没有希望。每一种告别都只是一个不可抵抗的命运的回声，却没有本应伴随这回声的那种温情。

　　然而，靠希望生活的人是与这个世界合不上拍的，在这个国度中，善良让位于慷慨，温情让位于男性的沉默，人群让位于孤独的勇敢。而且人人都在说：这是一个弱者，一个理想主义者或一个傻瓜。你必须吞下使人感到屈辱的情感。

　　只有金钱和权力才能选择不可计数的出路，即那种自己使自己长久、自己感受自己的出路。

　　人要是能真没有良心就好了，我们就不会知道这该有多大的痛苦了。可是，我们却怀着这颗心，这颗心在我们的胸膛里像只该死的污点斑斑的芒果，到底是母亲把我们出卖了，还是良心把我们给出卖了呢？

　　罪恶的东西不断地重新回来，这是最最糟的循环运动。一个人恶劣的自我重复出现，是天底下最叫人苦恼的事儿。可是你却逃不脱世俗宪法的约束。

　　当一个人年老时，这是最可怕的。他只能沉默与孤独，世界向他暗示夕阳和落幕。而一个行将死亡的老人是无用的，甚至是令人不舒服的、狡诈的。让他走开，要是做不到这点，就让他闭嘴：这是绝无仅有的一点敬意。

在这里，被迫与别人保持一致，那就是犯罪。

每个人自己的生活都是重要的事情。至于别人的生活，如果你希望做个正人君子或者清教徒，你就可以炫耀一下这方面的好处，但是别人的事与你无关。

个人主义实际上有更加崇高的目的。现代道德就是接受了当代的标准。我认为对任何一个有教养的人来说，接受当代的标准是最不道德的态度。

想想那些被烦恼所吞噬的人吧，他们怀着痛苦跑到远方，却无人分担他们的痛苦。你所受的痛苦，别人也同样受到，你身上所有的东西，没有一样是独一无二的。

我越是信任我的心，我的自尊心越会使我陷入迷途。好在我偏好在命运的贼船上紧盯着前进的正确方向。

趁着我此刻还是好人的时候，便应利用这机会使自己再没有成为坏人的可能。哪怕这根本做不到。

每个人都被囚禁在一座铁塔里，只能靠一些符号同别人传达自己的思想；而这些符号并没有共同的价值，因此它们的意义是模糊的、不确定的。

我们非常可怜地想把自己心中的财富传送给别人，但是人们却没有接受这些财富的能力。我们只能孤独地行走，尽管身体互相依偎却并不在一起，既不了解别的人也不能为别人所了解。

我经常好像住在异国一样回到家门，对于这个家的语言懂得非常少，虽然我有各种美妙的、深奥的事情要说，却只能局限于自欺欺人的日常会话。

人活着没有故乡，我们只配在妻子的目光中流浪。

人是脆弱的，不但需要面包，而且因其经受不了自由市场而有求于奇迹、神秘和权威。对空虚和恐怖感觉的自发倾向比这还坏，坏得多。它真正的含义就是人类是疯狂的，而制止那种疯狂的最后归宿就是精神流窜和感觉放荡。

在商业性的芝加哥，如果有人要你参与嫌钱的计划，这便象征着兄弟的爱。所以，我一放下手里的活就想重写《圣经》。

"良心"这个词，才是你应该重视的。我必须尽量保持着紧张的不安状态，没有这种不安，人们就不再喜欢你的为人了。要是不安没有引起忧苦，那人们就无法与你深切相处了。

我希望有这么回事，四海之内皆兄弟的感情，会使得一个人富有人性；人不是单独自己活着，他活在他的兄弟脸上……每个人都将见到永恒的天父，而爱与欢乐会充满人间。

情人是世界上最奇妙的东西。情人是一个人人本能争先恐后去担当的很大的负担。

如今流行的艺术家都是些很在行地享受人生的人，知道在这里活着既是体验又是思考。因此，作品体现着一种智力的悲剧。直觉性的作品使思想放弃了它的威望，甘心只成为奴隶，这种智力使用表象，并在一切没有理性的东西上面布满形象。如果世界是清晰的，艺术却是模糊的。

逢场作戏的人生导致逢场作戏的艺术，这笔账早晚要算在上帝身上。

性格虚情假义是个人品味形成的。

这也是丰富我们个性的一种手段。

人身上集中了千万种生活、千万种感觉，人是一种复杂的多样性的生物，人承袭了思想和感情的奇怪遗产，甚至肉体也感染着前人各种的恶疾。

我们除了有血统上的祖先以外，还有感受上的祖先，并且在类型和气质方面许多感受祖先可能与后代更接近，影响自然也就更大。

我是一个梦想者，而被逼得非现实不可，我有诗人的性情，而被逼得我非走入平凡的报应之中不可，就是被逼得必须走我所完全无法开胃的人生的实际的路上，而不是我所十分在行的人性的本质路上，我不再想知道我应该做什么，所以我的愚蠢是装成的。

整个历史不过是我自己的生活的记录，不过不是我实际度过的生活的记录，是我的想像替他创造的、存在于我的脑海和欲念中的生活。那些奇特而可怕的人物曾经先后登上世界舞台，他们犯的罪是如此了不起，作的恶又是多么精妙，他们的生命和他们的生活有某种神秘的联系。

忧郁症只有死亡的景象才能治好，我对殷红的鲜血有强烈的爱好，就像别人之对红酒一样，有可能我是魔鬼的儿子，有一次我以自己的灵魂为赌注和父亲掷骰子，居然叫我的父亲受骗上当。

艺术也是性本能品味的一种流露。而我随便流露出点什么几乎全是艺术。

现在大多数人死于循规蹈矩，人们永不后悔的事情只是他们犯过的错误，可是等到发现这一点的时候却已经太晚了。

　　要返老还童，只要把过去干过的实事再干一次就行了。

　　上帝爱人这个事实就是显出，在理想的神圣律法中写着的是：永久的爱是给那些永久没价值的人的。如果以为这句话无法理解，那么让我们说，除了他自己以为是有被爱的价值之外，一切的人都有被爱的价值，爱是应该跪受的圣餐礼，并且在接受者的唇上和心中。

　　情感不可能设法在生活以外得以定居。

　　日子接踵而来，花样翻新的税务规章条例很快要把我们全都训练成会计师了。

　　在我看来，这是历史上对人的生命的意义最坏的解释。人的生命不是生意。生意最容易让人生气。

　　愤慨也很伤元气，人们应该把它保存着，留待遇到更大的不平时再用。事到如今，最体面的人暗藏着最丰富的犯罪动机。

　　生活的激情、无意识的冲动、直觉的呼喊是惟一应当提倡的纯粹阳光和绿草，一切与欲望相对立的东西——主要是社会和水泥建筑——都应无情地加以摧毁。每一位总统都应该反思：自己的祖先当年急于走出森林的必要性。

　　美国一直是背叛大自然的敢死队。

　　现代人一辈子必须应付许多困难，其中之一就是：他曾一度和某人要好，可是过了一阵子，他对此人的兴趣消失了，那该怎么办？如果双方都是平淡无奇，那么各自分手也就拉倒，不会出现什么不健康的感情。但如果其中一人作出了某些卓越成就，那局面就别扭了。

　　他交上一大伙新朋友，而老朋友呢，毫不放松；他忙个不亦乐乎，但那班老朋友却觉得他们最有资格占有他的时间。除非他唯命是从，听他们摆布，否则，他们就会长吁短叹，耸肩撇嘴说："唉，得啦，我看你也和那些人一样，一旦飞黄腾达了，兄弟们只好割席分手。"

他人要是监狱就好了；可怕的是他人成了无孔不入的洪水猛兽。

还有母子之间的束缚更难以忍受，它常常使孩子丧失活动能力，而有时一个快成人的儿子会使某些母亲产生最强烈的性欲痛苦。

一位 36 岁的商人吉尔姆斯，与他的母亲保持着经常性的联系。除此之外，他和别人没有真正的关系，甚至和他的妻子及儿女。

一天，吉尔姆斯在他母亲的陪伴下来到了一个离婚问题专家的办公室。

"他的妻子欺骗了他，"吉尔姆斯的母亲说，"这个婊子还有胆承认这一点。"

离婚问题专家是位办事严肃的人。他对吉尔姆斯的母亲说，他想和吉尔姆斯单独谈谈。她很不高兴地同意了。

在与专家的单独交谈中，吉尔姆斯供认他一直爱着她的妻子，他不仅能原谅她的不忠，而且十分理解她。

"她是对的，"吉尔姆斯说，"我始终是一个碌碌无为的人。

吉尔姆斯告诉专家，他的母亲对他生活中的任何事情都要过问，尤其对他们夫妻间的事情更是如此。他摆脱不了他的母亲，结果，家里的一切被他母亲搅得越来越糟，他妻子理解不了他为什么要听任他母亲的摆布，就是在这种不理解中，他的妻子对他失去了信心，于是有了外遇……于是，离婚的问题被提出来了。

　　最后，离婚问题专家就吉尔姆斯的态度，多方周旋终于使事情有了转机……

　　今天的母亲除了会嫉妒，从不会给孩子讲任何一个寓言故事。

　　家庭成了生活中最少真实、最少价值的一部分，家庭是浮在湖水表面上肮脏的泡沫，而真正的生活却发生在泥石深处。

　　从我学会了回忆的时刻起，我就一点儿也不感到烦闷了。烦闷需要有资本，而我连睁开眼睛看世界的勇气都没有。

　　美国超现实主义，是一本含意混乱的福音书，它从一产生起就面临着创造秩序的职责。但是，它起初考虑的只是摧毁，先是用诗歌进行诅咒，后是使用物质的锤子。对现实的挖苦，自然变成对美的挖苦。这一切都发生在上帝午休的时候。

　　我具有一切人生的色彩的要素，如神秘、不可思议、悲哀、暗示、欣悦和爱，我神往令人惊异的性格；并且咬牙创造那种情调——我只有在这种情调里才能够呼吸到氧气。

　　生活中我是个嘻嘻哈哈的好人；无党无派，不偏不倚。人家乐意支持这种前途有限的人士，因为我绝不能爬得高到阻碍人家上进的地步。我见过一些这样的人，当他回想起自己错误地提拔了某人时，事后只有苦笑一番。而我却很开心。

　　既然上个世纪由于滥用怜悯而招致破产，我认为要想扭转败局只有求助于科学。感情的好处只会使我们误入歧途，而科学的好处却能使人冷静，不感情用事。

我一直和朋友们使劲用力，企图在有生之年把人类的直觉从理想主义什么的泥坑里挽救出来。

把自己看得太神乎其神。这是自己往自己身上揽来的原罪。如果穴居人知道怎样笑的话，今天可能会是另一种样子。

只有你能够对死亡处之泰然，在你能够认清人是什么的时候，你才会有种种难以启齿的机智。

人们设想，一旦残酷的行为在书里描写过，这种残酷行为就可以消灭。实际上，残酷行为是按照季节生长的。

我对人类生育有点怀疑的是，父母的选择是愚蠢无知的，世界上一些最无魅力的人理直气壮地拼命繁殖，他们显然抱着幻想，如果与后代分担，丑陋的负担就会变得轻一些。

真的，最可怕的事情，不在于怎么破碎一个人的心——心是为了破碎造的——而在于是谁帮人的心变成了石头。

人是不能接受恩典的；因为在生活中，像在艺术中一样，只要情调关闭了灵魂的天窗，就等于隔绝了天上的微风。

道德的改造和神学的改造同样的无意义。提倡做一个好人是那些有幸懒得吃苦的人的特权。

上流社会里的虚无主义者显然就是要以仆人的身分提供最僵硬的正统观念。然后用上帝的眼神鸟瞰人间。

有人说得妙："我无法逆来顺受天生的命运，在我内心的最高层次中受不了这种不公正的损害，我将谨防自己的存在适应人生整个卑微的存在条件。"说这话的人一般都活错了年代。

在今天并不是每个人都有机会带着清白的良心去杀人的，很可能是罪恶自己开启了理当挨杀的大门。

仇恨是生命中最强有力的东西，远远超过任何别的力量和动机。

人的灵魂是个两栖动物，我已经接触到它的两个方面。两栖动物！它生存在于我所不知的更多的元素之中。

我的生命经常似乎已经走到尽头了。我像是一艘在没有星光的夜里失去了舵的航船。

当情人在道德高尚的人面前供认背叛真相时，空气的温度应该是冰。

每种过度的行为都削弱生命力，因而也减轻了痛苦。与人们的看法相反，放荡毫无狂热之处。它只不过是一次长眠。

对于因真正的嫉妒而痛苦的人来说，最急迫的事情莫过于同被认为欺骗了他们的那个女人睡觉。他们愿意再一次确信他们的宝贝一直属于他们。如同人们所说，他们愿意占有这宝贝。紧接着，他们就不那么嫉妒了。

肉体的嫉妒是想像的结果，同时也是人们对于自身的欣赏。人们把自己在同样场合也会有的丑恶行为加诸于对方身上。丑恶更需要心心相印。

爱欲只限于情绪高涨的那一刻，这时候身体变得美丽而诱人。只有这一刻体现了身体存在的必要，并给身体以补偿；一旦这人为的闪光逝去，身体则重新变成她不得不加以维修的一台脏兮兮的机器。今天男女的用水量多么过分呵。

这里的人们绝对不会怀疑一个母亲会对自己的儿子有情欲的念想，也正因为如此，一个年轻小伙子坐在一个成熟女人的怀中（即使是象征性的），也注定充满爱欲的成分，哪怕它含而不露，反倒会更加强烈。

　　男人钢铁般的意志经常在一口女人的呵气中化成了风中的一只芦苇。

　　如果以为我的脸谱只是一个掩盖我内心经历的幻像，以为它是独立于众目睽睽的世界的一种真实的画像，那就太天真了。

　　我的脸谱预感纷呈，谁稍不留心谁就可能被利刃划得泪往下流。

　　我们每个人都有一个潜在的愿望——超越性习俗、超越性禁忌，怀着抑制不住的欣喜涉足于那一方禁地。但我们每个人却只有那一点点勇气……剩下的只是爱上一个年长的女人或年轻的男人，才是品禁果的最简便易行的办法。

　　一个人总得活下去，而既要活下去，就总会碰到好好歹歹的事。这是永远不会停止的，凡是幸存者都明白这一点。如果你能度过逆境，没有死去，那你多少就会开始把它朝好的方面转变——我的意思是，就会利用它了。

　　有些事情，对人们的心灵来说，是不用教就会的。

　　对性情暴躁的人来说，等待常会导致惹是生非。

　　邪恶的交际常常会淘汰很多健康的人品。

　　今天谁敢成为一个在酷刑中歌唱的人，成为一个咒骂上帝和美、攻击正义和希望、在罪恶的气氛中光荣地枯竭下去、愿与一个没有前途的人结婚的人？

　　品味的初衷就是对一切提出怀疑，一切永远重来。

　　品味的初衷就是对一切提出怀疑。

　　青春干脆、明了、带有挑衅地拒绝一切规定性。我们是反叛的潮水。青春是一道席卷社会眼光的龙卷风。

热烈的冲动、爱情、激情，兴奋的酒吧，都会使一个人生病。我们经常病得深刻又不值一文。

我们并不懒惰，有时我们显得懒散，那是因为我们的奢望变成了失望，而自荐心要求我们表现得无动于衷。

美国人一心甘当自尊或虚荣的奴隶已经好多年了。

青春之中的我们出于本能，总想瞒天过海，让周围大吃一惊。

做母亲的出于需要，常常对孩子们撒谎。

孩子们回报母亲的更是惨不忍睹的艺术。每一种现代艺术都是从撒谎开始的。

我很喜欢想我所保存的是一种我所不能还清的秘密的债务。我只能用许多眼泪之苦药和肉桂，把它浸在香里，并且使它甜蜜。

当社会对于我没了用处，情人变为空洞无味，并且那给我安慰的人所用的谚语和格言在我嘴里像灰尘和沙砾一样的时候，只消我记起这微细的、可爱的、沉默的爱的行动来，就可为我剖开一切怜悯的泉源：使沙漠像蔷薇开花，并且从孤寂的苦闷中救出我，使我去和世界上被伤的、被捣碎的人保持最嘹亮的血色共鸣。

总统在长篇演说时，总恬不知耻地重复一个意思，他深知重复与不重复都一样，对于老百姓来说，除了新闻记者摘引出几个词，其余什么也记不住。

为了方便新闻记者的工作，给他们一点提示，政治家就在大同小异的讲话中塞进一两个以往不曾用过的简洁而风趣的词语，这一招是那么出人意外，这些词语顿时不胫而走，家喻户晓。

这年头搞政治的全部艺术已不是从政（众人之事取决于自身机制中那不为人知又不为人把握的逻辑），而在于想出"响词儿"，一个政治家是否被人看见、被人理解，民意测验中如何评估，以及最终能否被选上，全仗着这些"响词儿"。

感觉是存在的真正要素。而哗众取宠就是政客的身份证。

我们反复醒来也不大敢肯定是否一切全是一场梦。

不过那种不晓得自己是醒着还是在梦中的人也不一定都是真正明了这世道本来的戏剧性的人。

生活中的玩笑常常以非艺术性的方式出现，它们穷凶极恶，绝无条理，无谓到荒谬绝伦的程度，并且完全不讲章法，简直叫人痛心。

它们给我们的感受，给我们留下赤裸裸的暴力，迫使我们起来呕吐。

我们生活中碰到的悲剧有时具有一些艺术美的因素。如果这些美的因素是真实的，整个事情就会促使我们来欣赏戏剧性效果。我们会突然发现，我们再也不是演员，而变成了观众，或者不如说，既是演员又是观众。我们观察我们自己，单单这个奇观就会叫我们着迷。

为了把肚子里的东西暴露于众目睽睽之下，我想把我这具到处招摇的漂亮的人体模型打碎。

当我不爱我的生活，当我知道需要改变，我不能选择，怎样才能成为另一个我？不可能。应该什么人也不是，应该为了弄死过去的自己而忘了今天还活着的我。

我常给自己打气说对女人必须要有信心。理想的男子需要这种信心，而实际的判断必须符合天气的要求。我不希望有人当下要我预言事情将会怎样发生，如果必须预言的话，我就会说：一切将消失在一股旋风之中。

美国人是即兴人生的高手。

没有一件事是会符合事前的设想的。

就像有些人依靠赌运、有些人依靠运气和人人都依靠对上帝的敬畏作为向导一样。

有些鸦片麻醉悔恨之心，有些药剂能把道德观念催眠。但是美国到处都是堕落和犯罪的广阔土地，随时可以看见的灵魂没事就直奔毁灭的泥坑。

我一页接一页往下写，字里行间充满了深切的游戏感和更莫名的开心。

谴责自己也是一种奢侈享受。

我们在责备自己的时候，我们会感到别人无权再责备我们。使我们得到赦免的，是我们自己的忏悔，而不是牧师。

我的道理越来越多，宪法也无法阻止我理直气壮地活下去。

生活从来就是此一时，彼一时，不可一概而论。

在那个特定的车祸来到之前，死亡与我是那样遥远，以至我不以为然。它无影无踪，无处可寻。这是生命中最任性的、最幸福的一段。美丽的鸟儿落在你胸口上，随即溶化了。这还不够吗？

可是，当我们突然发现死亡就在眼前，我们再也不能不想它，它与我们形影不离。

因为不朽与死亡之密不可分，犹如文学桂冠之于哈代，我们不妨说，不朽与我们也形影不离。我们一旦觉察它就在我们身边，我们就会热切地寻求。为了它，我们穿上特制的盛装，买一条新的领带，担心别人会代为挑选服装领带，不合自己的心意。

她说话慢条斯理，为的是要让她自己的机智精明有充分发挥的机会。机智的发挥有用吗？

上了年纪的人都非常警觉，就连在自己家里也十分小心多疑。他们有理由十分具体地恐怖房门被意外打开。

再好的社会制度也解决不了人的神经质的毛病；神经是人类最后的组织纪律。

我觉得垂死的人有时候是真的深入到人的角色中去了。

我本以为我是没有良心的。现在看，我还是有良心的，尽管良心对于我并不合适。

不知怎么的，良心这东西总是跟时髦的服饰不相称。良心会使人看上去衰老。而且在紧要关头，良心会毁灭人们的心情。

每一天，总有一类人对旁人是有危险的。我指的不是那些罪犯，对罪犯我们已有惩治之法，我指的是那班白宫人物。因为通常都是最危险的人物才追求权力。而有正义感的公民，看到不顺眼时，只能发发牢骚，愤愤然空怄一肚子气而已。

我奇怪我的邻居们，他们不是急着解散国家军队，反倒是咬着牙送子应征。我们的爱已被国家拿去了。

我们和人类接触的可爱的链锁，已经断了。我们的孩子们虽还活着，但我们已是只能以孤独为运命的了。那双也许能医治我们、保护我们和也许能把镇痛剂放到创伤的心上，把和平放到战乱的灵魂上的上帝之手，已将我们拒绝了。

我们是天生的孤儿，后天也没找着兄弟。

我喜欢跟砖墙谈话——世上只有它不会反驳我。

人们总认为生活是太平无事的——不会受引诱，不会犯罪孽，不会干蠢事。但是突然——啊！生活一夜之间能变成黑色信子轻颤的眼镜蛇。这条蛇主宰我们，不是我们主宰着这条蛇。这口气儿，我们拿谁出呢！

第 4 章

现代人被金钱抚摸得十分辛苦

你竭力想要不理会社会的眼光，可这不容易。当社会对你是敌对时，你心里也变得敌对起来，这样你就得不到平静。

在美国，从总统到公民，甚至一个流浪汉，人人都痛感无处藏身。

钱意味着权势和社会地位。人应当赚钱是天经地义的事。

一个人想要做自以为是的事情，免不了要使别人不快乐。别管他，干你的。

钱会造成成功与失败之间的差距……你有了钱，你就会变。你必须同内外夹攻的老婆和情人进行斗争。在成功中几乎没有人的因素。成功总是钱本身的成功。

人们为活得幸福而想赚钱，于是全部的努力和生命中最

好的东西都集中在赚钱上面。幸福被遗忘了，手段被当成了
目的。

　　28 岁的斯特林现在已过上了体面的生活，目前的职业
是玩具商，在纽约 47 街拥有一套漂亮的住宅。

　　许多人朝知道他的过去，可没人知道他的未来会怎样。

　　斯特林在他 14 岁时，从家里跑了出来。那时他对将要
步入的这个世界茫然无知。

　　著名心理学家奥康纳夫妇对斯特林进行了长达一个月的
采访。

　　像所有从家里出逃的孩子一样，第一天我觉得非常痛
快。我感到自由自在，得意极了，好像马路全都是用金子铺
的，好像一切都会井井有条，找个地方住也将不费吹灰之
力。

　　我在街上闲荡了两天，开始我还能买点罐头吃，后来就
一点钱也没有了。也没什么地方可住，晚上我就在墓地里过
夜。

　　就是在那儿，那两个年轻的女孩发现了我。当时我还觉
得她们年岁挺大，其实她们才 20 刚出头。

　　她们问我在这里干什么，问我怎么样。

　　我忽然听见自己冒出了一句：不怎么样。

　　当时我已经将近两天没吃东西了，我就和她们说，我很
久没吃东西了。

　　她们商量了一下说：这么着吧，你到我们那儿去住。她
们收留了我。

　　那天晚上，我对她们谈了我自己。

　　她们问我是不是搞同性恋的。当时我也不知道自己是不

是。可是，一个星期后，在19街，我不能再说自己不是了。一个坐在"超级轿车"里的男人请我上了车，他带我到了一个车库里，问我喜欢干什么。我说，差不多什么都喜欢干。

那时我不懂那些搞同性恋的人所说的"干"是指什么。

他说，你愿不愿意让我玩一玩？

我说不。

他说他给我这个数：20美元。

我正犹豫着，他就递过了两张钞票。

这人大约35岁到40岁，说话很文雅。

半小时后，我又找到了一个家伙，这回我跟他要了25美元。

那天天黑之前，我已经挣到了70多美元。

在那以后不久，我离开了那两个搞同性恋的女孩，有了自己的住处，可我走起路来开始歪歪斜斜的了，我得了痔疮，干这种事的，好像很容易得这种病。

说实话，最初，我是喜欢女孩的，我见了她们很动心。可后来发生的那些事，把我变成了个搞同性恋的。

3个月后，我有了个"性伙伴"，我们的关系持续了6个月。

他大约35岁，是个很有钱的家伙。他待我很好，像个老色迷。他给我钱，我要什么他就给什么。就是有一点不好，他一到周末就出去，也不告诉我到哪儿去了，这使我很反感。于是我到周末也出去，去挣我自己的钱。

路子熟了以后，我常去一个搞同性恋的人聚集的旅馆去，那里有一个酒吧。但是，我经常觉得自己像是去自杀一样。谁都会非常腻味这种事的。

那时我的生活很简朴，其实我已经有很多钱了，你根本想象不出我会有多少钱，可我从不乱花钱。

现在我也搞不清那时我为什么要拼命地赚钱。

那时我最快乐的日子是和25岁的希尔在一起的时候。

希尔是个富家子弟，我和他一起住了3个月。跟他交往别有一番情趣，他总是把我带回家和他父母住在一起。

希尔的母亲很喜欢我，并且知道他儿子是搞同性恋的，不知为什么她喜欢搞同性恋的人。可希尔的父亲不喜欢，他也不喜欢我。

后来，我和希尔分手了，因为希尔的父亲非让他结婚。

我爱他，我们在一起的时候很幸福。他特别害羞，我们常常坐在一起看书，有时还去听音乐会，还在家里一起吃饭——由我来做。我特别喜欢做饭，很想什么时候好好学学。我们一起到郊外去散步，他还带我去博物馆，他对绘画懂得特别多，他很好。

当这一切结束时，我非常痛苦。

这么多年过去了，我已经远离了那一切。可我在那时赚得那些钱成就了我今天的一切。

我知道，现在，我还算不上是一个正常的男人，可我过上了正常"人"的生活，我希望有那么一天，我还会喜欢上一个姑娘……

多少人在去纽约的路上弄丢了脑袋或双手。

富有的人们这样想："只有财富是真的，其余一切都是一场春梦，让我们享乐然后死去吧。"

财产平常的人则说道："只有忘却是真的，其余一切都是梦；让我们忘却和死去吧。"

穷苦的人们则说："只有不幸是真的，其余一切皆空；

让我们咒骂着死去吧。"

或错或对人们总是在金钱问题上对我表示敬而远之。

我所看到过的所有饭馆，最便宜的也就是最冷淡的。

穷人真正的悲剧就是他们除了自我克制之外，付不出任何别的东西。

美丽的罪恶就像美丽的东西一样，是富人的专利品。

中世纪风格的艺术是动人的，但是中世纪的情感却已过时了。当然，在小说中还用得上。但是实际上，小说中的感情在现实生活中是用不上的。说真的，没有一个文明人会因为一次享乐而后悔，没有开化的人从来也不懂什么是享乐。

金钱比爱情更为重要。金钱可以创造出爱情，而爱情只能创造出孩子。

把金钱作为灵魂的丈夫，这是一种没有人会以好奇心去探讨的婚姻。

人是自由的，包括选择不幸的自由。

认为一个人有了钱才能养家糊口，这是世界上必须接着重复的错误。

我们在错误的泥土上茁壮生长了好几代人了。所以我们有理由继续错下去。

我所以不太喜欢漂亮的女人是因为在我看来，漂亮的女人太费钱了。

对待罪孽要永远宽大为怀，无须乎首先做到正直无私。

生活只有一个话题，就是讲一通道理：人不能这样活；而只能那样活；不能为恶而活，要为善而活，不能为了死亡而活，要为了生存而活；不能靠幻想而活，要面对现实而活。

　　美国社会也是要求我们男人正派。然而假如我们真是正派的，女人见了我们根本就不会爱。她们喜欢看着我们堕落到不可救药，我们变得平淡而正经了，她们就会抛弃我们。

　　这个世界上处处都是鸟语花香的女子春梦，认识她们等于在受一种中产阶级的教育。

　　爱情被金钱、社会地位以及种种偏见所严重变形，它永远不可能成其为自身，它始终只是真正爱情的一个影子。

　　生意，有它自身特殊的权威，它在独立地行动着。不管你愿意不愿意，我们都以它的思想为思想，以它的语言为语言……生意对它超凡的力量充满了自信，它通过实践给我们大家阐明了生活为什么总是四通八达。

　　在这里，有金钱为我开路，什么事情都可以马到成功。我这种幸运有时候几乎使我产生恐惧。

　　冷酷和金钱不是紧密相连的，这一点自古以来为人所共知。

　　人若赚得整个世界，却赔上了自己的灵魂，有什么益处呢？人不赔上灵魂，谁又能挽救你呢？

　　钱的一个最大的用处，就是节省时间。

　　钱给我带来人世上最宝贵的东西——万事不求人。

　　我们一点不要钱；我们一有钱就拿来花掉，有时候花得好，有时候花得不好，但我们总是花掉。

　　钱对我们来说是不在话下的，它只是成功的象征。

　　我们是世界上最大的理想主义者；我只是认为我们把理想放错了地方，我认为一个人能够追求的最高理想是自我的完善。

　　如果你非当知识分子不行，那么为什么不当个有骨气的。

一旦开始拿艺术大发横财，那这个国家就一定要倒霉了。

艺术家里出资本家倒是个意味深长的幽默想法。美国决定用金钱来测定伦理上的矫饰程度。美国是个按货币铸成的国家。

激情的所有专家都告诉我们，只有不愉快的永恒爱情；却没有惹人不愉快的永恒财富。

品味的确给了我巨大的欢乐。如果我有幸，早晨在公共汽车里或地下电车里，给一些看起来应该坐着的人让座，捡起一个老妇人掉在地上的东西，然后带着我惯有的微笑还给她，或仅仅是把我叫的出租汽车让给更急需的人，这样，我的一天就充满了光明。

实际上内心的戏剧感与外在的生活对峙，每个人都是不言而喻的。

许许多多的人愿意毫无怨言地接受命运的捉弄，以沦为人命运掌握在另一只手里的无期徒刑。

虽然生活中最美好的事是自由的，但是你不能对生活中最美好的事自由放任。

这个世界，我能摸到，我就断定它存在。我的全部学问到此为止，其余都须扔掉。我一直试图抓住我，结果我还是成了我指间流走的水和室外的云。人们给予我了各种面貌：教育，出身，热情或沉默，高尚或卑劣。但是，属于我的这颗心，我永远是确定不了的。

在我对我的确信之间，鸿沟永远也填不平。我对我自己将永远是陌生的。

我认为美国人的骄傲中最高的一种是民族骄傲；当你以其民族为荣时，就表明你自身没有足以自傲的品格，不然你不会把骄傲放在那与各路同胞所共享的东西上。有格调的人一眼就能看穿自己民族的短处。

如果认为创作时的民族感情会在作品中真实地反映出来，那就错了。艺术总是比我们的幻想更抽象。轮廓和色彩告诉我们的就是轮廓和色彩——别无其他。艺术把艺术家隐蔽起来的程度，远远超过把他们展示出来的程度。

只有本身一无可取的笨蛋才不得不依赖他民族的骄傲；他高兴地维护着民族任何的缺点与短处，藉民族的荣耀来弥补自身的不足。

能使一代人超凡脱俗是值得去做的好事。如果这个姑娘能够使糊里糊涂过日子的人具有精神活力；如果能在鄙俗者的心灵中启发美感；如果她能使他们祛除自私之心，为别人的不幸一掬同情之泪，那她就完全值得你崇拜，也值得世人的敬仰。

在天性和命运之间是存在着一种暧昧的联系。

我们的本性中有一种与国家无关的情调。人是这样一种生灵，在打击下不可能不作出反应。就拿马来说吧，就从来不会进行报复，牛也不会。

人是一种会报复的生灵。如果他受到惩罚，他总会千方百计地摆脱掉这惩罚。如果他摆脱不掉这惩罚，他的心就会因此而变成白头。

一夜之间，人能盛开多少种念头呵！

不管激情能引起怎样的痛苦，都没有资格把生的忧愁来和死的哀伤作比较。能痛苦，证明你还是只很敏感的活兔子。

一时的痛苦会使人亵渎和诽谤上苍;重大的痛苦既不诽谤也不亵渎上苍,它们只使人听天由命。

我既不哀怨,也看不起悲哀,尽管大家好似按定价把它包了下来,以特别的情意去尊敬它。他们用以装饰智慧、道德、良心。这是既愚蠢又丑恶的装饰。

善与恶都是货真价实的。因此,充满灵感的环境并非一种憧憬,它不再为神灵、国王、诗人、神父、牧师、神庙、圣所专有,而是属于人类,属于所有生命。

没有基于理性的信仰,世界的纷乱就永远不能受组织所控制。即便这样,美国人也并没有什么国家骄傲,这显示了美国人众所周知的诚实,也显示了那些因为一片可笑的热情假装以祖国为荣的人,还有那些煽动群众的政治家是何等的不诚实。为什么一个外来人不喜欢假装美国人;即使要装也宁可假装是法国人或英国人?

每一个人都有权改变自己的生活。

经过了我对自己的长期研究之后,我把人类深刻的两重性大白于天下。

我在记忆中搜索之后,明白了,虚心使我闪光,谦卑助我制胜,德行辅我压迫。我通过和平的手段进行战争,最后通过无私的手段获得了一切。

我从不抱怨人家忘了我的生日;人家甚至怀有一种钦佩之情对我关于此事的缄默感到惊讶。然而,我的无私之原因却更不引人注目:我想被人忘却,以便我能够自怨自艾。

由于我很好地显示了孤独,这才能够沉溺于一种雄伟的忧郁的魅力之中。

美国人是喜爱玩笑的，但是过分的玩笑却是讨厌的。欢笑比玩笑要好，而欢乐更胜于欢笑。

我感到，一个人在美国也许是欢乐的，因为美国是一个想象与梦幻的世界……使一些人感动地流下欢乐的眼泪的树，在另一些人的眼睛里只不过是立在路旁的绿色物体而已。有人认为自然界全都是无稽与罪恶。对于这些人我无法调整我的口胃。

我达到了一种不存幻想的境界，这种境界否定人们所宣扬的一切。爱以及占有，征服以及穷尽，这就是我的眼见的人。

没有品味，就没有最后的爱情。

我很快就明白了这一点。过去，我只有嘴巴是自由的。我在早餐时把它扩大到面包片上，我一整天咀嚼着它，我在世界上带来一股因自由而甘美、清凉的气息。谁反驳我，我就猛击过去，我用它来为我的欲望和我的势力服务。

我在床上，在我的女伴们的耳畔轻轻地说着这个词，它帮助我把她们甩开。

我给自由派了一个更加无私的用场，甚至，看我有多少天真，我甚至为它辩护了两三次，当然还没有到为它献身的程度，可是确实担了些风险。

生活在我们这个时代的人，读的书太多，反而糊涂了，脑子用得太多，反而失去了美丽。

我一直老实地对我自己说，是我破坏了我自己，并且还要说，不论怎样伟大或平凡的人，除用自己的手去破坏自己之外，你是没有别的东西能够破坏的。

真正的罪犯完全是凭着自己的聪明才智把自己送进监狱

的。

世界强加于你身上的味道，固然可怕；但你自己加于你身上的品味，却更加可怕！

爱情的实质是骷髅，它要求每一个人，不管他是怎样的人，在特定的时日，都会轮到他来从某种暂时的伤口的深处，去摸触它的永恒的骸骨。这叫做品味世界，要获得人生体验，就须付出这样的代价。

因此在面对着这种考验时，就有一些人，因恐怖而退缩了，另外一些懦弱和吓坏了的人，就像影子一般在那里摇晃，某些人物，或许是最优秀的吧，便会因此立即死去，而大多数的人，则忘掉一切。就这样，到头来全都涌向死亡。

如果鸨儿和小偷永远、处处都被定罪，那么正经人就会全部地、不断地自认为无罪。

生活一定要选中我充当体面的绅士，要么是生活别有用心，要么就是我的不幸。

为了长久地热爱某种无性，光有信念是不够的，还要有警察。我要警察不是让他保卫我的无性，起码他该看护我调情时的品味。

妈妈常说，一个人从来也不会是百分之百的痛苦。妈妈不知道，以我的身体，一分痛苦都受不了。

有时你也许会感觉活着似乎是不值得的。事到如今，轻易让生命化为一片落叶就更不值得。

电影和小说最早帮人打下了品味和性格的天下。

大团圆的都是好小说，悲剧性的都是坏小说。这是小说的真正意义。

我希望你没有过着一种两重人格的生活，假装放荡不羁，实际上时时刻刻保持着洁身自好。这样做是虚伪的。哦，我对你的抱负和希望现在没有了，现在是我们俩可以彼此相爱了。正是你的抱负把你引入了歧途，我们不要谈论抱负了。耽误人做爱的理想和抱负肯定是一只流浪的老狗。

我从未见过一个人为了本体论的理由而死。

电梯、电话、传真机，这些对我们而言只是工具或手纸，它们只对渴望它们产生的前辈来说才是上帝。我从不感谢发明电灯的那个人；太阳光会欣赏我身体线条后的阴影吗？

我只能在自己身上感到对幸福和颜色的渴望。热情产生于午夜之梦和世界的沉默之间。

没有人，就没有品味。

你的灵魂要下跪么？也有好处。

对付傻瓜要用他的傻办法，免得他自以为聪明。

去影响一个人，就是把自己的品味强加于人。对方就不用自己天赋的头脑去感受，也不受本身欲念所支配。他的品味不是真正属于他自己的。他的性格，如果确实有性格这类东西的话，也是外来的。他成了别人的乐曲的回声。

我一直想知道我能否仅仅依靠我自己就能活着。人们还对我说，在这里心境应该牺牲它的骄傲，姓名应该低头。如此，你很可能活得很好。

活着，就是使自己的性格品味活着。

重要的不是生活得最好，而是品味得最多。

我们都生活在相同的世界里，善良与罪恶、淫秽与清白，在这里是携手并进的。

人们只是正视生活的一半，闭眼不看生活的另一半，满以为这样就能太平无事地过日子，这恰似蒙住了双眼，在遍地陷阱和悬崖边上行走，而自以为很安全。

我总是喜欢知道新朋友的每一件事，而一点不想知道关于老朋友的任何事情。

天亮了，树绿了，这显然比飞机失事了更重要。

我很知道人们离不了统治别人和被别人服侍。

现代的哲学家希望恢复从前那种对死亡的恐惧。新的态度把生命看成是一种不值得任何人忧苦的小事，这种态度威胁到文明的心脏。

有头脑的人和人文主义者，除了获得一点适当的言词以外，他们又能帮人的心愿什么呢？

我经过反复的考虑，冷静的权衡，发现断头刀的缺点就是没给人任何机会，绝对的没有。一劳永逸，一句话，受刑者的死是确定无疑的了。那简直是一桩已经了结的公案，一种已经确定了的手段，一项已经谈妥的协议，再也没有重新考虑的可能了。如果万一头没有砍下来，那就得重来。

受刑者在精神上对行刑最关注，他有资格关心断头刀够不够快或发不发生意外。

现代征服者们能杀人，但似乎不能创造。艺术家们善于创造，但不能真正杀人。

每个人都是一朵时间之花，最怕盛开的不是时候。

所谓"青春多幸福"的说法，不过是青春已逝的人们的一种幻觉；而年轻人知道自己是不幸的，因为他们充满了不切实际的幻想，全是从外部灌输到他们头脑里去的，每当他们同实际接触时，他们总是碰得头破血流。

艾伦是个来自小镇的小伙子。他来到纽约看望朋友特德。

一天晚上，在去特德的住处参加一个盛大的鸡尾酒会的路上，艾伦看到一位年轻可爱的女郎从他面前横穿马路走向街区。

艾伦跟了上去，对她招蜂引蝶的走路姿势想入非非。

艾伦尾随她走了一个街区，他发现姑娘已经意识到他了，可步伐却未作改变。

艾伦认定这是一个"来吧"的表示。

终于，在路口亮红灯时，艾伦鼓起勇气赶上了那个姑娘，向她做出了一副最讨人喜欢的笑脸，说道："你好。"

艾伦惊讶地看到姑娘满面怒容，咬牙切齿地说："如果你再跟着我，我可要叫警察了。"

绿灯亮时，姑娘跑开了。

艾伦被搞得目瞪口呆。

聚会时艾伦把这件事跟特德说了。

特德笑着说："伙计，你看错人啦。"

"但是真见鬼，特德。我们那儿，可没有女孩会像她那样走路，除非她另有所图。"

特德说："纽约却和你那儿不一样，你还是看看这里有没有你感兴趣的姑娘。"

艾伦开始在聚会上到处走动，慢慢地忘掉了自己的屈辱。

聚会要结束时，特德走过来问艾伦："看到喜欢的没有？"

艾伦叹息道："那个珍妮特，哦，我可真想——"

"那么，去请她留下。玛吉也留下和我们一道吃夜宵。"

"我不敢说，她整个晚上都做出一副'别碰我'的样子。"

"可珍妮特喜欢你，我看得出来。"

"但是——"艾伦惶惑地说，"那么，为什么她那么的——我说不清楚，她看起来就像不让我碰她一个指头似的。"

"珍妮特就是那样的人，你只是没有领会到她的意图。"

艾伦终于走向珍妮特……

珍妮特很愉快地留下了。

于是，艾伦和珍妮特有了一个很美好的夜晚。

第二天早晨，艾伦对特德说："我真弄不懂这座城市。"

青春似乎成了一场共谋的牺牲品，因为他们所读过的书籍，还有长辈之间的交谈，都为他们开拓了一个虚假的生活前景。

年轻人得靠自己去发现：过去念到过的书，过去听到过的千方百计，全是谎言！谎言！谎言！而且每次的发现，又无异是往那具已被钉在生活十字架上的身躯再打入一根钉子。

不可思议的是，大凡每个经历过痛苦幻灭的人，由于受到内心那股抑制不住的强劲力量的驱使，又总是有意无意地再给现实生活添上一层虚幻的色彩。

善，绝不是让人一味去殉难。过火的慈善往往苗壮了法西斯。

灵魂有时是塑造自己肉体的艺术家。而艺术充其量只配表现灵魂。

我一直盼着要么我把生活钓下水，要么生活把我这条大鱼钓上岸。

现代人的灵魂还多了点什么，那就是必要时，我的灵魂也很适合把我塑造成魔鬼。

天性只有在模仿完了别人的时候才开始。

人只是从各种车祸、告别、意外的爱中，自己不知不觉成为新的传奇式的罪人。

合乎逻辑的爱是轻而易举的。但把逻辑贯彻到底，这几乎是不可能的。

奇怪，几乎我每一种乐趣和快感都可能含有幸灾乐祸的成分。

我越来越陶醉于自己的美貌，越来越欣赏自己灵魂的堕落。

我体验得越多，就越想得到更多的体验。我的疯狂的饥渴之感越是得到食饵，也就越加贪婪了。

一个人哪怕只爱过一次，也可以毫无困难地在尴尬里过上一百年。他会有足够的东西回忆而不至感到烦闷。而我呢，时时都被爱的奇迹打得落花流水。

我不太明白，平常人身上的某些优点到了罪犯的身上，有时怎么就能变成沉重的罪名。

一个在精神上杀死母亲的人和一个杀死父亲的人，都是以同样的罪名自绝于人类社会。

人可真奇怪，竟使一个人能够以自己的所见来品味自己，而且，尽管他所见的都是无数的苦难。

事实上，人的头脑很像一所宗教裁判所的监狱，在监狱的墙壁上挂满了各种刑具。人们既不懂得这些刑具的目的，也不懂得它们的形态，当人们看到它们的时候，不禁要问这到底是铁钳还是玩具。如果有人对他的情人说："一切女人都会欺骗。"或者对她说："你欺骗了我。"这有什么不同？

　　只要还有谎言和假面具存在，人就不会宁愿承受不幸而不死死咬住眼前的快乐。

　　我抓住了这个真理，正如这个真理抓住了我一样。我从前有真理，我现在还有真理，我永远有真理。

　　卑鄙无耻作为生存态度只是以绝对悲哀作为后盾的。

　　我的虚荣心不会再给我多大好处了，而且老实告诉你吧，就连我自己伤痕斑斑的心灵，也不能使我产生多深的感触了。我开始觉得这只不过是另一种时间的浪费而已。

　　10 年前，我还以为自己完全可以跟上形势的哩。我觉得我是够世俗的——现实态度，玩世不恭。可是我错了。这世道比我原来估计的要坏得多。美国永远是人类的花样中心。

　　所有路口都有情人张开的眼睛，这就够了。

　　我想写一本小说，写得像波斯地毯一样漂亮、一样不真实。这个国家的畅销书都是这么出笼的。

　　道德不能帮助任何灵感，我生来就是一个道德上的寄生虫。我不是为规则而生的，我是那些为例外而生的，我一直是节奏以外的节奏，永远不轻易和这世道合拍。

　　宗教不能帮助我，别人都对于不可见的事物信仰，我却只对于能用手接触、用眼看到的事物信仰。我的众神，是住在用手造的殿堂中，在现实的经验范围内。没有肉感的道理我连看都不看。

　　我的活法就是绝对地假装，就是尽可能地深入不是我本人的那些生活中去。经过努力，我的使命也清楚了：一定要做到什么人也不是或者同时是好几个人。

　　人有什么比被明天开除了更可怕的？

一个人可能永远是不了解真相的牺牲品。真相一经袒露，我们的感受就摆脱不掉致命的阴影，就要付出些代价。

我的天才——如果我有天才的话——在于使自己成为一个公民，或者用今天自我辩解的话来说，成为一个好人，我难道能用某种个人努力来取代想像吗？

现代人尤其识文断字的男子汉理应奋不顾身地成为迎受各色尴尬的模范。这是一个国家对公民的智力要求。

善良不能在真空中，而只能在别人的陪伴中取得，它需要得到爱的关照。

人的所有努力都是为了取悦世人，我必须争取被人反复怀念，无论行善或作恶。

现代人心中存在着两种潜意识作殊死战：其中一种是远见和冷静，从实际出发，对现实加以估计、衡量，并且批判过去；另一种则渴望未来，并且不顾一切，向前挺进。

当热情在人的心中占了上风，理性便哭着跟踪他，并且在危急的时候向他提出警告，可是，当人们听从理性的忠告而止步的时候，当人们对自己说道："真的，我疯了；我要到哪里呀？"这时候，热情就会向他们嚷道："我呢，难道我该去死么？"

正如男女因为自身软弱而需要结合一样，人类本性是喜欢群居，政治便把这些特点加以利用。

美国的每一位总统都是些先天中风的天才，他们在领导人民着魔方面都备有一手。从来没有一股旋风像它那样支配了我，控制了我，我一生的每时每刻都围绕着它，痛苦和不痛苦，不痛苦不就是快乐吗，都归功于它，甚至，对了，甚至欲望，因为几乎每天都有那种没有个性的、凶神恶煞般的风尘，我参加得多了，但我只是听见而没有看见，我得面壁而立，否则就要挨打。

按说个性应该比民族性格重要得多，也比民族性格更值得我们重视，况且因为谈到民族性格时必须涉及大群的人，而适合其一者，不一定适合其二，所以当我们大声赞美国家时，我们不可能是完全诚实的。

和从前一样，我常因不幸和欲望而激动不已，一个个锋利的希望烧灼着我，我想背叛，我舐着我的枪管，舐着它里面的灵魂，它的灵魂，只有枪才有灵魂啊！

自从我遇见你之后，你就对我产生了最奇特的影响。我的灵魂、头脑和才能都被你征服了。

在我眼里，你成了无形梦想的有形化身，这种梦想好像瑰丽的花园一样，始终萦绕在我的头脑里，我崇拜你，我嫉妒每一个和你说话的人。

我要你整个都属于我。只有和你在一起，我才感到快乐。即使你不在我身边，你仍然存在于我的眼底屏幕中……当然我从来没有让你知道我的这些想法。

今天的人胆子越来越大，他们经常不敢让他爱的人知道他内心的阳光是为谁而喷射的。

仅仅通过移情别恋的作用，我就把意外的相逢变成了生活的本意——而且我拒绝全身心的投入。

爱心不是用一种伟大原则使面貌表象变得亲切。爱心，就是重温旧梦，重新学习引导自己利用每一次机遇，把每一个能占有的对象变成自己梦中的庭院。

他自身归属于时间，从这种攫住我的恐惧中，我认出了自己最凶恶的敌人。明天，我希望着明天，可我的本能是拒绝的。

　　敢不说谎的爱肯定是一种没有结果的爱。

　　你是相信这个世界的。而这个世界告诉你要你在荒原上沉醉于绿木芳草。这个世界也警告你，要是你尊重自己的梦，就别接受安慰。就这种现实而言，真理是一种惩罚，你必须以大丈夫的心胸去接受它，这个世界还说，真理会折磨你的灵魂，因为你作为一个可怜的人类，爱好撒谎，而且靠撒谎过活。因此，假如你的灵魂中还有别的什么等着被揭露，你绝不可能从这班人那里获得任何帮助。

　　如果要写出自己真切怀念的往事，人只能写出自己的不断的悔恨和他的无能为力。

　　纽约和巴黎的灯红酒绿、金融中心、晚礼服，甚至那里的歌剧都在高唱人的无奈。

　　我被迫掩盖我生活的见不得人的部分，使我装出一副冷淡的、人们常常混同于德行的那种神气，我的冷漠使人们爱我，我的自私在我的慷慨大度中达到顶点。

　　童年终于背叛我了，这是好事。

　　我还学会了背叛天性，这更是好事，以后的日子除好事不应该再有什么天灾人祸了。

　　爱情与肉体，肉体与爱憎——它们二者实际上浅薄得就像勉强冲过我们脚面的清水！爱情中含有动物的属性，而肉体则含有灵性的要素。感官可以变得纯净，理性却会退化。谁又说得出肉体的冲动是从哪里开始总动员，到哪里终止呢？

　　新闻报道的武断定论是何等浅薄！而且五花八门。要一个身无分文的平民作出抉择又是何等困难！爱情是不是遮蔽在罪恶的躯体之中的影子呢？抑或肉体是不是真的包含在爱情之中，男人与女人的分离是个谜，男人与女人的结合同样也是一个谜。

显然，能拒绝谜底的人比敢于拒绝政治的政治家更可爱。

对于探索的人来说，一件确实的东西也就足够了。问题仅在于找出一切后果干什么？

在精神上肆意寻找答案的人都应被枪毙，就是他们专门破坏剧情，幸好，他们还没影响到纽约股市的行情。

时间将使时间生存，而生活将为生活服务。

世界上还没有一个真正的人，既能活又能死。只有患病的、悲惨的、或者是忧郁荒唐的傻瓜，有时才希望能根据法令，按他们对此的强烈愿望，得到一些空想的东西。但通常总是要用恐吓，整个人类才能相信他们。

除了疾苦，我什么都愿同情。

我不能同情疾苦，因为它太可怕，太悲惨了。现在人们对痛苦表示同情的时候，带有可怕的不健康的味道。一个人应该赞同生活的色彩，生活的美，生活的快乐。生活中的疮疤最好还是少去碰它。

懒散是一种活动过度的、忙忙碌碌的状态。这种活动驱走了美妙的休息与平衡。而没有这种休息与平衡，也就没有诗，没有艺术或思想——没有人类最高的功能。这种懒散的罪人不能默许自己的存在，正如某些哲学家所说的那样。他们劳作着，因为休息使他们恐惧。

只有工作而没有娱乐不是一剂良药。

诗人为什么一直走在全人类的前面，因为诗人不受世俗的时间与钱财的束缚，他们总是在感性的时间之水中畅游四季。世间惟有诗人把自己预先解放得那么一塌糊涂、又充满魅力。

敏感深思的人轮不到事情做，而那班眼底无梦的人却掌管一切。没说的，作为一个爱国者，我随时向自己的生活敬礼。

我既不愿把怀念也不愿把苦涩记在我的账上，我只想看得清楚。

对我来说，惟一的已知数是上帝已经死了，而我还健康地活着。

有些表情会使人感到难堪，特别是那种聪明的表情，聪明的表情可能会直接把我带往疯人院。

我最怕的表情是把我从头到脚看穿的表情。

在时间的眼里，没有任何感情和牺牲。

追求幸福，得先准备一个能吞食苦果的胃。

一个医生是不应该去议论自己的病人的。我们却把国家的隐私当作情书一样公开。

当你解说你的情况，你的打算，你的所作所为时，你不必贿赂另一个灵魂来倾听。

能比我更自然者罕有其人。

我与生活的和谐是完全彻底的，我全部溶化进去，从上到下，不拒绝生活中任何讥讽、伟大和束缚。尤其是肌肉、物质，一句话，身体，它使那么多人在爱情中，在孤独中狼狈不堪，灰心丧气，却给我带来了同样的乐趣，并且没有使我奴化。

我生来就是为了自己的躯体成为严谨的情书。由此而产生我身上的和谐，这种轻松的控制，人们感觉到它，有时并且承认它有助于生活。因此，人们刻意与我的天性为友。

人们经常以为早已见过我了。生活，其存在和给予，迎面而来；我以一种善意的自豪感接受此种敬意。事实上，由于这样充实、淳朴地做人，我觉得自己有些超人的味道了。

每个人心底里都想他必须使自己的生活达到一定的深度……我不得不干下去，因为我还没有达到这个深度。

我是人。我本人，虽然外表上看来有点古怪，也还是人。而当生活以为把人看透了，这时候，人却常常捉弄生活。

我所认识的艺术家中，本人招人喜欢的，几乎都属蹩脚艺术家。高明的艺术家只存在于他们的作品之中，因此他们本人就变得索然无味。

一个伟大的诗人，一个真正伟大的诗人，本人看上去似乎是最缺乏诗意的。但是等而下之的诗人却极其讨人喜欢。他们写的诗越坏，他们的外貌就越漂亮。

如果一个诗人只出版一本二三流的十四行诗，此人一定具有非凡的魅力。他把诗里写不出来的东西都在现实生活中做出来了。而另一类诗人却把他们身体力行的东西都写成了诗。

抱有希望，就是激起反常的现象。一切都安排妥当，以便产生出一种被毒化的平静，这种平静是无忧无虑、心灵的睡眠或致命的放弃带来的。

在时间的眼中，没有任何深刻性、任何感情、任何激情、任何牺牲。

当我照顾他人的时候，那是纯粹的屈尊低就，我有完全的自由，而且部分功劳又回到我的手上：我在我的自爱中又上了一层楼。

公开或私下，我都有给予。

当我该拿出一件东西或一笔钱时，我所感到的远远不是痛苦，而是经久不衰的快乐，有时我看到这些赠与毫无回报以及有可能变成忘恩负义，不免产生某种伤感，但是这与我所获得的哪怕最微不足道的快乐相比也是不可同日而语的。

我乐善好施甚至到了这种地步，我曾被迫而为。金钱方面的负重比较使我厌烦，我容忍了它，但心绪欠佳。我应该有权决定我的给予。

悲衰并不是绝望，而上帝却把它们像兄弟般凑合在一起，以便使两者彼此绝不让对方单独留下来陪伴我们。

生活着，是的，强烈地、常常地感觉自己是在活着，这就是爱情的最初的和最大的解释。

这是不应该有所怀疑的，爱情是一种不能解释的神秘。不管什么束缚，什么困苦，我甚至要说不管世人对它怎么厌恶；把它整个埋葬在歪曲它、败坏它的山般高、海般深的成见之下，把它从一切最肮脏的垃圾堆中拖来拉去，可是爱情，牢不可破的致命的爱情，仍然不失其为一种神圣的法则，它的威力之大和不可思议，并不次于那把太阳高悬在空中的引力法则。

这世界，存心要和生活对立，并且和生活相对抗——就是要跟生活过不去，就是这样——而我不管怎样还是活着，不免总有点和它格格不入。

世上的万物都惊人地交织在一起，而我们只不过是世界发展过程中一件自身相矛盾的工具而已。

我是美的作品的直接表现者。我的宗旨是展示天性，隐匿自己的姓名。

活着的最高形式是自白，活着的最低形式也是自白。

有时我甚至觉得人生只有活得好和活得不好的区别。如此而已。

39 岁的杂志编辑米勒说：

在我的生活中，因为凑巧和哪个女人一起去开会，并且和她上了床，这是时有发生的事情。这种事情的发生频率远比我妻子想像得还多。

就我和许多男人而言，一夜风流并不是什么了不得的事，这和我们对妻子的感情毫无关系。如果哪位妻子发现她的丈夫有过多次一夜风流的记录，甚至和同一个女人有私情，最好是低调处理。

我曾经和我女儿的老师有过 5 个月的交往。

起初一切棒极了，我们到处去共度周末，平常出去喝一杯，偶尔她还会休几天假，陪我去出差。我们总是能逗对方开心，性生活也过得很有味道。问题是，她已经 35 岁了，她不止一次地跟我说她想要的是一段真正的感情，拥有一个家庭。

我不怪她，可是我最不想谈的就是"关系"，所以我告诉她我们必须结束，叫我吃惊的是她居然很难过，我本以为她和我一样只是逢场作戏。

我不介意再来几次婚外情，事实上，我相信我还会再有其他恋爱。它释放家庭的压力，而性关系在一开始总是比较新鲜。我从未打算离开我妻子，不过我是个好色的男人，只要没受伤我就觉得无所谓。

从来没有病态的生活。生活可以出现任何事物。

死后的事情毫无意义，而会生活的人有着多么漫长的岁月啊！

你为情人所受的局限越是狭窄，你的才能就越是必要。

你过 3 小时要死，其面貌就是你今天的面貌。你在 3 小时内必须体验和表达整个的一种非凡的命运。这叫做为了重新发现自己先失掉自己。在这 3 小时内，你要把一条走不通的路走到底，而这条路身旁的人要走整整一生。

可怜，就是没有灵魂的羔羊。

我们每个人都要为自救负责，这种自救是人的愿望所在。而这种愿望是一块石头，我们的心脏被摆在这块石头上剥了一层皮，大智者、大美人、大情人、大罪犯包围着我们。

真正的世界是艺术和想梦成真的世界。只有一件工作是值得做的，这就是借现实这件道具疯狂地想像。

哪怕是生活中的细节，我也需要处于高境界中，公共汽车与地下电车，我更喜欢公共汽车，马车与出租汽车，我更喜欢马车，平台与高楼，我更喜欢平台。

我的职业成功地完成了这种攀登高峰的志愿。它使我摆脱了任何辛酸之感，对那些我总是施恩而从不欠他们什么的人的辛酸之感。

任何审判都与我无涉，我不在法庭的舞台上，而在某个地方，在舞台的上空，如同人们不时借助机关使之降临，以使情节面目一新，并赋予它应有的意义的神明一般。总之，超然在上的生活依然是被大多数人景仰和礼拜的不二法门。

在人的情感之外，不会有冲动。

你从来没有贫困过，所以也绝不会理解饥饿是什么。

童心是一个云散的悠扬长梦。我们不能依季节来区分它。我们只能记载它的情调和这些情调的重复。在我们今天看来，那会儿时间不是递进的。它永远那么旋转着，它似乎以童心为中心而环绕着。

一种麻痹不活动的生活，它的种种事情，都被一种不可变的定型支配了，就是饮食，就是坐卧，就是祈祷——就是用祈祷的姿势而跪下的事情——都须依照一种死板不可变的铁律奉行。

关于播种或收成的时候，关于屈身 XU 麦的农夫或穿行于葡萄园间的葡萄收获者，关于果园的草地上为落花铺地或为落下的果子遮盖着的这些事情：我们一点都看不清了。

迄今为止，人们一直在玩弄词藻，装作相信拒绝赋予人生一种意义势必导致宣布人生不值得过，而且这也并非徒劳。

相信人吧，你有得是理由活下去。你苍白的弯嘴唇上挂着一丝奇怪的笑容，把人引进琳琅满目的活生生的梦境。

每当我看着绒绣、珐琅制品，珠宝、象牙雕刻，人生活在这样精雅绝伦的奢华环境，就使我惊叹不已：尽管这一切只是一种布景———一场戏中的布景而已。权力，高于别人的权力，高于一切的权力才是值得追求的东西。这种值得享受的至高无上的欢乐，这种人人都不会厌倦的乐趣，在我们的时代，只有有钱的人才能享受到。

会有一个早晨，我谦卑地承认，我感到自己是白宫总统或者是燃烧的荆棘。

务请注意，这是我确信自己比所有的人都聪明之后的又一种认识。不过，这种信念并无结果，因为那么多笨蛋都有这种信念。我感到，真是不知道该不该承认，感到被选定了。众人之中，惟独我被选定去获得这漫长而稳定的成功。一句话，这是我谦逊的结果。

无论如何，对于什么是我真正感兴趣的事情，我可能不是确有把握，但对于什么是我不感兴趣的事情，我是确有把握的。

生活一直是给品味留下的圣餐。

我对某些画家的意见不敢苟同，他们傲慢地认为外行根本不懂得绘画，门外汉要表示对艺术的鉴赏，最好的方法就是免开尊口，大大方方地掏出支票簿。

把艺术看做只有名工巧匠才能完全理解的艺术技巧，其实是一种荒谬的误解。艺术是什么？艺术是感情的表露，艺术使用的是一种人人都能理解的语言。但是我也承认，艺术评论家如果对技巧没有实际知识，是很少能作出真正有价值的评论的；而我自己对绘画恰好是非常无知的。

他的神气不是那样地确信无疑吗？然而，他的任何确信无疑，都抵不上一根女人的头发。甚至连活着不活着都没有把握，因为他活着就如同死了一样。偏偏这样的人经常把艺术搞得像爆炸式新闻。

有一些人，他们的问题是防备他人或至少是与他人合拍。对于我，合拍是天生的。需要的时候不拘礼节，必要的时候三缄其口，既能玩世不恭又可庄重凛然，这一切我都很在行。

个性品味使我身孚众望。

我在上流社会的成功不可胜数。我的仪表也不错，既是一个不知疲倦的舞客，又是一个审慎小心的学者，我能够，谈何容易，同时爱女人和正义。

生活完全变成舞台了，这禁不住令我暗暗窃喜。

人们在大海中间遇到的巨大暗流，很像人们在生活中遇到的一些事变。宿命、偶然、失意，名字不同又何妨？……
世间最细小的事情的失意，和从外表看来最无关紧要的事物
和情况都能够使我们的命运发生全新的体验。

我们偶然出生，偶然碰上了滚滚红尘，我们还会偶然失
综，让身后的欠据和情人们嚎陶大哭。

美国有不少这样的人，一心一意要给你帮忙，他们不惜
用大块石头来砸死一只叮着你的苍蝇。

他们只关心不让你把事情搞坏；如果他们不能够把你也
弄得像他们一样高兴，他们决不罢休。所以不管用什么办
法，只要能达到这个目的，美国人就会搓着两手表示满意，
这一切全是从友好的情谊出发，根本不会想到你的情形会因
此而越来越糟。

你最向往的东西常常是你最恐惧的东西：当别人给了你
自由和爱情。

我有一种使那些平常的想法上升到悬念高度的习惯，因
此，我便想到内心动作的非法性和行为准则的独立性。这是
谁都不以为奇的，然而，它不是自相矛盾，并不是什么自由
……

真正的自由寓于纯粹的性格品味之中。

一切微观世界都是从宏观世界分离出来的。在主观与客
观的武断的分野中，世界已经消失了。零本身在寻求转移。
它变成了一个行动者。这就是我在解释的意识灵魂的状态。

我怀着一个念头，像一头聪明的驴子，一条道儿跑到
黑，我喜欢赎罪，我对平庸发火，总之，我也想成为榜样，
让人家看见我，让他们看见我的时候对那种使我变好的东西
表示敬意，通过我向上帝致敬吧。

　　我鄙视的人，他们一般都有那么大的权力，敢做的事情却如此微不足道，他们没有信仰，而我有，我想要刽子手们承认我，让他们跪在我面前，让他们说："上帝啊，这就是你的胜利。"最后只有用言语能制服一群坏蛋。

　　我经常把听到的忠告传给别人。对于忠告只有这个对付的办法。忠告对于一个直觉锋利的人是丝毫没有用处的。

　　在政治生活中紧跟他的领袖，私人生活中则紧跟最高明的厨师。我遵循一条明智的、人所共知的准则：吃饭同保守党人在一起，思想与自由派一致。

　　开心取决于人，不取决于世界。目前它是二者之间惟一的联系。开心把全世界人民连在了一起，正如只有仇恨才能把人连在一起一样。

　　左右时代的是人，而不是主义。这个常识让我睡得安心。

　　政治上我曾是个保守党，不过保守党执政期间除外，那时我曾直截了当地骂他们是一群激进党人。

　　现在美国除了搞政治以外，最赚钱的买卖就是制造猪肉罐头。像我这种完全被艺术搞得手脚无力的人，是这个国家相当罕见的奢侈品。

　　那些仅仅名噪一时而不能流芳百世的作家倒有一种微妙的魅力。他们的光芒不会令人炫目，于是读者可以一眼就辨别出他们毫无出路的个性，认识他们时代的精神；他们有一种快乐的品质，这在胜过他们一筹的作家们身上却找不到，在他们那未臻完美的成功中甚至有某种动人的哀愁。

　　凡是在生活中举目无亲的人，几乎都在他的作品中找到了自己的情人和别墅，资本主义艺术就是一种物资艺术。

　　没有一切的了结，一个故事也不该有总收场，用结婚来结束没有也很不合适；那些世俗的所谓大团圆，自命风雅的人也犯不着加以鄙弃。

　　普通人有一种本能，希望结果出现一切该交代的都交代了。男的女的，不论经过怎样的悲欢离合，终于被撮合在一起，两性的生物功能已经完成，兴趣也就转移到未来的一代上去。

　　这孩子聪明，可就是头驴。

　　侮辱我吧，然后你们就会看到自嘲的证据。

　　当我痛骂自己的时候，我的导师很不理解，他说："不，您身上还有好的东西！"好的东西！我身上只有酸酒和切不开的幻梦，别无其他，这样更好，人要不坏，怎么能变好，我从他们教给我的东西中清楚地明白了这一点。

　　世界很忙乱，根本来不及把我当人，这很好，反正我有足够的时间把世界当成野兽。

　　在美国，每年枪支和子弹的销售，都比新版《圣经》要畅销十倍。

　　一个人从文明到堕落，这其间的距离是一步之遥。所有流浪汉都是资本家的堂兄弟。

　　莎士比亚领导修鞋匠的社会是不正确的，也是空想的。但是，修鞋匠们的社会声称可以不要莎士比亚则是不幸的。没有修鞋匠的莎士比亚被用来作为国王的借口。没有莎士比亚的鞋匠，当他无助于扩展暴政时，就会被暴政吞噬。

　　假如把一个政客看做是一幅画，是不正确的。在官场上，庄重的脸谱是做不到八面玲珑，步步高升的。

　　倘使出于景仰而认识，必定会产生真正的友谊。真正的友谊起始于这种恰当方式。

时代常需要一定暴力的短暂插曲。以便通过建立起一个正义的社会，暴力就可以一劳永逸地废除。

当代的教士在研究人们称之为《圣经》诠释这门学问中都学会了遮掩粉饰生活的惊人本领。

为什么绝望中的女人梦想依然盛开。

正如真正的自由女性仅是一种被制服的浪漫女性一样，她们的才华是创造了自己价值的书。

如果由心理学家来写历史，一定写得十分精彩，会使历史学家失业。独裁者不仅需要有一大批活的随从，也得有一大堆死尸做伴。他把人类看成是一帮吃人生畜，要他们成群结伙，叽里呱啦，为自己犯下的谋杀罪行痛哭流涕，硬把生机勃勃的世界压成死气沉沉的粪土。

他是他们的最凶恶的敌人，因为他不理睬他们。

我亲爱的同胞。一些男人喊："爱我吧！"另一些则喊："别爱我吧！"但是，还有一种最坏、最卑劣的人说："别爱我，但要忠于我！"

对于某些人来说，不占有自己没有欲望的东西是世界上最难的事。正像我在各方面都待她如此粗暴，最后又倾心于她，我们就像狱卒系于囚徒似的。

有时男人在需要一种精神支持而又得不到时，那么他们就会有意或无意地去别处寻找。许多姑娘和妇女对成年男子具有一种自暴的软弱感。当然许多丈夫所做的一切不会对家庭造成危害。但是在发生危机情况时，妻子很容易逃避，也就是通奸问题。

这个家庭是这样的：

一个男人 30 岁结了婚。他喜欢设想、希冀和幻想。第二个孩子生下以后，他的妻子停止了工作。她完全把精力投到家务和孩子方面。他丈夫对职业上的忧虑和失望没有使她担心会对物质生活带来什么影响。

每天晚上，像往常一样，丈夫又谈起他的工作。他的妻子没有对他说"我想谁会对这个感兴趣"，相反却提出了一连串的疑问。可是这种关心变得越来越不自然。

外遇的前奏就这样开始了。

起因是他在无意中与一个公司女职员谈工作上的一些事情，他获得了一个忠实的听众。那女职员的表现增强了他的自信。

后来，他开始寻机和她约会，并且获得了成功。

当然，他的妻子也认识她，甚至很了解她。但是，她从未对丈夫提起她，因为她觉得对已成事实的东西，说出来对家庭没什么好处。

他也像什么事都没发生一样，因为他并没有觉得那姑娘是他的情妇。

人的本性都是好的，至少大多数如此。问题是你得给他们一个表现机会。

人在生气时，会变得专横傲慢，使人受不了。

每个人都用正确的语气为自己创造或提出结束语。只是活着并不够，应该有一种命运，而不应坐等死亡。

我们无法估量未来，因为未来可以结束我们永远完成不了的事情。

有抱负的人意味着活着就是作战，用自己的遗传和现实作战，现在的时代崇拜的是金钱，现在的时代的上帝是金钱。为了得遂凌云志，人们必须有金钱。

美国能把人从生存的旧梦里挽救过来吗？

也许不可能，假如这挽救变成了混乱的红灯区，变成了另一个更为复杂的梦，一个全面漏风的幻觉。

有这么一回事，在我低下头颅的时候，一座城市的灵魂降下了半旗；整个春天的绿草被我低垂的脑袋压得喘不过气来。

我喜欢有教养的傻瓜，傻瓜比人们想像中有更多的话可谈，就我个人而言，我非常赞赏傻瓜。我想这是出于一种同情吧。

社会已经替我作好了决定——美国本身以及我对美国的无限好奇心已经替我作了决定。永不逝去的青春，无穷无尽的欲望，神秘玄妙的享受，如醉如痴的快乐和更加疯狂的堕落——所有这些都将为我所有。

只有真正的诗人才知道他多么渴望不当一名诗人。

捍卫自由是诗歌的职责，即使一个隐喻也值得为之而斗争。

然而，谎言是不是最后也通向真理？而我的故事，或真或假，不是都朝着人的方面，具有《圣经》的意义吗？

真相，如同光亮，炫人眼目。谎言则相反，是一抹美丽的霞光，它使每样东西都显出价值。

我是有思想而没有影响力的人，我有一种自我卑视的习惯，其实，这是我对那些在政治上或社会上有力量的人的鄙视，或者是对那些自以为有力量的人的鄙视。我看不起一切人，就像我根本看不起我自己。

人是一支半梦半醒的长枪，是一支有充满感受的长枪。

在一个连阳光都可以失踪的国度里，一个人的权力愈大，他的行动就愈趋向阴谋。

那些忏悔的作者们写书主要是为了不忏悔，为了不为人所知。当他们声称要坦白时，也正是要提防他们的时候：他们要给死尸化装了。

相信我，我是金银匠。我说话斩钉截铁。

当你一开始懂得要热爱自由的时候，自由就死了。当你一心追求爱那时候起，爱情就与你绝缘了。

不明白自己出身的人是自由的。

爱就是你把一切都献给对方。而现代的人根本无法把自己献出去。

我认为，一个人感受越多，也就变得越特别。

一个人如果有复杂的头脑而实际上又不是个魔鬼，实在是没有什么好处。我从来没有奢望一个虔诚的女人同时又是个温柔可爱、百依百顺的小姑娘。

在现实生活中，幸运只有在它穿透了老年的罅隙时才会降临。

用地道的童心对付世界是个好办法。

真正的童年绝非天堂，它也并不特别柔弱。

当生活突然踢了某个人一脚，把他推向成年的门槛时，他就会产生柔弱的感觉。他不安地领悟到了童年的一切好处。而作为一个儿童，他从来没有意识到这一点。

柔弱惧怕成熟。

我一直企图创造一个小小的人造空间，在那里大家公认，我们应把别人当作小孩。

柔弱也惧怕肉体的爱，它企图从成人的领域里把爱取出来（在那里爱是附有义务的，不可靠的，充满了责任和肉欲），把女人看做小孩。

我作为一个蹩脚的文化战士，所过的这种乱糟糟的知识生活，并没有毁了我的人性。

我相信人可能是真诚的，并非有意不真诚，真正的虚伪是难找的。

人现在可以享受自由了，可自由本身并没有什么内容，就像一个空洞的稻草人。

华盛顿在树立道德、宣布戒律时就错了。对确立罪状和惩罚来说上帝是不必要的。在我们自己的帮助下，有我们的同类就足够了。

听说过唾沫牢房吧，那是一个民族最近想像出来的，以证明他们是地球上最伟大的人民。一个砖砌的场所，囚徒在里面站着，但是不能动，一扇奇特的坚固的门把他关在这水泥壳中。人们只能看见他的脸，每个经过的看守都往他脸上肆意吐唾沫。囚徒被夹在牢房中，不能拭脸，不过他被允许闭眼睛，这倒是真的。

他辩解道，在行动和行动的执行之间横着一条睡眠的鸿沟。这条鸿沟也许不宽，然而很深。因为人的灵魂中有一个睡。魂。

人类就像植物一样，它的全部生活就是睡眠。这一论述给我留下了深刻的印象，睡眠的实质只有通过对一种永恒的精神的透视才能看到，我从来没有怀疑我具备那种东西。但是我很早就把这种事实搁置到一边了。我把它藏在我的帽子下面。即使这样，你的帽子下面的信仰还是压着你的脑子，使你陷入植物界。

请问您内心是个乐观主义者还是悲观主义者？现在，这似乎是给我们留下的仅有的两种流行的宗教信仰。

　　乐观主义以张口大笑起来开始，悲观主义则以惨淡的场面告终。这两者都只是装腔作势。

　　现在只剩下政治是人惟一的享乐了。您知道吗，到了40岁的女人还要卖俏调情，或者到了45岁还要浪漫，现在这一切都不流行了。

　　所以一些30岁以下的可怜的女人，除了政治和慈善机构外，什么都没有她们的份了。慈善机构，在我看来，简直成了那些要打扰同伴的人的避难处。我喜欢政治，我认为政治更合时宜帮人消遣！

　　有一些典型的女人问题，每一个男人在他一生中都会遇到，这些问题应当作为年轻男人受教育的一部分。比如，女人的信仰决定于一个瞬间……

　　成熟的爱是不可分割的；它要么是完整的，要么根本不存在。

　　我们不能肯定任何人的无辜，却可以肯定一切人的罪状。每个人都是他人的罪行的见证，这就是我的信念，我的愿望。

　　体验一下谦卑待人的感觉到底如何。好像这种呆头呆脑的屈顺，这种以受虐为荣的贱相和懦弱，就是谦卑就是恭顺，而不是极端的堕落。实在令人恶心！

　　只有生活简朴、真实——真诚，才有自由。自由只是从时间的渔网中滑出来的几条小鱼。

第 5 章

成为生活的旁观者，
你就是一只自由品味的鸟。

不论天空飘扬着什么样的旗帜，有生之年，我们都应该过一过人的生活，而不顾那一大片空虚（对那种空虚我们毕竟缺乏实际知识）。

生命很容易了结，只要用一点点吗啡就可合上这册烦恼的书籍。

正是通过受苦，我们才脱胎换骨，达到更高的境界，痛苦是一把火，它会烧毁我们身上世俗的欲望。

梦是意味深长的，同时又是美的。

梦不仅仅是一种交流行为，也是一种审美活动，一种幻想游戏，一种本身有价值的游戏。

饿了就要吃饭，不管你是诗人、数学家还是暴徒。

品味，就是试图反复生活无数次。

在一切光荣中，最不骗人的是那种自己感受到自己的光荣。

人的才智是宇宙间最强大的力量之一，它不可能稳稳当当地一点不被使用。

爱的光芒离我们绝不会太远，没有一个人会因为太微不足道或者是腐化堕落而不能进入其中。

占有欲是如此难以满足，以致这种欲望能够比爱情本身持续更久。哪怕爱就是使被爱者枯萎。

情人理应成为孤独者，他的自得其乐的痛苦与其说是自己不再被人爱，不如说是得知对方仍能并应当去爱他人。严格说来，每个被疯狂的追求欲所持续和占有欲所折磨的人都希望他曾经爱过的人枯萎或死亡。

其实，美国的生活没什么风格。

美国的生活只是一种没完没了地普及美元的运动。

所以媚俗成了所有政客的美学理想，也是所有政客党派和政治活动的美学理想。

人的一切希望都寄托在未来，未来却又始终靠不住，因为一切事情都会同样降临到公正或不公正、善良或凶恶、纯洁或肮脏的人的身上，无辜的人被当成犯罪者，而背誓的人却被当成守信的人。

好在恐惧是人类无法摆脱的天空。它统治着世上最大的疆域，它可以使你像蜡烛一样灰白，把你的每只眼睛撕成两半，恐惧所创造的东西比其他任何都多，作为一种塑造的力量，它仅次于造化本身。恐惧使人民爱上了监狱、警察、兄弟或朋友。

而遭受到失去友谊的威胁真难以忍受。

愤怒的老虎比受过训练的马更加聪明。

生活的目的是自我发展。要充分意识到自己的天性——这就是我们每个活在世界上的人们的目的。现在人们害怕自己，他们忘记了，最崇高的责任就是每个人要对自己负责。

上帝的心肠当然是宽厚仁慈的。他对饥饿者施之以食，对乞讨者授之以衣。但是他自己却无衣无食。

也许我们从未真正有过勇气。对于社会的恐惧感（这是道德的基础），对上帝的敬畏（这是宗教的秘密）——这两样东西。常常把我们弄得落荒而逃。现代人惟一可以回报上帝的就是他们敢于前后不一致。

到目前为止，一个征服者的伟大还是地理性的。它是可以通过征服的土地的大小来衡量。词改变了意义，不再指胜利的将军了，这并不是无关紧要的。伟大变换了营垒。

对一个爱着某人来说，若说他是真爱，那么他只能是为这个人去死。对一切是非来说，惟有相反的观点才是最真实可靠的。

人的生命只有一次，我们既不能把它与我们以前的生活相比较，也无法使其完美之后再来度过。一个人的肉体是随他的心灵而异的。

人实际上是描绘他自己的美术家。身体和面部都是由个人自己的精神，通过皮质和控制全身元气流通的第三和第四脑室的作用而悄悄描绘成的。天性可能是一种精神状态。那么，我有权不在悲哀中吃我的面包，或者在哭泣和等待苦楚的黎明中过夜。

在欢喜和哄笑的后面，也许有粗恶、生硬和无感觉的一种禀性吧。但是在悲哀的后面，却常只有悲哀。悲哀不像快乐，悲哀是不戴假面具的。

我觉得悲哀是我惟一的美学，悲哀是赤身裸体的美感。

时间支配我们，对于一种暗淡无光的生活来说，更是天天如此。但是总有些时候我们必须支配时间。我们是靠事业生活的："明天"，"以后"，"等你混出来的时候"，"长大了你会明白的"。这些自相矛盾的事情是值得钦佩的，因为终于说到了死。

良心是我们每人心头的岗哨，它在那里值勤站岗，监视着我们别做出违法的事情来。

简妮结婚前曾同一个没有财产的男人恋爱过。由于没有财产，家里人不同意她同那个男人结婚。

后来，她父亲把她"嫁给"了一个富有的男人。

她们的婚姻生活是美满的，虽然简妮仍然感到心里受到些创伤。

她生下了两个孩子，他们平静、和睦地生活了多年。

一天晚上，她陪丈夫去参加一位新老板为庆祝就任举办的晚宴。

当她被介绍给这个老板时，不觉浑身颤抖起来——她年轻时的旧情人出现在她眼前，他也像她一样感到震惊。

后来的几周里，他们两人耽于声色之中。他们像以前那样热恋着，甚至她还像以前那样叫他"我的金色梦"。

就在这个时候，简妮发现了"良心"。

可是面对这个难以解决的冲突，她茫然失措。一边，是她的丈夫——孩子的父亲。另一边，是她无法放弃的"爱情"。

她痛苦万分，心慌意乱，只好求助于心理医生。

　　征得简妮的同意，心理医生把这件事告诉了她的丈夫。

　　简妮的丈夫像个绅士似的很理智地找到了简妮的情夫进行了交谈。

　　后来简妮的丈夫让简妮自己做出抉择。

　　最终，简妮放弃了"爱情"。她选择了自己的婚姻。

　　其实，良心就是安插在自我的心中堡垒中的暗探。因为人们过于看重别人对他的意见，过于害怕舆论对他的指责，结果自己把敌人引进大门里来；于是它就在那里监视着，高度警觉地卫护着它主人利益，一个人只要有半分离开大溜儿的想法，就马上受到它严厉指责。

　　良心逼迫着每一个人把社会利益置于个人之上，它是把个人拘系于整体的一条牢固的链条。人们说服自己，相信某种利益大于个人利益，甘心为它效劳，结果沦为这个主子的奴隶。

　　连孩子都学会了，星条旗升起时，要把左手持在右前胸良心的位置上。

　　良心和自由经常忧虑金钱是自然而然的。为什么呢？因为金钱就是自由和良心。

　　控告是人类的主要本性之一。

　　成为自己生活的旁观者，可以避免生活中的苦恼。旁观者无权控告。

　　我现在有了新的欲望、新的思想、新的见解。虽然我跟从前不一样了，但是你一定要和从前一样爱我；虽然我变了，但你一定要永远做我的朋友。

　　歌德说："我的场地就是时间。"

　　我说："我的时间就是我的情人。"

今天的好处是我们和时间都能从同一种不安中出发，在同一种焦虑中相互支持。

财富使人免于马上受审，把您从乘地铁的人群中解脱出来，关进流线型的汽车里，让您处于宽敞的花园里、卧铺车厢里、豪华的办公室里。亲爱的朋友，财富还不就是开释，但已是缓刑了，得到它总是好的……

只有体验才是真正的品味。

真诚怎么能成友谊的一个条件呢？不惜代价地探求真相的爱好，是一种什么也不放过，什么也抵抗不了的情欲。这是罪过，有时是舒适，或是自私。因此，如果您处于这种情况之中，不要犹豫，要答应说真话，尽可能圆满地撒谎。您回答他们深切的期望，向他们双倍地证明您的感情。

在通常的情况下，受苦只会摧残人、毁灭人，而且对人毫无启迪。你可以看到，当人们首先经受失去人性的痛苦时，痛苦给他们的摧残是多么可怕。

苦难使人崇高，这是不真实的。一般的规律是它反而使人卑劣、抱怨、自私。

我整个一生的主题就如同一个人在一场赌博中的失败。赔了钱，再永远地忘记它。花了钱不要紧，只要得到极大的满足。

如果我们生命的每一秒钟都有无数次的重复，我们就会像耶稣钉于十字架，被钉死在永恒上。这个前景是可怕的。

如果永劫不归是最沉重的负担，那么我们有理由把生活全部改装成游泳或轻松钓鱼的活动，来与之抗衡。

沉重若真的悲惨，而轻松便真的辉煌吗？

沉重的负担压得我们崩塌了、沉没了，将我们钉在地上。可是在每一个时代的爱情诗篇里，女人总渴望城市在男人的身躯之下。也许最沉重的负担同时也是一种生活最为充实的象征，负担越沉，我们的生活也就越贴近大地，越趋近真切和实在。

相反，完全没有负担，人变得比大气还轻，会高高地飞起，离别大地亦好离别真实的生活。他将变得非真，运动自由而毫无意义。

在我们中间勇敢的人都害怕自己。

野蛮时期残害人体的恶习，可悲地遗留下来残存在自我克制之中，毁坏了我们的生活。我们因为没有肃清这种残余而受到惩罚。我们努力抑制的每个冲动都在头脑里孳生，毒害我们。

一个人要是跌进水里，他游泳游得好不好是无关紧要的，反正人得挣扎出去，不然就得淹死。

只有诗人同圣徒才能坚信，在沥青路面上辛勤浇水会培植出百合花来。

我知道，你由于用充沛的感情在向我撒谎，你感到加倍的兴奋，你得到极大的快乐。

永远搞不清楚女人要的是什么？她们到底要什么，她们吃碧绿的生菜，喝鲜红的人血？

由于有了穷人，富人才得以从骄奢淫逸的生活中得到无穷的乐趣，得到额外的收益。

她已忘却寒冷，忘却放荡不羁的生活或心如枯井的生活，忘却生与死的无穷忧虑。

男人们即使在恋爱的短暂期间，也不停地干一些别的事分散自己的心思：赖以维持生计的事务吸引了他们注意力；他们沉湎于体育活动。他们还可能对艺术感兴趣。在大多数情况下，他们把自己的不同活动分别安排在不同的间隔里，在进行一种活动，可以暂时把另一种完全排除。

男人有本领专心致志进行当时正在从事的活动；如果一种活动受到另一种侵犯，他们会非常恼火。作为坠入情网的人来说，男人同女人的区别是：女人能够整天整夜地谈恋爱，而男人却只能有时有晌儿地干这种事。

情欲方面的事是人的本性，男人女人都如此。

品味本身并不重要，重要的只是人的活法。

男人时常是疯子，这是他们无法逃出的共同表情。平日里他们装出通情达理的样子，到时候就发起疯来，绝望地扑向一个女人，为了在女人身上埋藏他们因孤独、黑夜而产生的恐惧。其实他们并没有欲望。

男人咬牙切齿地寻找女人，经常是因为自己的胡说八道。

女人和星辰共同旋转，她伴他共同遵循一条亘古不变的道路，渐渐把他引入她的梦幻深处最隐秘的小屋之中，那里，寒冷和欲望正在交战。

没有任何东西比周而复始的情欲更能引起对生活的厌倦。

她的眼睛很大，闪烁着无事不晓的目光；但由于没有任何可供知晓的东西，它们显示的只是她的愚蠢。

所有的女人都爱嚼舌。广泛的失落让她们对男性世界充满怀疑。

不错，没有爱情的婚姻是可怕的。但有一种情况比完全没有爱情的婚姻更可怕：一门有爱情的婚姻，但只是单方面的爱情；信任，只是单方面的。忠诚，只是单方面的，那么两颗心中必定有一颗心会给剁碎。

每一次回到自己的床上，我都发觉衣服上挂满了女人破碎的心灵。

每个男人的生活中都应该有一次与比他年长的女人的恋情，按理，这能给男人留下传统美学方面的非常回忆。"年长的女人是年轻男人生活的温情故乡。"

21岁的伍顿大学毕业后，在一次去欧洲的远洋客轮上碰到了一位40多岁的英国女人。

他们是在客轮上的酒吧里相识的。

最初她并没有给伍顿留下什么特殊的印象，在伍顿的眼中她就是一个有那么一点点性感的普通女人。

后来的一天晚上，她约伍顿一同去了船尾。那天晚上的月光很好，在月光下伍顿觉得这个英国女人突然间漂亮起来。他们在一起不停地喝酒不停地交谈着。后来，当一切都静下来的时候，那个英国女人揽住了伍顿，他们开始忘情地亲吻……

最终，伍顿走进了她的房间……

那个夜晚，伍顿被那个英国女人的温情所淹没。

到达英国后半个月里，伍顿一直和这个英国女人居住在伦敦郊区的乡村旅馆里。那半个月的时光在伍顿后来的记忆里，一直闪烁着一种奇异的光芒。

伍顿在和她分手的时候，心情非常不好，他甚至都不知道跟她说了些什么。但他永远记住了那个英国女人对他说的一句话：再见了，也许我们还会见面，但是，我不希望你去找我。

伍顿没有去找她。

可一个月后，伍顿在伦敦参加一个很正规的大型宴会时，却在来宾中惊喜地看到了她。

于是伍顿便走近她问道："喂！这段时间，你过得怎样？"

令伍顿没有想到的是，这个英国女人昂起她那贵族式的鼻子，慢声慢气地说道："我想还没有人给我们做过介绍吧？"

被弄得莫名其妙的伍顿结结巴巴地说："但……你肯定会记得我。上个月我们在一起的那段日子你难道忘了吗？

那英国女人冷冷地说："是什么使你认为那样就代替了正式的引见？

伍顿一动不动地望了她一会儿，转身走开了。

可是那天晚上英国女人却走进了伍领的房间，令伍顿惊讶不已。

那个夜晚发生的一切和一个月前所发生的事情没什么两样，只是在一切都结束的时候，那英国女人搂着伍顿说了这样一句话：我喜欢你，欣赏你，但我可能永远也不能认识你。

伍顿在那一刻忽然感到了和这女人间的某种不平等的东西。

其实，男人与女人之间的不平等，还不及有权要求回答者与有义务必须回答者之间的不平等。正因为这个缘故，从太古时期开始，要求回答的权力仅在极其特殊的条件下视为正当。

年长的女人给予年轻的男人的首先是一种保证，保证他俩的恋爱远离婚姻的陷阱。

　　年轻的姑娘，再往水里跳一次吧，让我第二次有机会来使咱俩的爱心都得救！

　　我经常使她感到她之存在就是为了我，最后也就使她获得了真实的存在。不，她不孤独……我虽这么想，但从不敢睡着。我生怕哪只脚触响她内心的号角。

　　总有一些人无休止地来回迁徙。一无所有，却不仰承任何人的鼻息，独行然而自由，他们是一个古怪王国的主人。

　　他们总是在黑暗里摸索着相爱，谁也看不见谁。除了黑暗中的爱情，难道还有大白天里大叫大嚷的爱情？有道理。

　　一个女人有权要求她的丈夫每天晚上给她性的满足，给她安全感、金钱、人寿保险、貂皮大衣、珠宝首饰、汽车女佣人、帐帘、衣服、帽子，带她上夜总会、野外俱乐部、戏院、汽车。

　　没有一个男子能使一个根本不爱他的女人满足的。

　　要是你认为我真是个危险人物，说谎就是你的责任了。

　　一个想娶太太的男子要么什么都懂，要么什么都不懂。

　　世界上只有一件事比被人背后议论更糟，那就是根本没有人议论你。

　　才貌双全的人总是厄运相随，这种厄运好像总是跟踪着古往今来的帝王。

　　最好不要做一个与众不同的人。在这个世界上，既丑且笨的人总是走运的。他们可以安闲自在地坐在那里欣赏别人表演。如果他们对胜利一无所知，他们至少不必领略失败的滋味。他们像我们大家一样生活，平平静静，与世无争，没有烦恼。他们既不损害别人，也不受别人的暗害。

品味感情不是一种卖弄，品味感情是一种艺术。

娶个有见识的妻子，不消 6 个月，就会使我完全变成白痴。

一般男人若娶了门当户对的妻子，以后的日子就不好过。

约定上公园去而失了约的人，很使人讨厌。

成功的爱情都是个很不在行的水手，你坐一次船，它就憔悴得面目全非了。

爱一个人就是把自己的身体给他，完完整整地给他，一切的一切，里里外外，甚至身体本身的时间，那缓慢而甜蜜地销蚀着身体的时间。

在相爱的辞典里，最耐久最有滋味的是一对大灰狼和小白兔。

在我们这个世界上，脸面变得越来越多，越来越像，个人已很难再增加自我神情的独创性，很难认定其不可摹仿的神经网络。培养自我的梦幻可以有两种方式：一种是加法，另一种是减法。

知名度并非名人独有。每个人都会追求一时一刻的名声。

女人的一种无法摆脱的恶习——热衷于同任何一种愿意倾听的人讨论自己的私事。今天人的隐私已经国际化了。

女人的天职是宽恕，不是惩罚。

有位小姐像我一样，对于别人的雄辩术很不在乎。她认为，雄辩只是说话声响亮一点。现代的公鸡和母鸡真的都一样吗？

女人不是指定来判断我们功过的，而是当我们需要宽恕时，来宽恕我们的。

女人的脑子太可怜了！爱情。她们就知道爱情。她们认为如果男人离开了她们就是因为又有了新宠。

有一些女人由于她们的本性善良和心地诚实，防止了她们同时有两个情人。

男人和女人的差异：女人花在讨论生理方面的时间要多得多；一个女人的身体越是无用，它越是一个身体，一个沉重的负担；它好像一家老厂，早晚要分崩离析，化为一片废墟，而女人的天性则像这个老厂的房门，必须一直看管到最后。

男人一直在喜新厌旧的大街小巷里策马奔腾，一路上他丢失了多少房门和精明的钥匙呀！

和一个女人的固定关系将使我们失去别的女人可能给予我们的欢悦，我们想像中的温柔体贴的金发女郎和热情似火的黑发女郎将被撇在一边。难道我们不等认识她们就离开生活吗？我们应该这样吗？男人应该有所节制，不能奢望得到所有东西和所有人，也不能奢望所有人都能得到所有东西。

当一个女人喜欢一个样子丑陋的男人时，都说那个男人的丑陋只是使他更加具有吸引力。

一个女人爱的是她头一个情人，有了关系以后就会产生爱情。

凡是说她们再也不恋爱了的女人，其实都十分喜欢人家去爱她们！

没有女人的无知，生活会变得更愚蠢。
一个一向喜欢夸耀的女人，试问她能下决心不再夸耀吗？

如果她始终无人赏识，她的美貌默然无闻，她还能相信自己是活着么？她的美貌本身和她在情人的眼波便是她还可以继续把自己当作出租车，让生活开来开去的理由。

她们也许是愚蠢的，也许是邪恶的，然而美色本身却是可贵的。

跟一个傻丫头争辩真荒谬，你简直是浪费时间。

我说我失去了父母，倒不如说，我的父母失去了我更切合实际些……实际上我不知道我是谁生的。

美国，包括整个世界，其实都有点来路不明。哭泣使漂亮的女人变得难看，要是她本来就生得丑陋，那干脆就变得面目可憎了。

怯懦的心永远得不到优美的女人。

我可以马上到她的房间，脱掉衣服，同床共枕了。不是出于淫欲，而是出于渴望。我充满了给予安逸和享受安逸的无限热情。

她是一个非常聪明的女人，保存着"丑得惊人"的残余。她嫁给了我们那些最令人乏味的兄弟中的一位，从而证明她确实是个贤淑的妻子。

她按照适合身分的葬仪把丈夫埋在她亲自设计的大理石墓室中，把一个个女儿嫁给有钱的老头子，然后她自己就专心致志欣赏流行小说、英国烹调书和美国式的谈，如果她能领会到这种识谐的情趣的话。

大多数人在恋爱的时候会想出各种理由说服自己，认为照自己的意旨行事是惟一合理的举动。我想不幸的婚姻那么多。就是这个原因，他们就像那些把自己的事情交给一个明知道是坏蛋的人去管一样；由于这个坏蛋和自己很好，他们就不愿意相信一个坏蛋首先是坏蛋，然后才是朋友，而且坚决认为这个人尽管对人不老实，对自己绝不会如此。

一个女人只有一个法子能抓住男人。她要抓住男人不在乎第一和他睡觉，而是看第二次。如果一个女子抓住了一个男人，那么，就此永远抓住他了。

是他扯断了婚姻的纽带——不是我，我只是冲破了婚姻的束缚。外面的里世界爱我的人还真不少。

男人经常是这种懦夫：他们敢触犯世上的种种法律，却害怕世人的舌头。

纽约半数的漂亮女人都抽烟。我个人喜欢另外半数不抽烟的漂亮女人。

我觉得灵魂自始至终最好保持不变，永远停留在一个年龄上。然而我们的其他部分则不是如此稳定的。因此，如果无视这种矛盾，否认衰退，一味追求生命的更新，那就没有多大意义了。

无疑，我也碰到过诡诈的女人。但我对无力损害他人的女人，对不以利害威胁我的女人，倒是从来不那么感兴趣的。我的心本来就属于那种必须排除忧郁并且从令人沮丧的重压下求得解脱的类型。

爱没有情欲，就不是爱，而是别的东西；而且情欲并不是由于满足而由于受阻挠变得强烈。

一个女人可以原谅一切，除了不能原谅人家不要她。

我的整个一生可能都是变幻的谎言，我怎么会有能力说真情实话？奇怪的是女人偏偏找上门来逼我吐真话。

只有浅薄的人才需要许多年的时间来摆脱某种感情。

男子汉大丈夫结束悲伤就像寻求享乐一样容易。我不想听任感情来摆布。我利用感情，享受感情，支配感情。上帝通过我把手直接伸向美国的灯红酒绿。

一个标新立异的女人一旦冒犯了礼规，招致了唇枪舌剑的非议，再没有谁会像她那样飞快地跑去寻找尊严体面的庇护。

我生性有个缺点：对不好看的相貌永远看不惯；一个朋友的性格不管多么善良，即使多年来时常过从，也不能使我看见他的坏牙齿或者歪鼻子感到顺眼；另一方面，我对朋友的标致相貌却永远感到喜欢，而且尽管交往了20年之久，我对于长得像样的额头或者线条柔和的颧骨仍旧喜欢看。

克服肉体欲望的最好办法往往就是让它得到满足。

文明的全部用意就是让人在轻浮的感观之河里游来游去。

支持丈夫是对每个女人的惟一的要求。正是女人的是非感的演变，使得婚姻生活成了一种没有烽烟战火的冲突法则。

一个女人和一个男人分手之后，她是再也不会对他感兴趣的了。

整个感情激动的市场价格已经暴涨——震惊、愤慨的价格已经超出一般人能负担的能力。

她打算办一个沙龙，结果却开了一家饭馆。我该怎么恭维和热爱她呢？

相貌平常的女人把哭泣当作保护神，而漂亮的妇人一哭就会损害爱她美丽的男人的眼睛。

做妻子的侦查她的丈夫，我认为是错了。

她居然还找到了丈夫的罪证，那就更错了。

要把你所爱的人的幸福放在你自己的幸福之上，的确是件很不容易的事。

人们在 25 岁时都有点儿蠢，喜欢多愁善感，脱离现实；但是如果不是这样的话，到 50 岁时就不会那么聪明了。

我们女人的一切，做丈夫的都不欣赏。为此我们不得不去别人那里！

我们都嫁了好丈夫，所以受到了十十足足的惩罚。

由于我们现代道德观的缘故，人人不得不摆出一副纯洁、清廉，而且具有其他七大美德的完人风度——结果怎样呢？

我们像九柱戏一样——一个一个地被击倒。

通常流言蜚语会使人更有魅力，至少更有趣味；只有大政客——流言蜚语却会使他身败名裂。

美国人常说，怪脚就需要怪鞋。我相信这话，觉得男女彼此就是脚和鞋。

不少女人都承认：如果她是个诚实的人，她真正爱慕的男子是一个由许多男子合成的男子，是个复合的情人或丈夫。其实，男人更是在爱情上见异思迁的急先锋，他们都有用双臂拥抱全世界所有女人的习惯。

我伤心的是，你一直爱着我，也教会了我来爱你，现在你却抛弃了真正的爱情，另觅一种用金钱买来的爱情。

在我的记忆中，你给我的每一个吻都是在玷污我。

挚爱即永恒的刑期。

她一旦了解到爱情的虚假，她就像朱丽叶一样离开了人间。她又一次进入了艺术境界。她身上具有殉道者的气质，她的死完全是可悲的无谓的牺牲，也是一种虚妄的美。

有人曾经说过，不愿引起痛苦实际上是种极端的形式，一种发泄肉欲的极妙的形式，我们是在以注射道德观念上的怜悯来增加痛苦的奢华。

情欲是不计代价的。

情欲控制着感情的时候，感情就会发明一些不但言之成理的理由，而且可以充分证明世界在爱的面前可以为了爱完全毁掉。它使你相信牺牲荣誉是值得的，而蒙耻受辱是便宜事情。

情欲是毁灭性的。如果它不毁掉人，它就死掉。到了那时候，一个人才会恍然若失，发现自己虚掷了一生的大部分时间，熬受因妒忌引起的剧烈痛苦，蒙辱含垢，忍气吞声；把自己的全部柔情蜜意，自己灵魂的全部财富，都浪费在对方身上；而对方不过是只破鞋，一个蠢货，是自己制造许多梦想的一个借口，连一块橡皮糖都抵不上。

所有的舞蹈，比起华尔兹舞来只不过是一些乏味的俗套。作为最无意义的会面的借口罢了。

这是在某种形式上真正地占有了一个女人，当你把她揽在自己的胳膊里半个钟头，就这样地带着她跳，使她不由自主地激动，并不是没有几分冒险的；在这种情形下，人家真不知道该说你是在保护她还是在强迫她。

有时候，有些女人把自己沉醉在一种既肉感又羞怯，既温柔又纯洁的忘我境地里，以致人家分不清在她们身边感觉到的到底是憎欲抑恐惧；而且，如果把她们紧紧搂在怀里时，人们不知道是否自己会晕倒，或会把她们像芦苇一样压折。美国，发明这种舞蹈的国家，那儿的人一定是多情的。

爱的最完美体现莫过于把被爱者吃掉。与这样一种和身体的融恰相比，性行为充其量只是一种滑稽可笑的挠痒痒。

爱情的悲剧不是生离，也不是死别。你认为两个人彼此爱慕之情能维持多久呢？如果你整天看着你全心全意爱慕的一个女人，你会觉得分离片刻都无法忍受；可是实际上如果你再也看不见她了，你却丝毫无动于衷，这该有多么可怕啊。爱情的悲剧就在于淡漠。

处女原本是为了在光天化日之下活动，为了选择，为了恋爱的。但在我们的城市里，按照我们的风俗，人们却把她关起来，锁起来。可是她却在她的耶酥受难像底下藏着一本小说；她面容苍白，无所事事，只好对着镜子消磨青春，让这种需要野外空气的如花美貌在静寂的长夜中凋谢。

后来突然间，人家把她从闺中拉出来，她什么也不惜，什么也不喜爱，却什么都想要；一位老妇人来教导她，在她的耳边低声嘀咕了一些猥亵的话，然后把她推到那将要强奸她的陌生男子的床上去。你看，这就是婚姻。

你似乎不懂得，婚后的生活是三人成伴，两人不欢。

美国人的婚约都是意外的、愉快或者不愉快的，这要看情况而定。

我们无法回避历史，这就是历史对每个人的作为。历史规定，男男女女必须在这种拥抱之中相识。

没有爱情是成不了事的。

妇女们对于漂亮的容貌没有鉴赏力，至少正派的妇女是这样的。她说他心地非常诚挚，性情极好。我马上想像出这样一个人：戴着眼镜，头发平直，满脸雀斑，下面一双大脚。

姑娘们绝不会嫁给向她们调情的男子，她们认为调情是虚情假意的表现。

如果一个女人不愿对情人谈起她的丈夫，那很少是出于圆滑或真正的礼节，而仅仅是因为担心她所说的话会伤害情人。一旦情人消除了这种担心，她会感激他，并感到一种新的自由，但更重要的是，她就会有话可谈了。因为话题并不是无穷无尽的，对妻子来说，丈夫是最让人满意的话题，只有谈起这个话题她们才感到自信，只有在这个话题上她们才是专家，而人们对有机会显耀自己的专长总是很高兴的。

生活经常显得毫无意义。地球不过是一颗穿越太空的星星的卫星罢了。在某些条件的作用下，生物便在地球上应运而生，而这些条件正是形成地球这颗行星的一部分。既然在这些条件的作用下，地球开始有了生物，那么，在其他条件的作用下，万物的生命就有个终结。

人，并不比其他有生命的东西更有意义；人的出现，并非是造物的顶点，而不过是自然对环境作出的反应罢了。

对待女子惟一的态度是：假如她是美的，就向她求爱；假如她平常，就追求别的女子。

当男人在全能的大自然中拥抱着他的女伴的时候，会感觉到在他心中闪动着那创造他的神圣的火花。

除了爱情之外，男人最宝贵的就是赌博精神。

有一种人很不幸，即使他们流露的是最真挚的感情也令人感到滑稽可笑。

一个人陷入爱情而又不使自己成为笑柄，35 岁是最大的年限。

想一想精神对肉体的蔑视吧，后者（与它的配对一起）给精神提供了比它自身还要狮邪一千倍的幻想素材！或者反过来，想一想精神在贬低肉体中所得到的乐趣吧。它一方面听任肉体做推拉游戏，一方面却在自由驰骋它那宽广的游思：一盘特别引起争论的象棋布局，一顿难忘的饭，一本新书……

两个陌生肉体的结合并不是特别罕见。甚至精神的结合偶尔也会发生。千载难逢的是肉体与其精神在共同的激情中的结。

美国人似乎把人生看做是一种投机。

被别人爱慕是件讨厌的事。女人对待我们就像人类对待神灵一样。她们崇拜我们，可总是麻烦我们替她们做这做那。

她们激发了我们天性中的爱情，因此她们就有权要求以爱相酬。

世界上只有两种人真正具有迷人的魅力———一种人无所不知，一种人无所知。

人生不是一种投机，它是神圣的。人生的理想是爱，它的净化是牺牲。

你要知道，恐怕在这世界上，正人君子、贤媛淑女干的坏事许许多多。当然最大的坏事是他们把芝麻小的坏事，看得西瓜那样大。

把人们划分成好人和坏人是不合理的。人们不是惹人爱的，必是使人讨厌的。我归于惹人爱的这一边。

女人们不断为了爱情而自寻短见，但是一般说来她们总是做的很小心，不让自杀成为事实。通常这只是为了引起她们情人的怜悯或者恐怖而作的一个姿态。

女人们总是喜欢在她们所爱的人临终前表现得宽宏大量，她们的这种偏好叫我实在难以忍受。

有时候我甚至觉得她们不愿意男人寿命太长，就是怕把演出这幕好戏的机会拖得太晚。

征服一个女人的心要遵循其自身不可更改的法则，用合乎情理的理由来使她相信的一切企图都是注定要失败的。

聪明的做法是确定她的基本的自我形象（她的基本原则、理想、信念），并设法（借助于花言巧语、不合情理的虚夸之辞，等等）在她的自我形象与她所期望的行为之间建立起和谐的关系。

真情总是憋得人透不过气来。

你能够使我对你说出真情，这多少就是一种收获。

你经历了多次情感冒险，真是自私透顶！不留给我经历一下。

告诉他，向人求婚，每星期一次完全足够了，而且应该经常用引人注目的方式进行。

啊！为了世上的一切享受，我可不愿意嫁给一个有前程的人。

人活着究竟有什么意义？人们一生中所作的努力同其最

后结局显得多么不相称啊。人们却要为年轻时对未来的美好憧憬，付出饱尝幻灭之苦的惨重代价。痛苦、疾病和不幸，重重地压在人生这杆天平的一侧，把它压倾斜了。这一切意味着什么呢？

幸福跟痛苦一样的微不足道，它们的降临，跟生活中出现的其他细节一样，不过是使得人生格局更趋纷繁复杂罢了。

家里有密探是件头痛的事。听说有的富人一辈子受到某个仆人的讹诈，就是因为这个仆人偷看过一封信，偷听到一次谈话，或者拾到一张有地址的名片，或者在枕头底下发现一朵枯萎的花或者一条揉皱的花边。

如果说你的妻子曾有过别的男人，而且她将来还会有其他的男人，你会同意吧？你——会对我说，知道了这样的事情，对你又有什么关系，只要她爱你，而当她还在爱你的时候，她并不去私通别的男人也就够好了。

但是我要问你：既然她除你之外曾有过别的男人，那么，这事情发生在昨天或在两年前，又有什么关系？既然她将来还会有别的男人，那么，事情发生在明天或在两年后，又有什么不可以？既然她只能够爱你一个时期，而且既然她爱你，那么，她爱你两年或是一夜又有什么关系？

一位 40 岁的女人讲给心理医生的故事：

在我们结婚的最初几年里，我们两个人干的是两个不同的工作：我在事务所工作，我丈夫在另一座城市的计算机中心工作，我们成了名符其实的"星期天夫妻"，自然我们都相当自由。

我知道我丈夫对夫妻忠诚的事，并不那么认真。但是，

性格品味 Grade Of Character

我受父亲影响，对这种事比较认真。不过，我在想：男人就是这样，让他们随便些吧。关键是，我总在想这件事。有时，我丈夫让我感到我对他是惟一的，我不应当有什么担心。

有一天，我逗他，问他我也这样，他会怎样？可是，他开不起玩笑。

他对我说，那可就是另一码事了。如果我在外面敢这样，他立刻提出离婚。

对于这类事情，男人的反应各种各样。

有那么一段日子，我真的有了外遇。

可后来，我再也没有去想这个男人。

可是，糟糕的是，我丈夫却从一封匿名信中知道了这件事。

在一个星期六我们见面时，他把信送给了我，一言不发。

后来，他说：有这事吗？

有。我坦率地回答着，等待着他的发作。

可是他并没有发作。

他用双手捧着我的脸，温和地对我说：我爱你，我希望你留在我身边。为了使你永远呆在我身边，你反对我们搬家吗？你心里还那么紧张吗？

没有。我回答说，没关系。

后来，我们再也没有谈这件事。可是，我永远也不会忘记我丈夫的这种做法。

你告诉她们你需要什么，她们马上就会告诉你她们正好有什么，尽管她们从来都没听说过，甚至于会说得煞有介事。她们有一种本能，那就是觉得反正她们能提供男人们所寻求的一切。她们乐于接受不论大小、不论形体、不论类型的任何一个男人，这就是她们的本性。

你四处在搜寻像你一样的女人。事实上是没有那种动物的……但是女人们却往往会这样对你说："你已找到头了，就此罢手吧，我就是你所要的。"于是，你们就订了盟约。当然谁也不会保证履行，所以每个人都很烦恼。

——我不需要爱情。我没有时间搞恋爱。

我是个男人，有时候我需要一个女性。但是一旦我的情欲得到了满足，我就准备做别的事了。我无法克服自己的欲望，我恨它，它囚禁着我的精神。我希望将来能有一天，我不再受欲望的支配，不再受任何阻碍地全心投到我的工作上去。因为妇人除了谈情说爱不会干别的，所以她们把爱情看得非常重要，简直到了可笑的地步。她们还想说服我们，叫我们也相信人的全部生活就是爱情。

实际上爱情是生活中无足轻重的一部分。我只懂得情欲，这是正常的、健康的。爱情是一种疾病。女人是我享乐的伴侣，我对她们提出什么事业的助手、生活的知音这些要求非常讨厌。

男人们最渴望他们认为难到手的东西。

爱情的心理和生理机制是如此复杂，以致在某种意义上，一个年轻人必须在生活中集中全部精力去理解它们，并且常常忽略他那情欲的对象：他所爱的女人。

人生在世是为了享用他的官能；他拥有多少金银，他就享有多少受人尊敬的权利。吃、喝、睡，这就是生活。至于人与人之间的关系，友谊的存在有时是为了借钱；但是很少有一个朋友使人能够为此而热爱他。

亲属关系只是为了用来继承遗产；爱情是肉体的一种运动；惟一的精神享乐便是虚荣。

每次当我爱上一个女人，我便对她说明我爱她；而每次当我停止爱一个女人，我也同样对她说清楚，而且出于同样的真诚。因为我始终认为对这类事情，既然人们完全不能自主，那么就只有撒谎才算是道德的。

严重的过错，无论做什么都无法宽宥，惟一的补救办法，就是把它从记忆中抹去。

女人们有时对艺术缺乏真正的感受力，她们只是佯装她们有罢了。

女性有那种在奉承别人时善于察言观色、投其所好的天才。

与其被人爱还不如去爱别人。

在媚俗作态的王国里，心灵的专政是最高的统治。

媚俗所引起的感情是一种大众可以分享的东西。媚俗可以无须依赖某种非同寻常的情势，是铭刻在人们记忆中的某些基本印象把它派生出来的。

在媚俗作态的极权统治王国里，所有答案都是预先给定的，对任何问题都有效。因此，媚俗极权统治的真正死敌就是爱提问题的人。一个问题就像一把刀，会划破舞台上的景幕让我们看到藏在后面的东西。

我的两个童年时代的朋友准备一直好色到死，如果他能随心所欲的话。他办那种事显得非常正派。他完全是用哲学、诗、思想观念来对待那些事的。他旁证博引，把女人理论化。他竭力追逐代代相传而又日新月异的色情理论。

　　女人情愿拥抱的人有其深不可测的秘密。当然这种人种不需遗传下去。

　　肉体的品味很少与精神之爱结合。
　　要在现实生活中找寻一些不朽的和绝对的爱情，无异于到广场上去找寻和维纳斯一样美的妇人，或者是要夜莺唱出贝多芬的交响乐。

　　不该在任何东西上找寻完美，不该向任何东西要求完美，既不该向爱情、美丽和幸福要求，不该向德性去要求。但是，应该热爱貌似完美的人，以便通过破坏她而完成自己的完美。

　　对我们来说，一个一年的爱情和一个一点钟的爱情，难道真有那么大的差别吗？

　　禁欲可以大大增强精神力量，因为精神会被身体重新吸收。

　　知识界人士好高骛远的哲理是我向来所鄙视的东西。我得承认，每当玄妙的经典使我六神无主的时候，支持着我的就是这种鄙视。

　　当肉体（以它古老的、普遍的、永远不变的动作）与另一肉体结合在一起时，精神实际上在做什么？

　　女人因我们有缺点而爱我们。我们若是有一大堆缺点，她们什么都可以原谅我们，甚至包括我们的聪明才智。

　　如果我们女人不是爱你们的缺点，你们会落到什么田地？

　　你们如果娶不上老婆，会当一辈子倒霉的可怜的光棍。不过，尽管结了婚，你们也不会好到哪里去。

　　如今结过婚的男人都像单身汉，而单身汉反倒像有家室的。

一个男人给予一个女人的,一个女人给予一个男人的究竟是什么东西,而这东西又为什么能使一个男人或一个女人变成顺从对方的奴隶。把这种东西叫作性欲的本能倒是方便的。这种东西是不可抗拒的。理智不是它的对手;而与它相比,什么友谊啦、感情啦、利益啦,统统软弱无力。

没有一个女人能过毫无感情的生活,如果她能够,那她就不会是一个女人。

人们应该自由地想做什么就做什么,没有人有权把鼻子伸到他们的私生活中去。

我很喜欢你,这你知道。但是,倘若我认为你和大多数的人一样的话,我对你就毫无好感了。相信我,你其实比大多数人好,有时我认为你是故意装得比人家坏。

惟有诱惑,我不能抵御。

说到坏人,那我可完全不够格。嗯,许多人都说我一生中确实没做过一件坏事。当然他们是在背地里说的。

我们都知道,女人嘛,只要她们能弄到手的话,连月亮她们也会喜欢要的。事实是:她们不能不阻止自己不断地提出这种要求。

现代女人宁愿要一束花、一大笔钱财买的杂草,也不要一篮子共花一美元买的玫瑰花。

一个聪明女人最难办到的事情,就是对情人的所为装聋作哑。

受过高等教育的女人被流氓、罪犯、疯子所引诱,同时,这些流氓等等被引向文明思想,这并不是什么新鲜事儿。

一个女人之所以讨人喜欢,就是因为她找的丈夫是个十足的讨厌鬼，由于这个讨厌鬼的对比，她才显得可爱了。

反抗自己生为女人是愚蠢的，骄傲于自己生为女人亦然。

我要叫罗密欧嫉妒；我要让世界上为爱情而殉情的人听见我们的欢笑而自叹命苦；我要用我们热情的气息去吹拂他们的骸骨，让他们死而复生，产生痛感。

这类女人的人格远低于妓女，妓女会说谎，这类女人也不次于她们；但妓女省时能真心爱人，而这类女人却不能够。

女人正像某位很风趣的美国人曾经指出的：她们热切地鼓励我们创造杰作的愿望，但又总是阻挠我们实现这样的愿望。

你会永远喜欢我的。我在你面前代表着一切你决无勇气去做的坏事。

亲吻！你是用恋人焦渴的嘴唇像杯子般来互相倾注的神圣的饮料。

那些忠实于爱情的人只能体会爱情的浅薄的一面，只有不忠实的人才懂得爱情的悲剧之美。

女人的高贵与下作都来源于魅力。

她的一切举止非常从容优雅。简言之，像一件艺术品，好女人都会对许许多多学派产生影响。

一个女人只对她的第一个情人一味贪恋，此后使她心醉神迷的是爱情本身，所以第二次后继的爱情所带来的创伤容易愈合。

当一个女人告诉一个男人，说她觉得自己衰老得可怕，而男人的回答不是说她还年轻得不合情理，而是说青春注定要退缩，苍老注定要推进，那么这男人就在想像力缺乏之辈的行列中。

一些专门写情书的女人、专门定约会时间的女人，她们只值得对陌生男子撒谎，和用伪善来掩盖她们的下流，她们的一切做作无非是要委身于人和忘怀一切。

有的女人跟小鸡一样，让它们痛痛快快玩一顿，然后用一个结实的金属栅栏适时给关起来，它们就不会来捣蛋了，当它们咯咯乱叫时，你只管坐着不动，别理它们。

美国姑娘隐瞒她们父母身分的本事和英国女人隐瞒自己过去历史的本事一样大。她们永远生着一幅初恋的神情。

世界上没有一个民族不是把女人当作男人的侣伴和安慰者，或者是它生命的神圣的工具的，而且没有一个民族不是在这两种形式下对她敬重的。

只有爱情不深的人才能够说出他的情妇是用怎样的话来表白对他的爱！

放荡者拿钱给他们的情妇，而那出卖肉体的女人却只有权利来鄙视世界上惟一的一个人：那就是爱她的人。

女人不可缺少一种难以捉摸的柔弱之美。金身偶像因为有一双泥足才格外珍贵。她的脚非常好看，但不是泥的，不妨说是白瓷的。因为它经焙烧，几经过焙烧而无损的，就更加结实了。

名流女人在失意的时刻往往把精神寄托在艺术上，而过去那种借宗教解脱失恋的风气已经不怎么流行了。当她们遭到自己同阶层的人们的冷眼时，常常降格来到作家、画家和音乐家的圈子里寻找安慰。

女人都有一种叫人羡慕的健忘的本领。

和女人们打交道，你得意志坚定。这好比骑马，当你叫她们跃越篱墙时，你就夹紧两腿，别妨碍她们；不过你得注意不放松对她们的掌握，否则她们的小脑袋就会发热。

男人应该永远叫女人明白他已把她牢牢地握在手心里。

当她注视一个使她感兴趣的男人的时候，她就会慢慢地把目标转移开。这并没有多大意思。这只不过是她的教养使然，她妈妈教育她要有魅力。但是，我认为，如果你生就一双美丽的眼睛，你盯人的方法也就会应运而生。

和女人交际，虔诚和热情是至关重要的。

有些姑娘从来没有真正活过，因此也不会真正死去。至少对你来说，她始终只应是个梦，一个在莎士比亚戏剧中一闪而过，使莎剧的演出更加生色的幻影，或者是一支使莎剧的音乐更丰满、更加欢快的芦笛。

女人和真实的生活刚一接触，就搞得两败俱伤，她们就这样离开了人世。如果你愿意，你可以为奥菲利姬哀伤，可以为了考狄丽娅被缢死而把灰土撒在你的头顶上。甚至可以因为布拉班汀的女儿之死而诅咒上苍。

她们不要机智谈话，她们不要一个能逗人乐的男人，她们认为他不严肃。她们也不要一个长得太漂亮的男人，她们认为他不专爱。安全第一，她们要的是对待爱情严肃认真的男人，其次是殷勤。

女人要的是殷勤。

一朵玫瑰溶入了她的血液，在她的两颊上荡漾开来，急促的呼吸使她那花瓣似的嘴唇微微开启，轻轻颤抖。一股热情像海风吹进她的心房，吹动她衣服上漂亮的褶襞。

她在爱情的牢笼中自鸣得意。她的王子——迷人王子和她同在。她凭借回忆想像出他的模样。她已经派遣她的灵魂去找他，现在已经把他带了回来。

屈服于诱惑不是软弱。

我告诉你，屈服于某些可怕的诱惑需要力量和勇气。拿自己的一生作孤注一掷，不管赌注是权力还是享乐，我都不拍。这里面没有软弱，而具有一种可怕的，过人的勇气。我曾有过这种勇气。

青春与美丽一文不值，世界不过是肉体巨大的集中营，人人都差不多，灵魂是看不见的。

任何一种性生活方式，只要不扰乱社会安宁，不危害未成年的儿童，就是一件不引人注意的私事。

人性有时也会使人做出轻率愚蠢的事情。

只有秘密相会才能尽情地让情欲得到满足，享受那人伦之乐。

不需要性生活是她的力量所在，她所行使的是超越自我的权力。还有一种假设：她承认了现代性生活的堕落已达到的创造性地步，承认了那班解放了的乱搞关系的时髦人物所有的五花八门的丑行。因而，她这个可怜的、神经质的、古板的、不幸的、陷入泥淖的中产阶级女人，便接受了自己的处境。

现在美国谈恋爱，就是满足性欲。

对行为放荡的人来说，苦中取乐，过一种萎靡不振的懒散生活，原是平常的事情。这是纵情地任性生活的继续，在这上面，一切都不是按照肉体的需要，而是按照精神的好奇去行动的，况且在这种生活里，肉体总必须时刻准备服从精神的支配。

青春和意志固然可以抵抗感官的滥用；但生理却在暗中进行报复，等到有一天生理决定要恢复它的力量时，意志却等不到力量的恢复而先丧失了，感官的滥用便又重新开始。

女人是人类的神经部分，男子则是肌肉部分。

男人要结婚是由于疲倦，女人是由于好奇。

被你所爱的人，不管是用的什么名义，在你心中所占的是什么位置，这总是能够给人以力量和勇气的。

女人无论是相貌平常的，还是美貌的，却总是有人偏好无视常识。有常识变成了我们男性的特权。

和任何一个 25 岁以下的女人打交道，简直就是浪费你自己的时间。我已经不理解那种女人了。过了 35 岁的女人才真正开始变得认真，那种女人才能拿出最好的东西。

一个没有秘密的女人，根本算不上女人。

直爽朴实意味着什么呢？它意味着你想是什么人就是什么人，你想要什么东西就要什么东西，毫不差愧地去追求它。

人们都是规矩的奴隶。如果有人告诉他们应该作这种人或那种人，他们就极力去做，以至于到死的那天，他们都不知道自己过去是谁，现在是谁。这使得他们成为无足轻重的人。首先，一个人必须要有保持自我的勇气。

永葆青春的秘诀就在于决不要产生不愉快的情绪。

在我不懂得爱情的时候，我可以演爱情戏，可是，一旦爱情的火焰在我胸中燃烧，我就没法儿再演了。

她在诱我上钩啦。多么迫不及待呀，一见面就告诉我她要离婚。那双脉脉含情的眼睛已经在暗送秋波了，同时也把堕落的信息传给了我灵魂深处的芝加哥少年。一股昔日西区的性疟疾向我袭来。

我并非从心执着，而是尽可能地息事宁人。

这位女子纯洁而天真，具有我们男人丧失的一切美德。

你跑到这里是来安慰我，这是你的好意。可是你发现我心情已经平静下来，你反而发火了，哪有这样爱别人的！

美国女人欣赏的正是男人的霸气。

男人们都是一些没有心肝的畜类，总想丢开倾心爱着他们的女人，但是一旦他真的做出这种事来，更多的过错总是推在女人这一方面。

人类的时间不是一种圆形的循环，是飞速向前的一条直线。所以人无法留住幸福，幸福是对重复的渴求。

你扼杀了我的爱情。你过去常常唤醒我的想像，可是现在你甚至不能引起我的兴趣，你简直变得可有可无了。我过去爱你，因为我觉得你太好了，因为你聪明、有才华，因为你实现了伟大诗人的梦想！并且用真实的形象表现出艺术的幻影。现在你却把这一切全都抛弃了。你既浅薄又愚蠢。

你毁掉了我对生活的罗曼蒂克的情调。如果你说爱情会损害你的艺术，那你就根本不懂得什么叫爱情！离开了艺术你就一无是处。

总是这样的情况：爱情一旦中止，曾经被你爱过的人即使表示出最真挚的感情，你反而只会觉得可笑。

如果我们不愿意醒来，如果精神灵魂无法被带来参加天使们的工作，那我们便要沉沦。对我来说，确凿的证据就是高尚的爱情冲动变成了淫荡的性欲。这总算说穿了真话。

对于女人表现出这种乌托帮式的多情的味道，就会使她们觉得我是个一往情深的男子。的确，我对她们是一往情深的。我对她们的爱恋，正是采取了她们梦寐以求的那种方式。

29 岁的女人脸上还保持着青春的红晕，上了 30 岁红晕就消失了。

美国女人欣赏的正是狠心，彻头彻尾的狠心。她们具有极其幼稚的本能。尽管我们解放了她们，可是她们仍然像奴隶般地寻找主人，她们喜欢受人支配。

爱情在男人身上只不过是个插曲，是日常生活中许多事情中的一件事，但是小说却把爱情夸大了，给予它一个违反生活真实性的重要的地位。

尽管也有很少数男人把爱情当作世界上的头等大事，但这些人常常是一些索然寡味的人；即便对爱情感到无限兴趣的女人，对这类男子也不太看得起。女人会被这类的男人吸引，会被他们奉承得心花怒放，但是心里却免不了有一种不安的感觉——这些人是一种可怜的生物。

有一种快乐，就是故意歪曲着品味自己。

只要有一种思想是异乎寻常的和常情抵触的，我就会立即成为这种思想的辩护者，甘冒最大的不讳。

轻薄女人烦扰人，贤德女人使人讨厌。这就是她们之间惟一区别。

说是谈非是迷人的！历史就只是在说是谈非。不过，说坏话是被道学搞得使人讨厌的说是谈非。

空谈道德的男人往往是伪君子，空谈道德的女人总是相貌严肃的。

完美是不存在的，能了解它便是人类智慧的胜利，为占有它而去想念它，乃是最危险的妄想。

如果他为了一个女人离开你，你是可以宽恕他的；如果他为了一个理想离开你，你就不能了，你认为你是前者的对手，可是同后者较量起来，就无能为力了。

卑鄙与伟大、恶毒与善良、仇恨与热爱是可以互不排斥地并存在同一颗心里的。

如果一个女人真正忏悔了，她一定会到低级的裁缝那里去做服装。否则没有人会相信她。

我为做了坏事而后悔，您却为做了好事而后悔这就是我们之间的不同点。

如果说，性亢奋是我们的造物主为了自己取乐而用的一种装置，那么爱就是惟独属于我们自己的东西，能使我们摆脱造物主。爱情是我们的自由，爱情处于"非如此不可"的规则之外。

虽然这不完全是真的。即使爱情有别于造物主为自己取乐而设置的机件，爱仍然从属于它的。爱从属于性，像一位秀美的裸体女人服从一座巨钟的钟摆。

其实，要男人们学好，他们的接受能力就差劲了。

如果女人真正了解了自己的丈夫，那将会拆散许多幸福的家庭。

我的丈夫是"一般惯例"，世上再也没有比嫁给"一般惯例"更会使人衰老了。

一天，我问一位庆祝金婚的夫人，她是怎样在漫长的岁月里把夫妻生活搞得那么和谐缠绵？

"搞得和谐？噢，"她微笑着回答我，"最有效的灵丹妙药之一，就是我始终相信我丈夫对我说的那些谎话。"

文明仅仅是我们对自己厌恶的人采取的态度而已。

她对自己的丈夫从来就没有什么感情，只是男人的爱抚和生活的安适在女人身上引起的自然反应。大多数女人都把这种反应当作爱情了。这是一种对任何一个人都可能产生的被动的感情，正像藤蔓可以攀附在随便哪株树上一样。

这种感情可以叫一个女孩子嫁给任何一个需要她的男人，相信日久天长便会对这个人产生爱情，所以世俗的见解便断定了它的力量。但是说到底，这种感情是什么呢？它只不过是对有保障的生活的满足，对拥有家资的骄傲，对有人需要自己沾沾自喜，对建立起自己的家庭洋洋得意而已；女人们天性善良、喜爱虚荣，因此便认为这种感情极富于精神价值。但是在冲动的热情前面，这种感情是毫无防卫能力的。

据说胖女人性情温和。

对一个女人来说，20岁时的爱情与30岁的爱情是完全不同的；不仅在心理上不同，而且在肉体上也不同。

同一个女人谈情说爱，这是世界上最容易的事，可是，要斩断绵绵情丝却令人十分费劲。

现在人们每样东西的价格都晓得，而对其价值却一无所知。

男人要结婚是由于疲倦，女人是由于好奇，结果双方都大失所望。

我发现女人有两类：本色的和上了色的。

本色的女人非常有用。如果你想博得品德高尚的好名声，只需带她们去吃顿晚饭就行。另一种女人非常迷人，可是她们犯了一个错误。她们为了显得年轻而涂脂抹粉。我们的祖母一辈子是为了使她们的谈吐显得才气横溢而着意打扮，那时候脂粉和机智常常相互为用。但现在这一切全都过去了。现在一个女人只要她看上去比她的女儿年轻 10 岁，她就心满意足了。

多情是属于无所事事者的特权，也是这个国家中有闲阶级的拿手好戏。

本来我们可以把许多东西抛弃掉，如果我们不怕被别人拣去的话。

爱情要占据一个人莫大的精力，它要一个人离开自己的生活专门去做一个爱人。

即使头脑最清晰的人，从道理上他也可能知道，在实际中却不会承认爱情有一天会走到尽头。

爱情赋予他明知是虚幻的事物以实质形体，他明知道这一切不过是镜花水月，爱它却远远超过喜爱真实。它使一个人比原来的自我更丰富了一些，同时又使他比原来的自我更狭小了一些。

他不再是一个人，他成了追求某一个他不了解的目的的两件衣物、一个工具。爱情从来免不了多愁善感。

爱情的通病——如醉如痴、神魂颠倒。

性格女人都懂得要不时给男人点颜色看看。

要不是时时给他们颜色看，我们的丈夫真的会把我们忘了，我们完全有合法的权利来提醒他们。

眼下我们钱囊羞涩，惟一能做到的乐事，就是说说恭维话。惟有这个，我们支付得起。

良心与胆怯其实是一回事，良心是个商号的名称，不过如此而已。

如今侧身在上流社会的许许多多自命不凡的人假装正经，而我认为故意装得坏一点倒恰恰能显示出谦逊可爱的风度。再说，有这样的说法：如果你假作正经，世人就要认真看待你；如果你故意假装坏人，世人就不会认真看待你。这就是乐观主义惊人的愚昧之处。

对生活我所认识的只是爱情，对世界我所认识的只是我的情妇。

只有女性才能以不息的热情把同一件事重复三遍。

不管什么起因的肉体紧张都需要性欲的宽解。不管这个人的年纪、经历、状况、知识、文化、发育程度等等如何，我都会有性欲上的冲动。

她不相信罪的存在，除了对肉体的罪之外。因为，她认为，肉体是精神的惟一而真实的神庙。

爱情只不过是情欲。我知道有不少女人设法要挑起这种情欲。其实她们还可以有更正当的自豪，而无须借助于情欲的挑逗，就能讨得接近她们的男人的喜欢，然而这种虚荣本身是危险。

女人可以原谅男人对她的伤害，但是永远不能原谅他对她做出的牺牲。

我尽量在有生之年将爱上爱情。崇拜我的人不是很多，但有那么几个，总是在我对她们不感兴趣之后，或者她们对我不感兴趣之后，她们不都坚持活下去了。她们都发了胖，索然寡味，一碰到她们，她们总是立刻唠唠叨叨大谈其往事。

女人们回首往事真不得了！简直是要吓死人！它揭露出

她们智力上的迟钝！一个人可以吸收生活的色彩，但千万不要记住它的细节，细节总是俗不可耐的。

有一次我在整个社交季节只佩紫罗兰，因为有一件浪漫情案硬是不肯结束，我就采取这种风雅的办法为它先行举哀。后来，它总算结束了。是什么东西把它结果的，我忘了。我想大概是她说愿为我牺牲整个世界。这一时刻总归是很可怕的。它使人的心中充满了对永恒的恐惧。

一个堂堂的精明的大人物，迫不及待地跟在一个又一个女人屁股后边转，你难道就没有什么正经事可干？哼，女人给过你什么好处！难道你以为她们真的会给你所寻求的那种帮助和安慰吗？事情就像她们吹的那样吗？

一个人要是坠入情网，就可能对世界上一切事物都听而不闻、视而不见了。那时候他就会像古代锁在木船里摇桨的奴隶一样，身心都不是自己所有了。

男人总是叫女人上当。

使女人们心醉和心碎的都是男人的天性。

如果一个男人不再爱一个老得足够作他的母亲的女人，您想他会回心转意吗？

当一个男人的胸怀感觉像一只鸟笼，而笼中的黑鸟已经全都飞走的时候，他是自由的、轻松的。但他渴望他的那些秃鹫重新回来。他需要同他所习惯的斗争，他的无名的、徒劳的工作，他的愤怒，他的痛苦，以及他的罪恶。

同女人做爱和同女人睡觉是两种互不相关的感情，岂止不同，简直对立。爱情不会使人产生性交的欲望（即对无数女人的欲望），却会引起同眠共寝的欲求（只限于对一个女人的欲求）。

初学过放荡生活好像是一阵眩晕:人们首先感觉到的是一种混和着肉欲的莫名其妙的恐怖,好像是登上了一座高塔。

33岁的时装设计师哈里森曾向我们讲述过他的一些经历:

我在20岁的时候,认识了著名时装设计师海伦。

那时她是一个45岁的漂亮女人,没有结过婚,可身边从来没有少过男人。

我能成为她身边的男人出乎我的意料。

海伦对我出奇地好,我也非常地迷恋她,可我怎么也想不出是我身上的什么东西引起了她的兴趣。

海伦是一个性欲旺盛的女人,那时我们把每一个夜晚都搞得昏天黑地。海伦就像一个大吸盘,每天都把我吸得干干的。当然,除我之外海伦和其他男人也偶尔为之。开始的时候,我感到心里很不舒服,慢慢我就习惯了。我从未和她提过这些事情。

后来,我开始跟海伦学习时装设计。

我的进步很快,海伦说我在这方面是个天才。她总是说将来我会在她之上。

海伦在纽约举办了一次大型的时装展示会,其中有一小部分时装采用了我的设计。可我知道我的设计并不太好,我清楚海伦只是想给我个展露头角的机会。

时装展示会获得了巨大成功,许多家报纸和电视台都来采访海伦。令我惊讶的是,海伦对到来的记者竟然提起了我,并且用了很多溢美之辞。

这样,就有很多记者来采访我了。

第二天，有几家报纸发表了有关我的文章，还配有大幅的照片，把我称为一个时装天才。

海伦对我说：哈里森，你已经开始了。你不仅是个天才，还是个很好的男人，今晚我们要庆祝一下，然后，我要送你个礼物。

晚上，海伦在一个意大利餐馆请我吃了一顿很丰盛的晚餐。海伦喝了很多酒，却不让我多喝。

她说，还有礼物要给我呢。

当时我并不知道这礼物和喝酒有什么关系，我只是有些奇怪。

晚餐后，海伦领我去了一家大酒店，她没有再和我说什么。我们乘电梯上到二十层，在一个大套房门前，她递给了我一把钥匙。

海伦微笑着用手拍拍我的脸说：哈里森，礼物就在里面，去吧。明天中午我们一起共进午餐。晚安！

海伦走了，我预感到了那礼物将是什么。

当我打开房门的时候，我看见一个漂亮的女孩正从床上起身迎接我。

我吃惊地望那女孩，我不明白海伦为什么要这么做。

我当然没有拒绝那个夜晚，因为那是海伦送我的"礼物"。

可是，那个让我难以忘怀的女孩在和我有过那个夜晚之后，就消失的无踪无影了。说实话，我真有点怀念她，尽管我还不知道她的名字。

关于那个夜晚和那个女孩，我从未问过海伦，海伦也从未提起过，就像一切都没有发生过。

在后来的五年间，海伦为我专门搞了多次服装展示会，令我声名大振。

我现在也搞不清楚海伦为什么对我这么好。

更令我惊奇的是，海伦一点都不介意我和别的女人上床。

五年间我几乎和公司里的所有女模特睡过觉，这种放荡的日子让我感到很刺激。有那么一段时间，海伦还把我当作"礼物"送给了她的两位女朋友。当时海伦对我说，她们都是很好的人。我说，我有点不习惯。

我在海伦面前第一次感到有些恐慌。但我还是去了。

那两个女人的确很不错。

事后海伦再也没有和我提这件事，我也没有再见到她的那两位朋友。

海伦在 50 岁那年得了严重的心脏病，不能再和我做爱。

有对她要我为她脱光衣服，让我搂着她，她说她冷，让我给她暖身子———

那年秋天，海伦死了。

她把所有的财产都留给了我，我不知她为什么要这样。我很难过，因为我不知道她算是我的什么人。

我常常想起海伦。尽管我现在仍有很多女人，尽管她们都年轻漂亮，可她们都比不上海伦。

我知道我现在生活的很放荡，因为我已经爬上了一个高塔，虽然我感到恐慌，可我无法阻挡自己……

如果说公开的和秘密的淫逸能使最高贵的人堕落，在坦率和大胆的放肆行为里、在人们可以叫做公平的淫荡生活里，却有着某些伟大之处，甚至是对最堕落的人来说也是一样。

一旦重点落到情欲上，灵魂的全部怪癖就会倾注到脚上。影响是如此富有歪曲能力，肌肉又会出现那样谏目的扭动，以致穿什么都不合适了。

于是畸形战胜了爱情，而爱情却是一种不能迁就我们的力量。它之所以不能迁就我们，那是因为我们把生存归因于在我们面前演出的一幕幕爱情的戏剧，因为爱情是灵魂的永久的债务。

酗酒过量虽然能够刺激情欲，但不见得使人得到真正的满足。

男欢女爱之间，总有一人比另外一人热烈的。

胸罩的作用是为了托住什么东西，由于设计差错，那东西份量超重，因而需要文撑，好像蹩脚建筑的阳台必须加几根支柱才能不坍倒一样。换句话说，胸罩透露了女性身体的技术性特征。

她抛弃了他，是为了要勾搭那个花哨、浮夸、爱一天到晚搂着女人屁股的人面兽心的家伙。女人在性方面的爱恶，真是令人莫名其妙。这可说是一种原始的智慧。男人也是如此。

有些事情是只能靠暴力来完成的。

生理上的爱没有暴力是难以想像的。

调情就是勾引另一个人使之相信有性交的可能，同时又不让这种可能成为现实。换句话说，调情便是允诺无确切保证的性交。

第 6 章

有些人生来就是为了活着，
有些人生来就是为了品味活着。

　　情爱的话题在令人应接不暇地转换着，但总是能得到鼓舞人心的巧妙的补充。

　　女人引出了我对女人的敬慕，现在这种感情正以危险的速度奔流，就像大出血一样的渴望会使人软弱无力。一旦我软弱到无法自卫时，我就会遭殃了。

　　有些人生来就是为了活着，有些人生来就是为了品味活着。

　　我能够自行其是是因为相信别人都看不出来我的怪异的想法；最甚者也是因为有几个近邻知交表示支持，才敢违背大多数人的意见行事。

　　如果一个人违反传统实际上是他这一阶层人的常规，那他在世人面前作出违反传统的事倒也不困难。相反地，他还会为此洋洋自得。

　　他既可以标榜自己的勇气又不至冒什么风险。但是我总觉得事事要邀获别人批准，或许是文明人类最根深蒂固的一种天性上的失误。

　　如果我喜欢表现自己，最终我是我自己，那是因为只存在着使我们回归自身的爱。

　　一个人等到自信心恢复之后，他就懂得专一的欲望有着专一的力量。

　　如果他懂得这是个别人的可恶之处，懂得需要以整体去拯救每个单独的心灵，那么就是在这种激动的时刻，他也不可能试图和别人去分享自己生平的故事，把他的故事去告诉别人。

　　每一次情恋都是对纯洁的怀念，都是向着天性发出的呼唤。

　　她告诉我，我是一个比我自己所能了解的更好的人——一个思想深刻的人、非常漂亮的人。但是忧郁，抓不住心里真正想往的东西，一个被上帝所诱惑的人，渴望上帝的恩泽；拼命地想逃离上帝的拯救，而拯救又常常就在身边。

　　我和许多人一样，学会了随波逐流和适应环境。这不是一种个人恶习，是他人酿成的可怕而多姿多彩的后果。

　　爱必须与夜相遇。

　　在闭合的双眼之下、仅仅由人的梦想而产生的夜，不是那昏暗的迷失的夜。

　　我直着嗓子，痛苦而愤怒地喊叫，我需要疼爱。我觉得我需要以牙还牙，以其人之道还治其人之身，这是我作为爱的一方的权利。

　　当我意识到自己身上已经没有什么真实可言，而已经骗了她们好久时，女人们还把我当成是真实的。我吃药更多，喝酒愈甚。我盼望疯狂和抑郁把我赶进了疯人院。

世界历史上只有两个时代具有重要意义。第一个是一种新的感觉和梦产生的时候，第二个是供梦想表现的新人出现的时候。

在我们这个时代，人们对待艺术就好像把它当成自传的一种形式。

最糟糕的浪漫就在于它使人变得丝毫没有浪漫气息。

美国的欢乐都是变了味的，而孩子则以她全部的天真与童稚，以小女孩天生特有的纯洁与热情，吻着亲人的嘴唇，吻着我的忧心忡忡、一蹶不振、唇上带着细菌的假面。

但我比任何一个正派人士都要纯洁、都要高尚，因为我没有撒谎。

卑鄙肮脏常存在于富有的阶层。

我不相信，根据节约的原则而作出的最苛刻或最吝啬的教育，一定是最真实的、确切的解释。

我的举止像一个哲学家，我只关心那些最高级的事情——创造性的理性，如何以善报恶，以及典籍里面的所有智慧。

我思考，关于信仰。（没有这，人类的生活只不过是工艺制造中的原材料，是时尚、推销术、工业、政治实验、自动化等等的原材料。这是一张各种耻辱的完整清单，而一个人宁可以各种死亡来消灭这种耻辱。）是的，我看起来像，举止也像个全面行动的哲学家。

我觉得那些认为世上一切都好或一切都坏的理论是愚蠢的。谈到那些认为世上一切都好的人时，我说他们不知道世界上还有堕落现象。谈到悲观主义者时，我提的问题是：

"这就是这些人看到的一切吗?"对我而言,世界既好也坏,因此也可以说既不好也不坏。

青春是惟一值得珍惜的东西,有一天我发现自己年华老去,我就自杀。

我很喜欢简单的享受,它是错综复杂的现代生活中最后一个避难所。这很像写诗。

不知道是谁给人下的定义,说人是有理性的动物。这是至今最不成熟的定义。人具有许多品质,恰恰缺乏理性。

在和人交往中,一个男人如果没有威势,他就不会有欢乐,而只有大量的悲哀。其实,那种威势,往往也就是一个人的恐惧。

在穿衣方面,你应该使用一点想像力——来突出人的个性。

在任何一种自由后面都有一篇判词:这就是为什么自由太沉重了,担负不了,尤其是在发烧,受苦,或不爱任何人的时候。

对于一个孤独,没有上帝、没有主人的人来说,岁月沉重得难以忍受。

惟一的真实,是存在于人类各阶层的"忧愁"。对于迷失在世界上的人和他的消遣来说,这忧愁是一种短暂的、不可捉摸的恐惧。但是,这种恐惧一旦意识到自身,就变成焦虑,焦虑是清醒的人的永恒环境。

热恋中的人隐约看见一个灼热而冰冷的、透明而有限的宇宙,在那里,没有什么东西是可能的,但是一切又应有尽有,过了这个宇宙,就是崩溃和虚无。这时你可以决定生活在这样的宇宙中,并从中汲取你的力量、你对希望的拒绝以及对一种没有慰藉的生活的固执的见证。

个人被消灭的越多，他们对群体的渴望就越厉害。

我们激动不安地回到群众中间，所以这种渴望就因他们的失败而变得更加热切了。

我们不是作为兄弟，而是作为堕落了的人回去的。他们会体验到微不足道的人类会迅速地耗尽。这样，已经这般模糊不清、摇摆不定，勉强显现的神圣形象，就会发生再度变形。

人在打击下可能不作出反应。如果他不得不如此，他当时就会把目光望着地上，心里默默盘算如何从中逃脱出来。

现在人人依然都感到那种人类最初受到的打击。这种打击据说第一次是该干的，不然这怎么可能呢？在太古之初，就有一只手打了下来，所以至今人们还在畏缩。

大家都希望逃脱，把自己解脱出来；而把这个打击落到别人身上。这个，我想就是尘世的统治权吧。不过，至于这种打击力量之中的真理成分有多少，那是另一回事了。

不顶撞他爱的人顶撞谁呢？

"人不能顶撞他父亲"这句话您知道吗？从某种意义上说，这句话不可解释。但是从另一种意义上说，它又是令人信服的。应该由一个人说了算。否则，任何一种道理都可以有另一种道理与之对立，这样就会没完没了。相反，实力解决一切。我们花了时间，明白了这一点。

仇恨是另一种自我尊重。

任何一种信仰都能攻破，都有它的弱点，都不能持久，也没有真正的力量。

我喜欢进行感情激越的讽刺，但我知道，羞辱人家的错误并非最理想的目的。

一个人的失败并不是对环境下判断，而是对其本人下判断。

我像一个马戏团领班，一个宣传家，一个社会名流的拉线人。我抓住那些名流，把他们带到群众的面前。我使各种各样的人都感到，我就是他们一直在物色的那种人。对狡猾的人来说，我显得狡猾；对温和的人来说，我显得温和；在残酷的人看来，我表现残酷；骗子觉得我有伪善的一套；恶汉认为我也够凶恶。任何你所期望的，我全有。我是一种感情的血浆，能在任何人的机体内流动。

也许平凡的自我保护的虚荣心最终将变得过于直率而不好拒绝。

武断往往是情感的宠儿。

对我来说，最为勇敢、最为热烈、最为雄伟的生活，莫过于精神生活。

我不知道自由原来不是一种奖赏，也不是一枚人们喝香槟酒来祝贺的勋章。它不是一件礼物，也不是一盒能给您口腹之乐的甜食。啊，不，相反地，那是一种苦役，一次长跑，极为孤独，令人精疲力竭。

我经常说诗歌是"狂乱的职业"之一，在这一行里，成功的关键是你自己的态度。你越自信，你就越能取得胜利；失去了自信，你就会完蛋。

正因为这样，所以就产生了一种迫害变态心理。你会因别人对你不加吹捧而把别人看成是在加害于你。知道了这一点，或者感到了这一点，批评家和知识分子就掌握了你。不管愿意不愿意，你都会被拖进权力斗争中去。

也许在我看来，手足之情只不过是互相利用的门路。但我对他的感情却是强烈的，差不多是歇斯底里的迫切，即使他拒绝这种感情，我也不能责怪他。他希望成为一个注重当前的、现实的人。他已经忘记，或者正在力图忘记过去，他说，没有别人帮助，他什么也不记得。而我呢，什么也忘不掉。

我也相信，从形而上学的观点来看，如果没有记忆力，美与爱也就遭到致命的损伤。

我是区别待人的。

我选择美貌的人做朋友，选择脾气好的人做相识，选择智力高的人做敌手。一个人在选择敌手的时候怎样谨慎也不为过。

我从来没有找过一个笨蛋作为对手。

我的敌手都是在某些方面智力比较高强的人，结果他们都欣赏我。

生活从来就是不容易的事。人们不断地做了存在所要求的举动，这是为了许多原因，其中第一条就是习惯。

自愿的死亡意味着承认，甚至是本能承认这种习惯的可笑性，承认活着没有任何深刻的理由，承认每日的骚动之无理性和痛苦之无益。

在这个国家里，一个人只要有点与众不同，有点头脑，就足够招来凡夫俗子喋喋不休的议论和攻击。

可是，那些道貌岸然的人，他们自己又是过着怎样的生活呢？亲爱的朋友，你忘了亲爹也别忘了我们是生活在伪君子的故乡啊！

人心中一切不可克服、充满激情的东西都向着他的生活的反面激励着他们。要未曾和解地死，不能心甘情愿地死。

自杀是个未知数。疯狂的人只能穷尽一切，并且穷尽自己。

疯狂是人的最极端的张力，是他以一种孤独的努力不断保持着的张力，因为他知道，在这种日复一日的意识和反抗中，他显示出他惟一的真理，即挑战。

要是一个人根本不想活，他就不可能行为好，绝不会活得好。

恐怖小说同样也是一种桃色小说，恐怖小说具备了它的形式上的虚荣。

如果艺术家鉴于往往是艺术以外的原因，决定颂扬未加工的现实，我们便实现了现实主义。

人们不精于内省，因此没有做好与对手打交道的准备。他们不能像对待目标很大的猎物那样朝对手开枪，也不能有勇无谋地蛮干。

你若有困难，应该默默与它们斗争——这是他们的训诫之道。

良知的法则使基督在谎言中生活，并为了一个谎言而死去。耶稣体现了人类的全部悲剧。

他是完人，是那个实现了最荒诞的良心的人。他不是神一人，而是人一神。我们每一个人都可能像他一样被钉上十字架，被欺骗——在某种程度上成为人的良知。

蛀虫存在于人的心中。应该到那儿去寻找它。这是一次死亡游戏，从清醒地面对生存发展到逃避光明，都应该跟随它、理解它。

邪恶中最令人厌恶的莫过于阿谀奉承了。

人性是非常古怪的，没有良心做掩护我们的古怪根本没出路。

替别人安排生活是件永远费力不讨好的事，因为一个人怎么能建议别人去做什么，除非你对别人和自己一样了解。

人在一生中，不幸的是一个人只能经历一次，错误往往是不能弥补的。人生是个艰辛的历程，让我自己的一生过得完美一点儿已经很不容易了，怎么能指望我去教导别人如何过好他的一生呢？

我们最后总会看见我们的真面目。

对于一个脱离了永恒的人来说，全部的生活只不过是荒诞掩盖下的一种过分的模仿而已。

每个人都是最大的善于模仿者。

生活教导我：，高超的意识"天真无邪，意识不到本身的邪恶"。当你企图完全生活在高超的意识之中，由于变得极其理智，那你就只会看到别人身上的丑恶，而从来无视于自身。金钱就像血或浸润着脑组织的液体，是一种有生命的物质。金钱是我们坚硬的意识。

每当时代把一个本来可能成为艺术家的人扼杀时，时代就会更加衰竭一些。

艺术和情爱只会与世上的最后一个人一起死亡。

跟我来往就像跟国王来往。我会紧紧地控制住你。我手中真的像握着一根王杖似的。

我也确实是一个国王，一个感情上的国王，我的心灵深处就是我的王国。

我可以擅自占用我周围的所有人的感情，仿佛这是我的天赋神权似的。而且我能应付的绰绰有余。因此，我也就干脆把别人的感情当作自己的了。我真是个伟大人物，没有什么比我更伟大的了，除了真理之外。

很明显，天上和地上的主要事情就是长期的、在一个方向的服从，慢慢地就产生出某种值得为之生活在这片土地上的东西，例如美德、艺术、音乐、舞蹈、理性、精神、某种使事物改观的东西、某种文雅的、疯狂的或神圣的东西。

服从激情，这同时既是容易的又是困难的。不过，人有时应该在与困难的较量中显出自己的本色。惟有人能够做到。

个人无法证实自己心中的东西——我是说爱情，对外在世界的渴求，对无法用适当的知识的词语加以表达的美的激情。真正的知识应当是科学的世界观的垄断。可是人类有各式各样的知识。他们用不着获得爱这个世界的权利。

我们的思想让我们自己自信，并不是想像力把每个人同创造单独地联系在一起。

我很高兴我生活在会发生这种奇迹的时代。这种奇迹使人相信我们所玩弄的东西，诸如浪漫、热情和爱情，都是确实存在的。

伊甸园不就是直接驾驭生活吗？

这就是我的生活。我从来就不需要学会生活。在这一点上，我是生而知之。

艺术告诉我们，人不仅仅归结为历史，不只是自然秩序中发生的事情，每一个梦都是历史的重新开始。

究竟是什么难以估量的情感使精神失去了其生存所必需的睡眠呢？一个能用歪理来解释的世界，还是一个熟悉的世界。但是，在一个突然被剥夺了幻觉和光明的宇宙中，人就感到自己是个局外人。

放逐无可救药，因为人被剥夺了对故乡的回忆和对乐土的希望。这种人和生活的分离，演员和布景的分离，正是戏剧感。

所有健康的人都想过他们的自杀，无须更多的解释，人们便可承认，在这种感情和对虚无的向往之间有着一种直接的神往。

美——世界上最宝贵的财富——会同沙滩上的石头一样，一个漫不经心的过路人随随便便地就能够捡起来。美是一种美妙、奇异的东西，艺术家只有通过灵魂的痛苦折磨才能从宇宙的混沌中塑造出来。

要想品味美，一个人必须重复艺术家经历过的一番冒险，他唱给你的是一个美的旋律，要是想在自己的心里重新听一遍就必须有知识、有敏锐的感觉和想像力。

一切皆善，一切都是可以允许的，什么都不是可恨的，这些都是荒诞的判断。这是多么神奇的创造啊，那些火与冰的人物看起来和我们多么亲近啊！在他们心中轰鸣的那个醉心于冷漠的世界一点也不使我们感到可怕。我们在那里发现了我们日常的焦虑。

如果我够不上生活的脸蛋那么高，那我就吻脸以下的某一部分。懂得这个道理的人，无需我进一步解释了。

动力来自思想，我的人生道路也是通过思想确定的，因此世界上确确实实没有什么东西可以使我感到惊奇的了。

我看见许多人死了，是因为他们认为人生不值得活下去。我也看到另外一些人为了那些本应使他活下去的思想或幻想而反常地自杀了（人们称之为生的理由，同时也是绝好看死的理由）。我由此断定，人生的意义是最紧迫的问题。

这是人生的第二阶段，即一个人不得不时时注视着死亡的阶段，紧接着又会过渡到下一个阶段，一个时间延续最短、然而又最神秘的阶段，人们对这个阶段了解极少，谈论也极少。体力日渐衰退，人总是感到一种疲劳。

疲劳是从生命的彼岸通向死亡的彼岸的无声桥梁。在这一阶段，死亡近在咫尺，让人看得心烦。但它仍可以说是无影无踪，无处可寻的，因为太密切、太熟悉的东西就变成这样。那么，所谓不朽只是荒唐可笑的幻影，是空话、是用扑蝴蝶的网兜风。

人通常都考虑不朽，却忘了考虑死亡。

我常有一种奇怪的预感，感到自然本身并不在外面，并不是一个永远跟主观世界分离的客观世界。但是，所有外在的事物同内在的事物是相辅相承的，这两个领域是同一的又是可以互相转换的，自然就是我自己无意识的存在。

自然界的每一样事物都是人的品味的标志。

对活着的人来说，每一天都不再是解释和解决了，而是体验和描述。一切都从有洞察力的冷漠开始。

描述，这是一种荒诞的思想的最后野心。

科学到了它的悖论的终点也停止了建议，停下来静观和描绘现象的永远是新鲜的景物。

心灵就这样知道了那种使我们在世界的面貌前激动的感情不是来自世界的深刻性，而是来自其面貌的多样性。

解释是没有用的，但感觉留下了，与之同在的还有一个在数量上取之不尽的宇宙的不断呼唤。人们从这里知道了艺术品的地位。

痛改前非的决心是抵触自然法则的无效尝试。其根源纯粹是虚荣，其结果绝对等于零。它们时而使我们产生一番华而不实的冲动，这只对弱者具有一定的吸引力。除此之外实在没有什么可说了。这种决心不过是空头支票。

我们必须有所区别，一种是所谓一般的不朽，熟人之间对一个人的怀念（村镇父母官向往的那种不朽）；另一种是伟大的不朽，即一个人活在从来不认识他的人的心目中。生活中有一些途径，可以从一开始就让人面对这种伟大的不朽，当然，并非一定十拿九稳，但毫无疑问有这样的可能：它们就是艺术家和政治活动家的道路。

死亡与不朽是不可分割的一对，如果谁的面相在我们心目中与已故某人的面相吻合，那么他在有生之年就已经不朽。

庸人自扰实在不比头痛感冒更好受。

有的人带着感激的心情接受了自己的天赋；有的人却对自己的天赋并不满意，所想到的只是如何克服自己的缺陷。

他们只对自己的缺陷和挑战有兴趣，这样，那些憎恨人的人势必就要竭力找他们作伴。

厌世者们往往是精神病的体现者；羞怯的人又往往成为实行家；天生的贼，则总要寻求信任的地位；而惊恐之中的人，却会采取勇敢的行动。

我曾给我的致命的逻辑增加了一种不寻常的野心，这野心给了人物全部远景：我想自杀以便成为上帝。

天赋人魂，狂人的精力总是燃烧得很旺盛……幸福必然寓于精力旺盛的顶端，而我们正就是在这里追求着幸福。疯狂必然是纯粹的节日，也有至高的审美约束力。

浪漫靠不断重演才能存在，情欲也靠循环反复才能变成艺术。此外，每次恋爱都有每次独特的体验。

对象不同并不意味着爱情不是独一无二的。这只能使爱情更加热烈。我们一生中顶多只有一次伟大的经验，生活的奥秘就是尽可能多地反复得到这种体验。

当一个人受到恋爱的伤害的时候，就特别需要重复。

当一个人受到恋爱的垂青的时候，他根本不知道自己是在重复。

我从来不追求幸福，谁需要幸福？我追求的是丰满的享受。

有些事回忆起来比犯罪的时候更加震撼人心；有些奇怪的胜利所满足的，与其说是欲念，不如说是虚荣心，这种胜利给思想带来的强烈的快感，远远甚于它们给感官带来的或可能给感官带来的快乐。

我不是一个很有责任感的男人，家庭的事我过问的很少，我的生活平静而乏味，也许是因为没有孩子的原因吧。

在家庭生活里我找不到什么兴奋点，我只能到我的生活之外去找。我的妻子莎莉应该算是一个很漂亮性感的女人，可不知为什么我的性生活却跌进了深渊。

准确点说：我们都对那件事情不感兴趣。

我是个画家，以前我和那些女模特们偶尔也上过床，可后来我不再放过任何一个了。我从她们那里得到过一些满足，但我并没有感到真正的快乐。

我和那些模特之间的事，莎莉知道一点，还曾经认真地和我谈过一次，可我对她没有做任何承诺。

后来，就发生了那件事。

一切都是从那封信开始的。

那是一封女人的来信。

信中说，莎莉和她的丈夫有私情。她丈夫每个周五都要和莎莉约会……

这个女人希望我在周五的下午和她通一次电话。

莎莉能有外遇让我感到意外，我当然很愤怒。可莎莉回到家时我却什么也没有和她说。那天晚上我失眠了，望着熟睡中的莎莉，我甚至都想杀了她。

周五的下午，我给那个女人打了一个电话。

那女人说，我们见面谈吧？

我说去哪里？

她沉默了一会儿说，来我家吧。

我见到了一个小巧玲珑的女人，很漂亮，有着很好的胸部。

她对我很客气，还给我斟了杯酒，完全像对待一个朋友。

我们聊了起来，都没有提那件事。有一刻我甚至都忘记了那件事。

后来，她在给我斟酒的时候，轻声地说一句：不要忘了，此刻他们正在约会呢。

我把杯里的酒一饮而尽。

我说：是的，我不会忘，我知道他们此刻在性交。

她吃惊地望着我。突然，她笑了起来。

这是我没想到的。

我站起身走到她跟前，望着她，然后就把她揽在了怀里。她一动不动地立在那儿，任凭我的摆布。我感到有些激动，是那种很特别的激动。我开始亲吻她……后来我就把她抱到床上并脱掉了她的衣服……

那是一个美妙绝伦的过程，是我一生当中绝无仅有的一次伟大的行动，这种行动给我的肉体和思想带来了强烈的快感。

一切都结束的时候，她仍没有说话，非常平静地望着我。

你不觉得这是解决问题的最好办法吗？我这样对她说。

她没有回答我，她用手在我的脸上轻轻地拍了一下，然后，开始穿衣服。

我阻止了她。

我说：等你丈夫回来好吗？

她把衣服扔下了床，然后对我说：寻找平衡吗？

不，不是。我说。

我们又一次相拥而卧，我感觉她的身体在发抖。我附在她的耳边说：因为他吗？她闭上了眼睛，没有回答我。

不知过了多长时间，我听到了钥匙插入锁孔的声音。

然后是脚步声。

然后一个男人就站在了我们面前。

他恶狠狠地望着我，浑身都在抖。

回来了。我说：去我家陪莎莉吧，正好今天我不在家。

他真的走了，但我知道他是不会去我家了。

那以后不久，我和莎莉离婚了，她也和丈夫离了婚。她丈夫没有和莎莉结婚却和别的女人结婚了。我也没有和她结婚，可我们成了非常好的朋友。

有时我们也在一起做爱。对我们来说，过去的一切，只是一场死去的旧梦。

就是这样。

旧梦死去了吗？这个可怕的念头会在许多人的脑中一闪

而过，却把极其可怕的未来从墓穴中拖了出来，展现在你面前。当你眼睁睁地瞧着它，那可怕的景象是否能把你吓得呆若木鸡。

只有你同意与他们（我是指庸人）分享，他们才谅解您的幸福和成功。然而，为了幸福，就不该太多地顾及别人。要不，出路就会被堵塞。

要么因幸福而被指责，或是被起诉而遭致悲惨。对于我，受到的不公正则更为严重：我因过去的幸福而被判罪。我长期生活于普遍和谐的幻境中，满面春风，无所用心，来自各方的审判、利箭和嘲笑都遇我而消溶殆尽。

从自我警觉的那一天起，我清醒了，同时遍体鳞伤，一下子失去了力量。于是，在我周围普天下人都开始嘲笑我。我不在乎。

丰富的想像是怎样在庸俗和有力可图的事物中磨光了它的锐气的。起初美国人被密林包围着，后来就被有利可图的事物包围起来了，而这些事物也是同样的浓密。于是发生了信仰问题，不是信仰危机，而是没有信仰。

创造性的心灵喜欢含蓄胜于广博的知识。

谁说的话也不能算最后拍板。当尼尼微城昌盛一时，名震退还的时候，《新福音书》已经老旧了。说这些豪言壮语的人可能还觉得他们在说一些前人未曾道过的真理，但是实际上连他们说话的腔调前人也已经用过一百次，而且丝毫也没有变化。钟摆摆过来又荡过去，这一旅程永远反复循环。生活就像一台复印机。

人们常说的那句俗语"自作自受"，实在是最没有道理的。生活的经验让我们看到的是，尽管人们不断地做一些必然招灾惹祸的事，但总能找个机会逃避掉这些蠢事带来的后果。

"我的丈夫突然变得发疯，"一位 38 岁的女人对她的律师说，"在家里我所做的一切丝毫不能令他满意，就这样已经两年了。"她又补充说，"他以前是个温和的人，而且充满了幽默。"

这位妻子告诉律师，不久前，她在丈夫的抽屉里发现了色情杂志。可是这些色情杂志不能满足他，于是他找到了一个单身朋友住的房间，与这朋友网罗的一些女人鬼混……

这位妻子要求离婚。

律师向她解释，她丈夫的行为并非是离婚的充分理由，在某种情况下，女人也会这样。经过调解后，律师建议这位妻子和她的丈夫去度假，也许彼此都会对对方有一些新的发现。

您从未突然地需要同情、帮助和友谊吗？不，我学会了只满足于同情。这更容易得到，又不承担任何义务。"请相信我的同情，"心里这样说，紧接着就是"而现在，咱们谈别的事吧。"这是一种糟糕的感情：廉价地得到，然后就是灾难。

友谊，就不那么简单了。需要长时间的、艰苦的努力才能得到，一经得到，就无法摆脱，必须正视。尤其不要奢望您的朋友每天晚上都给您打电话，认为他们本该如此，只是为了想知道您是否正好那天晚上决定自杀，或是简单些，您是否需要有人作伴，是否不能出门约会。

常打交道并不就是友谊，友谊漂浮在淡淡的馨香里。

被放逐的灵魂渴望着故国旧土。每个活着的人因失去故国旧土而哀伤。

有了你这个牙雕金铸的人，世界也变了样，你嘴唇优美的曲线将历史重新改写。

我的美貌对生活来说只是一张面具，青春也只不过是笑柄。青春究竟是什么？往好里说，不过是一段缺乏经验、不够成熟的时间，充满了浅薄的见解和不健康的思想，我何必要披这身外衣？可能让青春把我惯坏了。

我从来不看华丽的衣衫，我怕它淹没我的才情。

老年的悲剧不是因为年纪大，而是因为他的心仍然年轻。

不要用自我克制的态度毁了你的一生，放得开是生活惟一的法宝。

惟一的防身武器存在于邪恶之中。于是，人们为了自己不被审判，就匆匆忙忙地审判别人。有什么办法？人类最自然的念头，天真地出现，犹如来自他本性的深处，是他自己的无辜。

我们都求救于某种事情。每个人都宣称无辜，不惜一切代价，甚至为此而指控人类和上苍。

生活从来不是公正的。对于我们大多数人这也许是件好事，也许不是好事。公正的时候，你感谢生活，"运气"不请自至；可不公正时，你不得不从煎熬中重新锤炼自己。

在天性的文明意识里，第一个需要就是表达精神。这种精神，从奴隶的沉默中解放出来，揭发着社会的丑恶，把多少世纪积累下来的痛苦通通吐了出来。

也许连鱼、水螅，还有那些令人厌恶的爬行哺乳动物，也会在这呼声中道出他们的痛苦，发出它们的声音。但是他们通通需要倾听。这个世界缺少的不是声音，而是耳朵。

"罪人"似乎从来没有想到，对别人表示友善，也被认为是一种"无缘无故"的罪行。

他们具有合乎道德的恶魔精神。真是一个古怪的时代！——思想被搞乱了。我有一个朋友，当他是一个无可指责的丈夫的时候不信神，与人通奸后就皈依了宗教，这有什么感到大惊小怪的呢？

最根本的是不再自由，是怀着悔恨之心服从比自己更为狡黠的人。当我们都是罪人的时候，那就是民主降临了。亲爱的朋友，我们还应该记住为孤独地死去而进行的复仇。死是孤独的，而奴役则是集体的。同时，其他人的内心也有他们的一本帐，这是重要的。所有的人终于聚集起来，然而是跪着、低着头。

我知道你是非常看重愉快情绪的——真正的愉快情绪，而不是享乐主义者们那种表面上的欢乐，也不是断肠人那种战略性的轻快。我也知道您认为强烈的痛苦能使人高贵，这种使人高贵的痛苦，就像青绿的树木，慢慢地在燃浇。在这一点上，我和您多少有一点共同的看法。

人人都喜欢四季如荫，但如荫的绿总是让我疲倦。

克制是一件最糟糕的事情。适度就好像吃一餐便饭一样不带劲，过量就像丰盛的宴席一样使人满足，我总是想让事情出点格。

上天使我们免于被朋友抬得过高，上天让我们善待自己！

他们不说话了，嘴里塞满黄土！于是，尊敬自然而然地来了，他们也许一生都在等待我们的这种尊敬。

　　然而我们却是健忘的，要记住的事情实在太多。不，在我们的朋友中，我们爱刚刚死去的人，那痛苦的死者，我们的悲恸，最后留给我们自己。

　　某些想像力丰富的人，常使自己沉溺于幻想之中，沉溺于美妙的、自我陶醉的虚构，这些人有时候需要以受苦来作为他们幸福的刺激，就像有的人用拧自己的肌肤来验明自己是否醒着。他们不需要浑浑醒噩，而我却爱它无以复加。

　　失恋告诉我们：所有的经验都是无关紧要的，另一方面，它又导致最大量的体验。

　　裘妮，39岁，是一家高级美容院的发型设计师。在她20岁刚出头的时候，她曾经拍过电影，直到现在，她仍然经常在一些临时的广告片及舞台剧中出现。裘妮迷恋一些事物，却不和任何男人建立任何关系。她热衷于单恋。去年，她迷恋的对象是个电视记者，也是她一位客人的丈夫。她和这位记者之间发生了一小段故事，结果是这个记者结束了它。

　　这位记者说她"太热情了"。

　　裘妮是用一种特殊的方式来追求那个记者。那段日子，她以字条、电话及缺乏控制的表现去追求他。最后，裘妮终于造成了一个记者和他的太太以及她面对面谈判的状况。裘妮能够感觉到这位太太对她丈夫及她所产生的伤心和愤怒。

　　裘妮了解自己这种迷恋，不仅对自己造成了伤害，同时也伤害了另外两个人。突然间，她感到自己的这种"热衷"好像变成了一种白痴行为，于是她开始求助。

　　裘妮开始了单恋，其实那只是过去她用以避免和一个男人形成亲密关系的方法。在过去的几个月来，她试图想改变自己，可她的眼中只能容下那个记者，不知有多少次她曾经想脱离那个男人对她感情的冲击，可她无法办到。

我们都应该相信生活的意义。因为它意味着一种价值等级，一种选择以及我们的偏好。

生活总是用劝勉人们行善的方法诱导人们对她采取新鲜的卑鄙的手段。

大海的颜色有如稀薄的洗衣水，广阔的天空反射着灰白的水光。的确是个了无生气的地狱！

一切都是水平的，没有任何光彩，天地无色，生命已死，难道不是普遍的消亡、刺眼的虚无吗？没有其他人！只有您和我，存在于这个终于荒芜了的世界面前！天有生命吗？我们有影子吗？

我就曾愤怒地宣称：每一个从我面前走过的人都像是妇妓。当然，面前这位法官并没有把双腿张开过，但是，为了谋得这么一个职位，他一定干过一切在权力机构中必须干的行径。不过，我身上也没有任何痕迹可以肯定这种指责。我脸上的表情，不带幻觉，也不需要有伪善，明明白白我的脸。

一个人登门造访，目的是浪费别人的时间，不是浪费他自己的时间。盯住他，盯住他浪费的你的所有时光！

今天，勇气不像天才那么常见，
天才却像垃圾一样遍地都是。

妖魔的时代随着暴力时代的结束而告终。"人心从本性走向强暴，从强暴走向道德。"道德只是经过几个世纪的异化后终于复得的本性而已。

人拒绝现实世界，但又不愿意脱离它。事实上，我们依恋这个世界，我们中的绝大多数都不愿意离开这个世界。我们远非要忘记这个世界，相反，我们为不能足够地拥有这个世界而痛苦。这些奇怪的世界公民，他们流亡在自己的祖国。

为了在世界上存在一次，就必须永远不再存在。

由于我一时的心不在焉，为此我永远不能原谅自己，我把手稿放进了童年，而把婴儿放进了手提箱。

任何辩论我都讨厌。辩论总是庸俗的，而且常常会使人信服。

走到边缘的精神应该作出判断，选择结论。自杀和回答就在这里。

虽然我勇气不够，才智不足。我也许笨拙不堪，但我确实是按照我所知道的高尚原则生活的。尽管我做得有点过分，有点不自量力。可是，这是一个有冲劲，甚至可以说有信念，但缺乏明确的思想的人的悲剧。

人是多么不善于虚构啊！他们总是以为人为了一个理由而自杀。然而，自杀完全可以有两个理由。

我发觉自己又在卖弄乞求同情的花招，感到非常恶心。一个人的个性都有它自己的一套，理智也会被它牵着鼻子走。

大地回春，但万物的生机却使许多人惴惴不安，就连剪下橱窗里新绽的玫瑰花，也使他们联想到自己的衰弱，联想到无望和死亡。

往日像一场恶梦，我只想在这恶梦之中好好睡一夜而已，别叫醒我。

当你读过《日常生活中的精神病理学》之后，你就会觉得日常生活本身就是一部精神病理学。

我们相信世上非得有各种各样的犯罪不可，而撒谎则是最有用不过的犯罪，因为至少它的用意是好的。

情人所能领略的生命只是有所表现的生命。在我看来，哑的就是死的。这与选择沉默是风马牛不相及。

每一种艺术品都是一种预言的完成，因为每一种艺术品，都是由一种预感至于影像的转化；每一个人也该是一种预言的完成，因为每一个人，都应是"神之心"或"人之心"的一种理想的实现。

我的脸，是一张充满对于新型美的希望的脸，一张展望未来和揭示美的秘密的脸。

我特别热衷于世界历史名人，这是精神的解释者，是人类的神秘领袖，诸如此类。

我们为着将来忘记了现在，为着强权的烟雾而忘记今天的猎获物，为着五光十色的城市而忘记城郊的贫困，为着一块空洞的土地忘记每天的正义。我们对各人的自由感到绝望，幻想一种奇特的人类的自由；我们拒绝孤独的死亡，并且把一种绝妙的集体弥留称为永垂不朽的事情。

在拥抱中，世界始终是我们最初和最后的品味。

我们的弟兄们和我们在同一天空下呼吸，正义是活生生的。弓弯曲着，木在呼叫着。弓在紧张状态的顶点马上将直射出最沉重而又最自由的一箭。

一个人内心充满未经认可的需要、强求、行动的欲望，四海之内皆兄弟的心愿，充满对现实，对上帝的强烈渴望，但是他等待不及，于是就胡乱地委身于任何类似一种希望的东西。

我自己有时就给人希望。发出一个秘密的信息："靠我好了"。这也许只是一种直觉，一种健康或活力的问题。正是我的活力，使一个人撒了谎又撒谎，或者是引诱他去向别人提供希望。（毁灭会创造出它自己的谎言，但那是另一回事。）

有一些人通过激变，有如愤怒的激流把石块一下子冲刷成面粉；另一些人则由于日积月累，好像不断的水滴，迟早要把石块磨穿。（这正应了古老中国的一句俗语）。

一个真正不计较别人如何看待他的人，传统礼规对他一点也奈何不得。

他像是一个身上涂了油的角力者，你根本抓不住他。这就给了他一种自由，叫你感到火冒三丈。但说到底，自由是非常个体化的东西，是私人最宝贵的财产。

一个人可能会说："从现在开始我要说真话了。"但是真话甚至没有听他说完就逃掉了，而且躲了起来。人的情况是相当古怪的，文明人的智力连对它自己的观念也要嘲笑。

你把上帝弄丢了，但是你无法弄丢死亡。

在历史和永恒之间，我选择了历史，因为我喜欢可靠的东西。至少我觉得历史是可靠的，而且如何能否认这种压倒我的力量呢？

怀念有自己的纨绔子弟和仆从，但它在这些人中并不承认有它的合法子弟。

我拒绝把自己当作天才，这似乎意味着一种超人的品德。尽管这一切使我们当代人的措辞变得无人相信，然而还是应当说惟有天才意味着品德，而不是拒绝天才意味着品德。

我自身中既包含着醒悟又包含着地狱，侮辱又颂扬着美，把不可消除的矛盾变成双重的和谐的歌。

悲哀是懒惰的一种。

我的性格并不乏聪明机灵的素质，只是我选择了爱空想的一套而已。

生活中有两件宝：思想自由和行动自由。

当人们从外圈开始，一圈深似一圈，生活，亦即罪恶，变得越来越浓厚，越来越阴暗。

现在，我们正处在最后一圈。

我们试验了每一种人类的潜能，以探讨哪一些是坚强而值得赞美的，结果发现这种潜能根本就不存在。有的只是实用。

要是古老的上帝存在的话，他一定是个杀人犯。事情就是这样——优美的幻想没有存在的余地。

推崇和赞美受苦，会使我们走错方向。

我们这些仍然忠于文明的人，必须坚决加以抵制所有苦难的企图。

热情溢于言表，月是缺乏教养的表现。热情意味着变动。

如果您欣赏他天性仁慈，那他就会心花怒放。反之，如果您对一个罪犯说，不是天性，也不是性格，而是环境使他犯了罪，他会狂热地感激您。

在辩护中，他甚至会选择这一时刻流泪。然而，正直和聪明都没有与生俱来的价值。正如人们出于天性犯罪肯定不比出于环境犯罪负有更多的责任一样。

我们是无辜的，我们的品德，由于一生下就具备，因而不至于受到怀疑，我们的过失出于瞬间的不幸，永远是暂时的。

应该把每个人置于特定的时代中，研究他们的习俗和动机，研究他们身上带有的荒诞世界的印记。从一种意义上说，一切都是好的，因为一切都存在。或者说，不管好不好，它都存在着。它是不可用言语表达的，因而是奇妙的。

一个作家之所以伟大，其标志就在于不同的人可以从他的作品里汲取到不同的灵感，不同的人可以读到不同的自己。

痛改前非的决心注定不会有好结果——因为决心总是下得太晚了。我的决心就是这样。

您自杀了，我们相信与否又有何干，您不能获得我们惊讶和我们的悔恨，何况这悔恨又是短暂的，您终于不能根据每个人都有的梦想参加自己的葬礼。

为了不再被怀疑，应该不再活着，千真万确。

适合我的真理，手就可以摸到，我不能离开它们。这就是为什么你们不能指望我什么；我身上没有什么东西是长久的，甚至我的真诚也不长久。

眼睛是超凡的，鼻子也可以灿烂到一定程度。可是面孔和身躯却是心灵的表象，有科学头脑和有同情心的人一看就明白。

对教师来说，要使孩子们诚实可信，最要紧的是自己一刻也不该产生孩子可能会撒谎的这种念头。

我同时和一个中年妓女、一个上流社会的年轻姑娘一道生活。

我在前者面前扮演殷勤的骑士，使后者能够认识某些现实，真是一举两得，而且是善举。

拒绝回答对于幸福的指责（那是极可笑的，自私的谬见，是荒唐的行径）是懦弱的，是向恶意投降，是向死亡的本能屈服。

只要稍微懂得一点生活的人，谁愿意放弃永葆青春的机会？哪怕这种机会是多么不切实际，哪怕它会导致多么不堪设想的后果。

至于说看了一本书就中毒，根本不会有那种事。艺术不会影响人们的行动，它只会彻底打消人们行动的愿望，艺术绝对不结果实。世人所谓伤风败俗的书，无非这些书揭露了他们自己的丑态。如此而已。

如果他一生中所犯的罪孽每一件都立时得到报应，那倒也好。惩罚就是净罪。人向上公正的上帝祷告时，不应该说"宽恕我们的罪过吧"，而应该说"惩罚我们的不义吧"。

人一输就想输到底。

破罐子破摔，就像赴约已经赶不上了，不如索性再走慢些。

您认为我怎么了？厌恶我自己？不，我肯定，知道我的过失，我感到遗憾。但是，我继续忘却它们，那种顽强劲儿是颇值得赞扬的。

有一个词可以保证我们的无辜，那就是不幸。

制定一条严格的规则，人们应该看什么而不应该看什么——这是荒谬的。现代精神文明一大半是由人们不该看的东西决定的。

你的谈吐完全像个牙医。一个人不是牙医，谈吐却像个牙医，是很庸俗的。这会给人以虚伪的印象。

毫无疑问，任何人要是把尊严看得很重，把那种老式的个人尊严看得很重，不可避免地会受到教训。

坚强的性格可以忘掉它不能主宰的东西……重新吸收的精子是创造力用之不竭的燃料。

当患梅毒的人在宣扬贞操的时候，你应当感到高兴。

既然我们都是法官，我们在彼此面前就都有罪，我们都以卑鄙的方式当基督，一个一个地被钉上十字架，而总是不明白。

在孤独中，再加上疲倦，人很愿意把自己当成预言家。

努力保全自我是最高的品味。

人类最高的痛苦是没有法律而被审判。我们正在这一痛苦之中。

我既是结局，又是开端。

生活之外的任何东西都没有价值。生活之外一无所有。

我们只能决定该由我们决定的事，其他事情超出了我们的力量。

一个好人能够耐心听别人谈论他自己，厌烦这种谈论的人你就不能信任他。

要时时刻刻为生计操心，世上再没有什么比这更丢脸的了。那些视金钱如粪土的人，我就最瞧不起。他们不是伪君子就是傻瓜。

金钱好比第六感官，少了它，就别想让其余的五种感官充分发挥作用。没有足够的收入，生活的希望就被截去了一半。你得处心积虑，锱铢必较，决不为赚得一个美元而付出高于一个美元的代价。

你常听到人们说，穷困是对艺术家最有力的鞭策。唱这种高调的人，自己从来没有亲身尝过穷困的滋味。他们不知道穷困会使你变得多么卑贱，会使你蒙受没完没了的羞辱，扼杀掉你的雄心壮志，甚至像癌一样地吞蚀你的灵魂。

艺术家要求的并非是财富本身，而是财富提供的保障：有了它，就可以维持个人尊严，工作不受阻挠，做个慷慨、率直、保持住独立人格的人。

要笔杆子的也罢，画画的也罢。这世道很简单，没钱你就停止思想！

我否认良好的动机，值得尊敬的错误、失足，可以酌情减刑的情节。

我这儿不给予祝福，不给予宽恕。我只是算帐，然后说"你是个恶棍，色情狂，说谎癖，同性恋者，异想天开的家伙等等"。就是这样生硬。

在哲学上如同在生活里，我同意任何一种拒不承认人是无辜的理论，同意任何一种把人视同罪人的实践。

凡是划分战线的人，最后必然会被发现就死于这战线上，这就是费尽心机努力奋斗所得到的奖赏。

每一种怪异的现象都不过是从造物主古老的内心，所发出的一系列脉冲中的一个脉冲罢了。目的最终会显示出来的，然而不一定对你显示罢了。

我不担心我的财产，却担心我自己和我的机智。

我念念不忘的是杜门谢客，在这个封得严严实实的小天地里为王，当教皇，作法官或犯我想犯的罪。

社会是个有机体，有其自身的生长及自我保存的规律——而个人则为另一方。

凡是对社会有利的行为，皆被誉为善举；凡于社会有害的行为，则被唤作恶行。所谓善与恶，无非就是这个意思。

只有您的死，才能使人们相信您的理智，真诚和您的痛苦之沉重。只要您一息尚存，您的情况就可疑，您就只能受他们怀疑。

好人只会对别人的感觉感兴趣，绝不会为自己打算的。你该以自觉力和经验来清洗一下自己的两眼。而且，逆耳之言才算友谊。但世人总是对此避而远之，他们太希望赞誉，阿谀之声不停敲打耳鼓，他们需要飘飘然的感觉。

芸芸的人间世事千变万化，死亡虎视眈眈。因此，要是你得到一点欢乐，务必藏之心底，在你心满意足的时候，千万不要声张。

事实上，一种可笑的恐惧追逐着我，人不能不招供他所有的谎言就死去。

哪怕一生中只有一个谎言被隐瞒，死就会使它变得不可改变。

躯体的死亡，如果根据我之所见来判断，其本身就是一种足够的惩罚。它宽恕一切。

每个人都是戏中的一个角色，"品味"给每个人一个登场的机会，就看你怎么利用。

从品味的观点看，个性只不过是一种固执的幼稚的自大狂；而从现代主义的品味看，所谓个性，是上流阶层的一种劣根性，你得让它适应人性的必然，也为了符合时尚的胃口。

我们的天性如此，这是人生的开胃饮料。

我在哪儿工作，都同那里的一切人握手，能握两次就不握一次。这种平易近人的作风使我廉价地获得所有人的同情，这对我的发展是必要的。

只有那些不再感到生命短暂的人才会去蹂躏、摧残、杀戮他人。

世界是残酷的、危险的，若不采取措施，生命确实会变得"丑恶、下作、短暂"。

一个人的心灵如果不能使别人经受它所经受的苦楚，那么这个心灵就要死去。

生命不是由意志或意愿支配的。而是由神经、纤维和缓慢构成的脑细胞支配的，思想就隐藏在脑子里，欲念也在里面产生它的梦幻。

生活就是你的艺术。你把你自己谱成了乐曲，你每天的生活就是一首十四行诗。

上帝的造化，天使的赞美与人何干？

死亡是情感的取消。情感越有限，我们离死就越近。最大的残酷在于否定等待而不完全夺走生命。无期徒刑便与此相仿。

我骄傲地把人们分成两类：一类想法很多，颇有价值；另一类缺乏这样的想法。

人们一般都把邪恶藏在自己心里，而顽固地把德善露在脸上。如果你碰巧没有一点儿戒心，你就会碰上最坏的遭遇。

真理对我们来说已经失去了它本身的力量，但是可怕的痛苦与邪恶一定会再把真理还给我们，地狱永恒的惩罚一定会恢复它的现实意义，直到人类重新变得严肃起来。

在这个世界上，一个人最大的职责就是别管人家的闲事。

这位英雄受着傲慢的折磨，具有形而上学纨绔子弟的一切魅力"面貌更富有人性，它像宇宙一样忧郁，像自杀一样美好。"

完全的自由，不如从头到脚的全面品味。

我的祖国是古老的海洋。海洋具有双重象征，它既是毁灭的也是和解的地方。

我对有名气的人并不太感兴趣。我从来也不能容忍为了和世界上的大人物握握手，而让许多人遭受折磨的那种感情。

每当我被推荐去会晤那些地位显赫、造诣高深的人的时候，我总是寻找一个有礼貌的借口，回避这种荣誉。

为了不怨恨自己，就得自称是无辜，这种勇气对于孤独的人来说永远是不可能的，阻碍他的东西就是他对自己是了解的。

上帝并没有死，但他倒下了。

迅捷是我的天赋之一。有些人为了自己的好处，跑得太快了，就像（撒母耳记）中的亚撒黑似的。

如果被打败的狼自动牵上自己的喉咙，那么胜利者只会猛抓一下，而并不咬它。

一个人要作信条的奴隶，他就是傻瓜。但我们总在孩子幼小的心灵中灌输应该怎样，不该怎样。我们到底要把他们怎么样？我们言不由衷。

随着年岁的增长，人生的乐趣也就逐渐减少，可我的体验是：人能从剩下的几项乐趣当中得到更大的享受。

那些说世界会给人以经验的人，一定会因为有人相信他们的话而感到十分惊奇。

一个女人对戏剧性事件及刺激的需求通常会使她们去追一个不可得的男人，即使如此，她们却拒绝相信这一事实。**无法捉摸的爱人可以提供一个美好的伙伴给这种女人，他惟一的凭借就是保持这种独立及不可得。**

珍娜是个执行秘书，她曾和吉瑞之间存在着一个极端痛苦的关系；吉瑞是个电影公司的经理，他们已有 3 年的往来了。他们的关系就是一种可以称之为下班后的事情。吉瑞每次都会在工作结束后"顺便"去看她（吃晚饭、喝酒、在午夜的电影工业池中做客），他们从来没有真正出来约会过。他告诉她，若外出的话就太像他在工作了，他宁可和她在家中享受那种轻松感。吉瑞所说的轻松感就是和珍娜做爱。他每次来找珍娜就是为满足自己的需求，然后回家。

其实珍娜也很清楚这一点。在一次和吉瑞做爱完毕，珍娜告诉吉瑞不要再来找她了。吉瑞不再来找她了，却常常打电话来，为此珍挪换了好几次电话号码。两个月后，珍娜却给吉瑞打去了电话，并又重新开始了和以往一样的过程。珍挪相信她终究可以得到吉瑞，而且她觉得他也是一个真正可以投入这种关系的人。

事实上，吉瑞是没兴趣和她建立什么关系的。

世界不过是一个个漩涡，这些漩涡之间彼此毫不相干，它们各自向前奔流，就像成群的飞鸟凌空而过。只有这是真的，那就是这些不同的漩涡自从世界存在以来都已经被那始终同样的七个人物渡过了：第一个叫做希望；第二个叫做良心；第三个叫做公论；第四个叫做欲望；第五个叫做悲哀；
第六个叫做骄傲；第七个叫做人。

为了证明女人自身就包含着永恒的魅力，就必须指出男
人本身就包含着永恒的丑陋。

品味是主宰，"仅因为此，人民总应该是些什么。"

这个政治人物被人视为神明，成为至高无上的人，他具
有神明的一切属性。他是不会出差错的，因为这位不可能染
上流弊，甚至不患流感。

历史和气质把人摆到了一个特殊的地位，我想把这种地
位变成有利条件，杀出一条血路，一条不流很多血的路。

我决心叫失去的时间产生启示。

人们要钱干吗？人有钱，就腐化。

独自一人用餐，为什么饭菜不能像请客时一样丰盛呢？

人在上世纪砸烂了宗教的锁链。然而，人刚从中解脱出
来又重新给自己套上枷锁，一些无法容忍的枷锁。品德在死
去，新品味又复生，变得更加气势如澜。

纵情使性，这是时尚的特权。

我想世界上最难的事，莫过于对一件易懂的事装着不懂
罢了。

人只有在滑稽场面中才是真实而宝贵的。

世界是无情的、残酷的。我们生到人间没有人知道为了
什么，我们死后没有人知道到何处去。

我们必须自甘卑屈。我们必须看到冷清寂寥的美妙。在
生活中我们一定不要出风头、露头角，惹起命运对我们注
目。

让我们去寻求那些淳朴、敦厚的人的爱情吧。他们的愚

昧远比我们的知识更为可贵。让我们保持着沉默,满足于自己小小的天地,像他们一样平易温顺吧。这就是生活的智慧品味。

你们这些混蛋为了谋财而害命?仅仅是为了钱?这是世界上最便宜不过的东西。

真正的友谊产生在什么时候,这我是知道的。

古时候,谋杀的血迹至少让人产生一种神圣的恐怖;它使生命的价值神圣化。

美国社会真是有趣。这个社会把它的虚伪叫做道德,它的念珠叫做宗教,它的拖地的长袍叫做礼仪,而荣誉和道德则是它的婢仆;这个社会在它喝的酒里掺着那些头脑单纯的人们的眼泪;只要太阳还在天空,它总是半闭着眼睛来散步;它进教堂祈祷,赴舞会,赶集会,而一到晚上,它解开了它的长袍,于是人们见到的却是一个长着两只山羊脚的裸体的酒神女祭司。

一个人不应该太烦扰于俗事,鸟尚且不这样,为什么人倒反要这样呢?

在你自己的家里如此粗鲁无礼地对待一个女人,你认为这样做很迷人?

一般来说,我认为,才子是很难相处的。他们说话总是絮絮叨叨没个完吧?这是个坏习惯!每当我要他们考虑我的事,他们却老是想到自己。

历史的进程,把衣服穿在我们身上,把鞋子套在我们脚上,把肉放进我们嘴里,它用漫不经心的方式为我们做的事情,永远超过任何一个人有意识的作为。

对我来说,"恶"与"善"这两个字毫无意义。对任何行为，我既不称许道好，也不非难指责，而是一古脑儿兜受下来。

我只替自己说话。

只有当我的活动受到别人限制时，我才感觉到他们的存在。就他们来说，每个人的周围，也各有一个世界在不停转动着。各人就其自身来说，也都是宇宙的中心。我个人的能力大小，划定了我对世人的权限范围。只要是在力所能及的范围内，我尽可以为所欲为。

我们爱群居交际，所以才生活在社会之中，而社会是靠力量，也就是要武力和舆论力量来维系的。于是你面前就出现了以社会为一方，而以个人为另一方的阵势，双方都是致力于自我保存的有机体，彼此进行着力的较量。

我于然一身，只得接受社会现实。

不过也谈不上过分勉强，因为我作为一个弱者，纳了税，就可换得社会的保护，免受强者的欺凌。

不过我是迫于无奈才屈服于它的法律的。

情人拒绝受奴役，宣称自己同被爱者是平等的，然后再轮到自己做主。

人的美妙丰姿是短命的，而我们对其产生的爱也许超出了应有的程度。

对于说真话，人们也许只能够接受他们已经预料到的真话，其余的您就免开尊口。

高尚的人将有前所未有的伟大前途，这句话只在很陈旧的科技书中藏着。

一个人总是要比他的"特点"多一点，大过他所有的感情、奋斗、爱好以及结构，那他喜欢称之为"我的生命"的东西。

　　当你经历过能了解的事物，你就会断定，惟有不能了解的事物才能给你光明。

　　梦想中有着最真实的事物。

　　梦想的本质就存在于艺术家根据自己的经验进行的不间断的修改中，这种修改总是趋向同一方向。

　　梦想是一种具有外形的不可能实现的要求。当最令人心碎的呼叫找到了自己最坚定的语言时，梦幻满足了它的真正要求，并从这种对于它自身的忠诚中取得生命力。尽管这一切遇到了时代的偏见，使艺术上最伟大的风格表达了最崇高的神往。

　　人们经常不断地受到"庸俗、野蛮和粗暴"的威慑胁迫，有时还被它们所钳制，在一些出乎意料的角落里被它们打得头破血流。只在"领地"中吗，也在自己内心。

　　背信弃义的事情太多了。它们是一种介质，犹如空气、犹如水。它们在人的体内进进出出，成为你的同谋。对它们而言，没有任何东西是不可穿过的。

　　上帝已经死了，应当由人的梦想重造世界。

第 7 章

性格本色与品味本色

男欢女爱在自然品质里得到了证实，反过来它又证实了自然的品质。

资产阶级由于它本质的堕落和它令人丧气的虚伪，使那些它引以为据的原则最终威信扫地。

事实上，我通常心里想什么，嘴上就说什么，言为心声。在现在的世界上，这会铸成大错，因为美国更喜欢言不由衷。

美国人不能忍受一个人老是说他自己是对的，可是喜欢一个人承认他自己错了，这是美国人最好的品质。

在美国，作为一个严肃的政治家，若不能够征服大群不道德的听众，每星期演说两次道德问题，他就做不成政治家了，只能去当个农业技师或者牧师。

没有一个贬低理性的讽刺性的明显事实或可笑的矛盾逃

过我的眼睛。我感兴趣的只有一件事，就是意外，不管它是心灵史方面的，还是精神史方面的。

惟有事实和抒情之间的平衡才能使我们同时得到感动和明晰。

地上的品味抵得上天国的芬芳。

人世世代代差不多都有同样的恐惧，同样的欲望。孩子——父亲，父亲，孩子，做着同样的事情，有着同样的欲望。

在地壳之上，在地壳之下，周而复始，循环无穷……这不可能是事物一次又一次反反复复地重复的目的。

任何一个真正的人都会努力打破这种周而复始的循环。对于那些不想掌握自己命运的人来说，他们在这种循环中是不会有出路的。

谁的心肠是好的，谁的痛苦也就是健康的。

一个恶棍的性格如果刻划得完美而又合乎逻辑，对于创作者是具有一种诱惑的力量的，尽管从法律和秩序的角度看，他决不该对恶棍有任何欣赏的态度。

我猜想莎士比亚在创作埃古时可能比他借助月光和幻想构思苔丝德梦娜怀着更大的兴味。

说不定作家在创作恶棍时实际上是在满足他内心深处的一种天性，因为在文明社会中，风俗礼仪迫使这种天性隐匿到潜意识的最隐秘的底层下；给予他虚构的人物以血肉之躯，也就是使他那一部分无法表露的自我有了生命。他得到的满足是一种自由解放的快感。

作家关心的应该是了解人性，而不是判断人性。

夏皮罗坚信：为消除国民意识中的猥亵，米勒能够做到的要多于"整整一场社会革命"。

乔伊斯努力让自己不要去体验性的美或欲念，但米勒从一开始就在自由自在地表现爱和性交这些足以压倒一切的神秘和崇高。

不管享利·米勒作为一位已经获得彻底解放的人的形象多么令人神往，这都远远不是事情的全部真相。事实上，在米勒身上我们发现了美国人天性上患的每一种病。

当然，他的价值也不在于将我们救离了这一苦难，而在于他具有足够的坦诚将这些疾病表达出来，并在表达的过程中让它们具有足够的戏剧性色彩。

米勒的作品具有一种文化性质的发泄功能，米勒表达出来的男性意识，向性赋予厌恶、鄙视、敌意、暴力和污秽感。承受这一切的还有女人，因为性这一艰巨的重荷本身似乎就是由女性承受的。

米勒将自己看成劳伦斯的门徒。

劳伦斯在表现性时礼拜仪式般的拘谨与米勒一意孤行的猥亵毫无相似之处。劳伦斯的主人公在行事时无不带着他们特有的、臭名昭著的庄重，他们"做爱"时根据的则是一纸政治的协议书。在对有关的女性实施制服时，他们诉诸的是小心翼翼的外交辞令和行家的、体现心理分析原则的处置。但米勒和他的同伙们（米勒也有他的帮派）对待女人的做法是"干"毕后就将她们抛弃，就像人们使用卫生设备时那样（比如，就像使用毕克里斯面巾纸那样，用毕即扔掉）。"干"就是一切。如此行事的米勒们实为一群唯利是图的小贩和骗子，根本不屑于客套和做作，也丝毫没有说教的企图。

劳伦斯曾下了极大的功夫要消除对待爱情的罗曼蒂克态

度。乍看上去，米勒似乎在这方面得天独厚：他根本不知道罗曼蒂克的爱情为何物。但实际上，他这种冷酷的处置是要对罗曼蒂克爱情中的脉脉温情进行亵渎，而这种温情刚好是劳伦斯一分钟也不愿放弃的。

采用这一粗暴的方式，米勒暴露了"爱的欺骗"（一种用性爱伪装起来的色情）无异于一种哑剧。它的程序十分简单：遇上一位女人，哄骗她愿意和你"干一次"，其后你就扭身走掉。

米勒追逐女性的方式是一种原始方式：发现对象，交配，然后将这一切置之脑后。

在米勒以前，劳伦斯已让女权主义的要求退回到人身权力的承认和比较充分的社会参与，而他的手段是将它们歪曲成了美其名曰"自我完善"的植物性的被动。他的这一处置为米勒铺平了道路：现在，后者可以公开地鄙视女人本身了。

劳伦斯表现的终究还是人，米勒则可以自由地将人作为物件来表现。即，米勒干脆将女人变成了——物件，商品，物质；再也没有必要去承认或面对人格，也没有必要像劳伦斯那样从弗伊德那里借来智慧以便从心理上巧妙地对女性地行驯服或打击。

尽管两人都将幻想调动起来服务男女之性，但劳伦斯的运用体现了实用主义，其目的是强制女人作出情感上的屈服，强制的对象通常是一位相当有力量并且很聪明的女性。

米勒需要处置的是千篇一律地处在手淫的呆想状态的女性本身。在米勒大量行为不检点、漫画性质的人物群像中，我们可以莫德和马拉这两个人物为例：在她们出现的那些色情片断中，她们的人格和性行为完全是无足轻重的；事实上，将任何别的女人的名字安到她们头上都无损于故事的情节—她们可以与任何别的女人互换角色。原因是，每一场性的发作都一样——都是男主人公在一种低级动物的生物现象面前将自己自觉的超然存在演示出来：

在那闪亮光滑的物件上，马拉像鳗鱼一样扭动着。她不再是一位热透了的女人——她根本不是女人；她只是轮廓模糊的卷曲着蠕动着的一团肉，那景象就像在风卷云涌的海面上，你头朝下透过一面凸镜看到了刚刚挂到钓杆上的一条蛆。

对于她这种狂热的扭动，我早就不再怀抱兴趣；此时，除了我陷在她体内的那一部分，我像天狼星一样沉着和冷静……

东部标准时间的拂晓，透过颌部周围冻奶酪似的表情，我窥见了正在发生的事情。她的面孔经历了子宫内胎儿的一切变化——只是在顺序上完全颠倒了。当最后一点光亮从她面孔上消失时，它就像被针扎破了的皮球，一下子泄了气。眼睛和鼻孔，就像在翻炒中爆裂的橡果，翻滚在微波起伏的、苍白的皮肤的湖面上。

维多利亚时代的人（或他们中的一部分）用了一个俚语来表达他们做爱的亢奋："耗尽了"（"to spend"）。这其中表达出的是经济上的不安稳和有限的财力物力，也许还是对资本主义的节俭的回顾，即，如果精液是金钱（或时间，或精力）的话，就应该将它囤积起来。

米勒不是这样的吝啬鬼，但在他的思想中，性与金钱还是有着某种不寻常的联系。根据美国金融的道德观，米勒在

40岁以前是一位地地道道的失败者：写不出东西的作家，在穷困潦倒中勉强活命的漂泊者，靠施舍度日的无业游民。

亡命巴黎时他的窘困暂时有所缓解，但在这以前，他深感在自己生活的环境中，艺术的和思想的产品受到鄙视，自己只能是这样的环境的俘虏，在这一环境中男性只能在金钱或性中找到出路。

当然，米勒是一位持异见者，一位叛逆。但是，尽管他痛恨金钱意识，又深受其毒害，他只能用性来取代金钱，并从中求得出路，面这正是人性的贪欲冲动由一个对象向另一个对象的转移。

通过将女人视为商品，他就有了机会去体验"成功"的欢乐。如果不能赚钱，他至少可以赚女人——如果赚钱还需要用借来的钱作本钱，那就做一笔大大的无本生意吧。

在向国人报导法国人在性的文明方面的优势时，米勒最好的证据是法国人优越的办事方法。

妓女的主顾"获准在购物前检验和操作欲购之物"——他将这一做法恭维为"公平交易"。不仅顾客不必和"货主"争辩，如果是在侨民之间交易，条件还要进一步宽松：毫无疑问，"只要你不为额外的肥皂、毛巾费用伤脑筋，你完全可以带上半打女人去到一家旅馆。"

只要你愿意花钱——米勒满怀美元文化的自负情绪解释说——就没有其他人为的问题需要你考虑。"在旅馆，我撖铃要女人时，就像你们按铃让人送威士忌和苏打水一样，"米勒吹嘘说；显然他是在梦想自己有着如水的钱财，并为它的无穷威力陶醉了。他还确信，美国的浪荡子们坚定的信仰是：外国人在这方面就是要比美国人干得漂亮。

在担任西部工会人事经理期间，米勒对向他求职的女人们兴高采烈地执行开了性和经济两种权力完美的结合。"这种把戏的程序是：先让她们上钩，向她们保证一份工作，但在此之前免费将她们操一顿。通常情况下，你只需往她们口中扔一把饲料，夜间她们就会回到办公室来，届时你就可以将她们铺平在换衣间镀锌的桌面上。"就像所有美国人知道的那样，商场即战场。当职员们被公司"操"了之后，他们可以通过"操"他们的秘书来进行报复。

米勒的秘书是一位"兼职的黑鬼"，并且"像着了魔，一点也不脸红地希望别人将她操一通"，因此她甚至可以被拿去和这位老板的好友柯利同享。她最后自杀了，但在商场，根本的法则是，"或者你操人，或者别人操你"。

性是在经济的基础上展开的消耗战。在这一点上，一个令人难忘的实例是米勒和他的朋友范·诺登一天夜里在巴黎雇佣的一位 15 法朗的妓女。

他们两人对她毫无欲望，尽管她已饿得筋疲力竭，但由于已经花钱，仍不能不将这一价值从她身上榨出业。

由于性不仅是商品，同时还是硬通货，米勒的冒险故事读起来让人觉得他是在欺诈中屡屡得胜的高手，给人带来无穷无尽的刺激，并且体现一个直截了当的前提：数量就是质量。

就像对所有将利润视为最的商人一样，"商品"本身是令人厌恶和可鄙的；甚至资本积累本身，与随之面来的权力相比，也黯然失色了。在米勒叙述的性交中，人们本来就很少感觉出有女人的存在。但是，苹果不会作出抵抗，从而为征服者作出的冒险行径，以及"将她操翻"的乐趣，全都因此丧失殆尽了。

米勒实际上承认，他"一生中""干得最好"的一次是与基本上已丧失理智、住在楼上的一位"傻子"。"一切都在不明身分、毫无规划的情况下进行……依我说，在裤腰带以上，她完全是痴呆的。一点不假——那以上的部分尽管还有活气，但绝对地又傻又笨。也许这就是为什么她的 X 美不胜言地不具备个性吧。那真是百里挑一的好 X！……光天白日与她扭到一起，眼睁睁看着她慢慢地由痴呆变疯狂，就像在夜色降临时，看着一只鼬鼠走进圈套。我需要做的仅仅是在黑暗中躺着，将裤子的钮扣解开，然后等着。"在整个过程的描述中，我们看到的既是劳伦斯的咒语（让思想死去，以便获得"血的意识"）一例庸俗的、机会主义的运用，我们同时还本能地意识到，他们俩人如出一辙的这一思想，在极大程度上是一种病态的恐惧作祟的结果——他们都害怕面对另一个完全的人格。

这以前，马拉曾恶毒地抗议过："你从来没有尊重过我——从来没有把我当人待。"但到了后来，在一系列重复的大吵大闹的场面中，米勒已能充分利用她的歇斯底里，将她架上"操墩"，然后"带着冷血动物般的狂热"翻到她身上。这以后，再行这种事时，一切就变得"迅速而俐索起来……没有了眼泪，没有了卿卿我我，"一直到"斧子"落下——这是米勒一个怪诞的比喻，大概是指他的性亢奋和她的被了结吧。

米勒理想中的女性是妓女。劳伦斯将卖淫嫖娼视为神殿里的猥亵，但在米勒看来，性的商品化不仅是令男人高兴的一种便利（因为花钱比说服要简便得多），还是女性存在的尽善尽美的体现——它将这一存在完全局限为一个女人所能发挥的功能。

为了验证这一切，他援引了杰曼（美国旅游业中最杰出的妓女）的事绩。"从摇篮时期起她就是一位婊子；她打心眼儿里对自己的角色心满意足——事实上，她很欣赏自己的这一角色。"

弥漫在米勒作品中的是一种男人住地的品味。他童年时代的朋友仍是他青年时代，成年时代，乃至年老以后的朋友。约翰尼·保罗和少年时代街头帮派的其他英雄继续是崇拜的偶像，继续是米勒文学诸神（斯彭格勒、尼采、陀思妥耶夫斯基）的奇异的伴侣。六卷本的自传，甚至论文，都是一首永无止境的，往往自我怜悯的挽歌，哀悼他已流逝的青年时代的天堂。

他对性的态度就是在性的方面受到抑制的青少年的态度；对这些人来说，性永远处在隐秘的气氛中，要获取它不是易事，每一次体验都取决于一场需由男性付出勤劳和智慧的对女性的征服，而制服的对象要么是愚蠢已极地百依百顺，要么是圣人般的不予合作。

在本街区有一位女孩，恨不得将男孩的阴物全吞下去，但大多数是需要花费一番周旋的小气角色；她们是"好女孩"，即在父母和宗教的影响下已堕落的不好对付的 X。

第一类人向男性提供了廉价的来自他们优越感的洋洋自得，亦即对她们十足的、绝对的鄙视；第二类人由于难于制服，总会在不妥协者身上激发起永远属于他们的那一份敌意。攻势愈是艰苦，随之而来的荣誉更加伟大。但是，如果这一胜利不能成为吹嘘的材料或窃笑的把柄，它就毫无意义。

人们会获得这样的印象：如果性没有受到无处不在的、同一年龄层次的一群好友的观察和喝采，它就算不上是一桩伟业。所以，在米勒的叙述中总少不了某种亲身向人言说的情趣，似乎是在娓娓动听地向男人们讲述一个故事。"那以后，我就不得不一次又一次抽出身来，然后再插进去，狠狠地插进去，一直没到把柄。她没命地扭动着，活像一条鳗鱼——我要是有半句瞎话，我他妈的不是人。"他在这时表达出的强烈的异性性感，在一定程度上取决于同性恋的共鸣。

米勒性的幽默属于男性品味的那种性格幽默；或者，说得更具体一点，属于男人房间里的那种幽默。

和所有自己人集团的幽默一样，它的作用取决于一系列共有的前提、态度和反应，所有这一切反过来又构成了他们之间的纽带。在他们这里，性成了一种游戏，它的乐趣则在于对一位弱的强制性的、战略上的欺骗和操纵。

而这一切所满足的，主要不是性的本能，而是男性的自我品味。原因是，在愚弄一位牺牲品的欢快气氛中，感官的快乐大体上已被抵销了。

有些人对这一游戏的优越性深信不疑。对这些人来说，所有的机会都能被利用起来。以下是令人敬畏的米勒的一段神奇的故事。他曾经十分傻气地尊敬、爱慕过一位女性，在她的跟前他总是面红耳赤，结结巴巴说不出一句完整的话来，并荒唐地想像着：她不可能随随便便就让人"干一顿"。

现在她的丈夫故去了，他将前去吊丧。他作出了精心安排：他首先布置了场面，欢迎他的朋友们前去现场参观他的安排。"一张低矮的沙发，""灯光柔和；"列举了饮料，然后描绘服饰——"一件美丽的，短短的晨袍。"他吊唁她丈夫的颂辞进行到一半时，突然来了灵感。"我不动声色撩起她的衣裙，将那东西向她塞进去。"马会真相大白：这位寡妇会不会地行抵制呢？就像一场梦，这一突然的袭击竟然取得了立时的胜利。"当我将它插进她的体内并开始搅动时，她居然立时哼唧起来……像是神经出了毛病……带着喘息，以及轻轻的、悲喜交加的尖叫。"最后是从中引出的这一启示："我暗想：我真是个大笨蛋，竟然一直等到今天！她的下身粘糊得一塌糊涂……天哪！谁都可以向她走去，谁都可以在她那里为所欲为。她是一座毫不设防的城池。"这就是全部真相。这一笑话的寓意是：仅仅由于缺乏冒险的勇气，或仅仅由于听信了虚假的流言，多少美好的机会竟被我们遗误了！

男人房间文化氛围多年的熏陶让米勒建立起一种信仰：性不可避免地是肮脏的。对于那种地方的乱涂乱写他作出过思索："墙上四处是胡乱划上去的人物和言语，全都出奇地猥亵。"他沉思道，"面对这一切，那些自命不凡的太太们会作何感想……如果得知了人们对她们屁股的设想，她们还会那么盛气凌人地扭着那个部位吗？"

在许多方面米勒是一位将来主义者，一位十分具有创造力的艺术家，但他对性的态度最具创意的贡献仅限于将一种古老的鄙视情绪首次充分表达出来。

米勒的确有某些十分重要的事情要告诉我们；他笔下毒汁四溅的性别歧视，为我们从社会的和心理的角度对它作出理解，无疑作出了我们绝对不能忽视的、诚挚的贡献。但是将这一病态的敌意和毫不隐讳的污蔑与理智混为一谈，却是不可取的。将它们与自由混淆起来，如果不是非常可悲，就是十足的居心不良。

快乐只能来自按照自己的品味行事，这就是快乐之所在，而无需乎顾及以前的各种想法，我愿意随心所欲，这是人生的最高境界。

即使在至高无上境界，也是既无旧又无新的，而只有冥冥之中的造化，它可以嘲笑我们的人生安排——甚至嘲笑我们之所以是人。那本身的内涵是丰富的……不过人生这场戏还是应该容许的。安排也是应该做的。

上帝对人是公平的，人生在世不可能什么好事都全占的。

我意识到我不能离开我的时间，我就决定与它结为一体。仅仅是因为我觉得个人是可笑的屈辱的，所以我才那么重视他。我知道没有胜利的事业，就对失败的事业感兴趣；它需要一颗全心全意的灵魂，对它的失败和对它的短暂的胜利一视同仁。

我们只是考虑到书本的教诲、传说的神奇和众人的怂恿，我们把与一个人联系在一起的东西叫作爱情。

个性？在我看来，一个人因为看到另外一种生活方式更有意义，更适合自己，于是只考虑半小时就甘愿抛弃一生的事业前途，这才需要很强的个性呢。

社会油子和艺术家或者绅士相同，是不属于哪一个阶级的。

美在自身中有一种不可救助的非正义。

我过去认为社交是一种低级活动。柏拉图告诉我们说，假如一切都像应该的那样，那些最优秀的人物就会让贤，而不会抢官当。

倘若你有能力看见，你会愿意这么说：想像的弱点导致异化，但一个类似的弱点不会在社交上有损于你。

我有权力从诗歌中汲取爱情，在莎士比亚的戏剧中找到我的妻子，这难道不对吗？莎士比亚教会她说话的嘴唇已经在我的身边俏俏吐露了心底的秘密。拥抱我的是罗莎琳，我吻的是朱丽叶。

只有享乐才值得有个理论；它的创造者是天性，享乐是天性对我们的检验，是天性认可的标志。我们快乐的时候总是好的，但是我们好的时候并不总是快乐的。

唐璜并不想"收集"女人。他穷尽其数量，并且同她们一起穷尽生活的机会。

我们常常发现，愈聪明世故的女人，她的选择愈愚笨、愈容易自我挫败。我们相信，从女性相信现代男性的伤害性来看，这些愚笨的选择不但是开端，而且是永远的潮流。

伊丽莎白，28 岁，一家设计公司的主持人。她认为自己的感情和聪明才智都远远强过她所碰到的大多数男人。她和每个男人的相处似乎只是在结束一种关系，而又总是有一套完美的逻辑理由。那些男人，无论多么风趣、机智或体贴，都被她拒绝了。

有时她会突然抓住一个男人，像素德，一个很有名气的律师；保罗，一个感情丰富的报社记者兼业余诗人。起初，伊丽莎白曾深深地被他们的个性所吸引。但是，她很快就发现了他们身上的某些让她感到不如意的地方。

韦尔是个房地产开发商，许多人都觉得他能赢得她的芳心。伊丽莎白被他深深地吸引。最初她曾对朋友们说：韦尔是我遇到的最优秀的男人。但是短短的几个月后，她慢慢地和韦尔断绝了关系。她抱怨韦尔在床上"缺乏想像力"。

伊丽莎白从来不承认她需要完美的男人。她也不认为自已过于吹毛求疵，她只是承认自己是一个知道想要什么的女人。

品味，标志有能力以过去为生。

什么也没有解决，但是一切又都改观了。人们将死去，是以跳跃来逃避、重新盖起一座适合他的观念和形式的房子吗？还是相反，人们会接受荒诞的令人痛苦却又奇妙无比的挑战？让我们为此做出最后的努力并得出我们的一切后果吧。

躯体，温情，创造，行为，人类的高贵，让我们在这疯狂的世界中重新获得它们的位置吧。人们将终于在那里获得他的伟大的赖以为生的荒诞之酒和冷漠之粮。

这很可能是真的：一个人对我从前来说永远是陌生的，他身上总是有某种我们抓不住的不可制服的东西。

我想清楚地表明，我说起话来就像受到或体验到光的人一样。我指的不是"光线"，我说的是一种"生命之光"，一种难以确切表达的东西，特别是在这样一类描写中，有如此多好斗的谬误、愚蠢虚妄的人物行动和现象处于突出的地位。而这种"光"，不论它被怎样描述，现在已是我身上的一种真正的元素，就像生命的气息本身一样。虽然我对它的体验只是短暂的一瞬，但它却持续了很久很久，足以使人信服，并且造成了一种使人莫名的快乐。

人们动不动就谈美，实际上对这个词并不理解；这个词已经使用得太滥，失去了原有的力量；因为成千上万的琐屑事物都分享了"美"的称号，这个词已经剥夺掉它的崇高的含义。

一件衣服，一只狗，一篇布道词，什么东西人们都用

"美"来形容，当他们面对面地遇到真正的美时，反而认不出它来了。

他们用以遮饰自己毫无价值的思想的虚假、夸大使他们的感受力变得迟钝不堪。

正如一个假内行有时也会感觉到自己是在无中生有地伪造某件器物的精神价值一样，人们已经失掉了他们用之过滥的赏识能力。

今天的品味是在昔日的荒原上创造出来的。

性的观念歪曲了那些信誓旦旦的人们的思想，他们本来都是虔诚的弟子。

你愿意相信在这个世纪里，疯狂、罪恶和灾难就是人类的命运吗？

老一代的人有的也模仿年轻人的滑稽动作，努力叫自己相信他们的好日子还没有过去；这些人同那些最活跃的年轻人比赛喉咙，但是他们发出的呐喊听起来却那么空洞，他们有如那些可怜的浪荡女人，虽然年华已过，却仍然希望靠涂脂抹粉，靠轻狂浮荡来恢复青春的幻影。

聪明一点儿的则摆出一副端庄文雅的姿态。他们的芜尔微笑中流露着一种宽容的讥消。他们记起了自己当初也曾经把一些高踞宝座的人践踏在脚下，也曾是这样大喊大叫、傲慢不逊；他们预见到这些高举火把的男士们有朝一日同样地也要让位于他人。

我们很少信任比我们好的人，这可太真实了。

我们肯定避免与他们往来。相反，最为经常的是我们向和我们相似、和我们有着共同弱点的人吐露心迹。因此，我们并不希望改掉我们的弱点，也不希望变得更好，我们只希望在我们的道路上受到怜悯和鼓励。

我们希望不再有罪，同时对自己的纯洁不做努力。

不要太多的无耻，也不要太多的道德。我们既无力做恶亦无力为善。

我们应该有耐心等待着末日荒原。同时也需要勇气。

一个人的外貌同他的灵魂这么不相称，这实在是一件苦不堪言的事。

要是你硬逼着自己讨别人喜欢，那说明你现在已经穷得没有办法了。

虽然我们没有明确意识到，我们还是非常重视别人看重不看重我们的意见，我们在别人身上是否有影响力的。如果我们对一个人的看法受到他的重视，我们就沾沾自喜；如果他对这种意见丝毫也不理会，我们就讨厌他。我想这就是自尊心中最厉害的创伤。

人人都这样，只想到自己，到世界末日，想到的还是自己。每个人心里都有一种秘而不宣的法宝，为了这法宝，他什么都愿意干，甚至会把这世界搞得天翻地覆，但他宁愿让这世界化成灰烬，自己同归于尽，却不肯把这法宝交给别人。

我的母亲有一套逃避现实的方法：部分地避过脸去。她以左脸去接受现实，而有时右脸就避开它。

既然我支配着生活，我就坚持装作喜欢一切。

在荷兰，人人都是绘画和郁金香方面的专家。

我的最大缺点就是爱摹仿一切使我感动的东西，不是为了它的美，而是为了它的奇特，却又不愿承认自己是摹仿者，我拼命夸张，目的是为了显示新奇。

照我的意见没有一样东西是好的，甚至连过得去的也没有，总之没有任何值得我一顾的东西。可是我一旦在争辩中激动起来，就似乎文法里再没有足够夸张的词句可以用来颂扬我所支持的东西了；但是一旦别人同意了我的意见，我就会兴趣索然。

我对于生活有很大的潜能……我是一个非常可爱的人。但是我必须设法摆脱掉怨恨。怨恨会把我吃掉的。

在品位的核心，品德、规矩的生活具有怀旧的味道。

在生与死面前，没有不偏不倚的精神。

性格是一种姿态。

每个天才既是奇特的，也是平庸的，天才若仅是其中之一，那么他就一无是处。

我对这些所显示出来的肤浅的爱好大为失望，甚至我的梦也睡着了。

那么钱怎样呢？钱是保护睡眠所必不可少的。但是花钱却会逼得你清醒起来。当你清除眼睛里的内翳，升入更加高超的意识之中时，钱就需要得少的多了。

我常常感到，梦的本能在显示自然的内在努力。对拯救想象的官能来说，睡就是睡，醒就是真正的醒。

活着，就用所有性格接受赌规。

生活的价值在于它本身，而不在于如何描写它。

我的目标是要探索生活所提供的多方面经验，从生活的瞬息中捕捉它所激发的感情涟漪。

我把自己的活法看成是一种幽雅的艺术，是用它来增添而不是减少现实生活的乐趣。至于后世如何评说——让他们见鬼去吧！

我讨厌那些被妆扮的偶像。

我虽然和大家一起受过如何欣赏这种偶像的训练，但对他们的专横我实在感到厌倦。我甚至感到那块丽的纱幕也今非昔比，这该死的东西就要破损不堪了，就像一条墨西哥男厕所里的环形毛巾。

假如有人打算欺骗我，最好的方法是以我自己的姿态作风来做这一套。公平合理，这是理想的因果报应。哲学的虔诚可以描绘出这种姿态作风。

他们显然是疑心我的生活很充实，自由地沉溺在幸福中，而这是他们不可饶恕的。

成功的神气，当它被以某种方式表现出来时，会使驴子发怒。

都喜欢把别人设想得那么好，是因为我们害怕自己。

乐观主义的基础是彻头彻尾的恐惧。

我们自认为慷慨大方，是因为我们把可能对自己有利的美德奉献给了别人。

我们夸奖某个银行家，因为我们可能要透支；我们称赞拦路抢劫的强盗身上也有高尚的品德，因为我们希望能保住自己的钱袋。

我最蔑视乐观主义。

至于说生活被搞糟，只有当他的发展受到抑制的时候，他的生活才会搞糟。

如果你要破坏一个人的天性，只稍把它加以改造就行了。

至于说到婚姻，这种事当然是愚蠢的，男女之间还存在着其他的更加有趣的纽带。对此我当然要加以鼓励。它们具有风靡一时的魅力。

我认为被惩罚是正常的，这是赌规。我接受了全部赌规，这正是我的慷慨。但是，命运是不是一种惩罚？

我是为了一种观念，一种怀念而准备去死的。这是高品味的自杀。

我确信我的自由到了尽头，我的思路没有前途，我的怀念可以消亡，然而我在我生活的时间中继续我的冒险。

这就是我的场地，这就是我的行动，我避免自己的判断以外的任何判断。对我来说，一种更伟大的生活并不能意味着另一种生活。

我觉得，生前你是从自我的核心向外看，而死后，你是从圈子以外向内看。

我从未打心眼里相信人类的事务可以是严肃的。严肃在哪里，它不存在于我所见的一切东西里，除此之外我一无所知，我只觉得我见到的事就像一种游戏，或者令人开心，或者惹人生厌。

那种我永远也不理解的努力和信念的确存在着。

我总是以一种惊奇的、略带怀疑的神气看着那些奇怪的人为金钱而死，因失去某种"地位"而绝望或者神气凛然地为家庭的兴旺而献身。

假如人生确是我的一个问题，那么我也是人生的一个问题。

我也不解地说过"悲哀把人再嫁于神"的但丁，为什么对于迷恋忧郁的人们如果真有这种人那样地冷酷。

悲哀教给人的一切，就是我的新世界。

我知道这天空既没有话语也没有深度。

在一个人对生命的依恋之中，有着比世界上任何苦难都更强大的东西。

肉体的判断并不亚于精神的判断，而肉体在毁灭面前是要后退的。我们先得到活着的习惯，然后才获得思想的习惯。在我们朝着死亡的一方决赛似的奔跑中，肉体始终处于领先地位。

古代的奴隶并不属于自己。但是，他们知道那种根本感觉不到负有责任的自由。

还有什么更可怕的形象：一个为肉体所背叛的人的形象，他不能适时而死，就一边等着结束，一边演完喜剧，面对着他并不崇拜、却像侍奉生活一样地侍奉着的神，他跪在虚无面前，双臂伸向天空。

每一种快乐都驱使我追求另一种快乐。我参加了一个又一个晚会。有时通宵跳舞，越来越对人和生活入迷。

有时，我在这些晚会上滞留很晚，跳舞、低度烧酒、我的发作、众人粗暴的放纵，将我投入到既厌倦又满足的沉醉之中，仿佛在疲倦到极点的一刹那间，我终于知道了人和世界的奥秘。

我认为按照愿望去努力奋斗从来都不会成功。年复一年的期望和意愿，意愿和期望，到头来是怎么个结局呢？一场平局，统统都化为尘土。

每一个人都应该对自己有一个恰如其分的印象……

对修士和修女而言，愿意受苦是一种体验感恩的形式，是一种体验邪恶和把邪恶转变成善行的机会。

他们相信，灵魂的转回能够而且也会在一个人的有生之年完成，他会用某种方式来利用他的受苦，即使在他生命的最后时刻，当上帝的恩惠以一种对真理的幢憬来报偿他时，他会感到高尚而含笑死去。但是这只是一种特殊的磨炼而已。

有时候一个人偶然到了一个地方，会神秘地感觉到这正是自己栖身之所，是他一直在寻找的家园。

于是他就在这些从未过目的景物里、从未相识的人群中定居下来，倒好像这里的一切都是他从小就熟稔的一样。他在这里终于找到了宁静。

被宣判死刑的病人一定拿自己同医生比较，看到医生身心健康、享有生活的宝贵权利，一定又气又恨。

我想把世界装饰得光彩夺目，可是我材料不够。我费尽了心机，只不过才装饰到肚皮上。而肚皮以下，还是众所周知的粗野的裸体而已。我是一个可爱的人，落落大方，有一颗黄金似的心。可是，我的善良依然是人们认为过了时的善良，我所用的光辉依然是陈旧得已经极为罕见的光辉。

有些人诞生在某一个地方可以说未得其所。机缘把他们随便抛掷到一个环境中，而他们却一直思念着一处他们自己也不知道坐落在何处的家乡。

在出生的地方他们好像是过客；从孩提时代就非常熟悉的浓荫郁郁的小巷，同小伙伴游戏其中的人烟稠密的街衢，对他们说来都不过是旅途中的一个宿站。

这种人在自己亲友中可能终生落落寡合，在他们惟一熟悉的环境里也始终于身独和。

也许正是在本乡本上的这种陌生感才逼着他们远游异乡，寻找一处永恒定居的寓所。说不定在他们内心深处仍然隐伏着多少世代前祖先的习性和癖好，叫这些彷徨者再回到他们祖先远古就已离开的土地。

我要让你看看我的灵魂，你会看到你认为只有上帝才能看到的东西。

让我们一起来听听雷曼教授生活中的一段插曲吧。

我已经 51 岁了，我和史蒂芬结婚已有 22 年。史蒂芬不是一个热情的人，这倒不是她的错，她成长的家庭并不习惯亲吻或拥抱彼此；我当然知道她爱我，可每次我牵她的手，或是搂她的肩膀，她都会躲开。她几乎从来不碰我，在床上也一样，有时候我是如此需要感情的慰藉，几乎想死个一了百了，问题确实很严重。

后来我终于想出来可以到外面寻找我的需要，不只是为了性，而是为了让日子过得下去。

有一年夏天，我在波多的会议上认识了年轻的物理系讲师妮娜，她是如此开放、温柔而富有爱心，我很快就坠入爱河。

事情虽然已经过去了 3 年，我还是能记得当时的感觉。

我帮助妮娜在纽约找了一份工作，我们在一起度过了四年半。我从未离开史蒂芬，但是经常去妮娜的住所，有时还留下来过夜。性生活并不是最重要的，我要的是感情。

史蒂芬当然知道发生了什么事情，她并不笨，可是她似乎毫不在乎，至少我认为如此。我还以为她很高兴我有了外遇，因为对她来说我只是一个陪她出席宴会的男伴而已。在我看来，她要的只是面子，而丈夫是面子的一部分。

我觉得她如果在乎我，一定会争到底，可是她没有，日子还是照常过。

后来有一天，我提早从妮娜的住处回家，却发现史蒂芬抱着我的相片哭成了个泪人儿。她转过脸去避开我的目光，我感到很难过，便走上去拥抱她，这一次她没有躲开。

就在那一刻起我觉得日子不能再这样过下去了，我突然发现史蒂芬并不是没有感情的人，她只是无法表达而已。我不但没帮助她，还到外面去满足自己的需要。

即使到现在，想起她独坐在家里哭泣的画面依然叫我心砰。

从那个时候起，我努力体谅她，史蒂芬知道我的感觉以后，也很努力。她虽然永远无法像妮娜那么开放热情，但是她更好。

我不希望大家以为我是可怜史蒂芬才回到她身边，实情复杂多了。我回去是因为那是我第一次知道她多么爱我。知道这一点让我知道我们还是有希望的。

有时候我想，是妮娜的存在让我保住了那几年的婚姻。有时候还会想，我是从一个"天堂"走回到另一个"天堂"。

我不知道未来是否会有地狱在等着我。

我们每个人身上都兼有天堂和地狱。

不管是欢乐的还是痛苦的。青春的微笑可以是无缘无故出现的，这是它最主要的魅力之一。

人的生命太短促了，大可不必替别人的过错承担责任。各人有各人的生活道路，每个人都为自己的生活付出代价。

遗憾的是，单单为了一桩过失，往往要没完没了地付出代价。

理性和非理性通向同一个说教。实际上，道路并不重要。有到达的意志就什么都够了。

在人们的种种欲念中，生的欲望是最可怕的一种，它加速着每一条神经、每一根纤维的颤动。

过去他一度憎恨丑恶，因为它使事物显得真实，现在由于同样的原因，他却对丑恶感到亲切。丑恶是客观的现实。

粗野的詈骂、下流的穴窟、放荡不羁的生活、窃贼和无赖的劣迹，这些客观事实就其给人留下强烈而鲜明的印象而言，远远超过一切优美的艺术形式，超过一切仙乐幻境。人就是指望这些东西达到忘怀的目的。

地狱应当是这样的：街道挂着招牌，但无法解释。人们一经划定等级，终生不变。

我，我，我，这就是我宝贵的生命之歌，不管我说什么，都听得见它。我永远是一边说话，一边自我欣赏。

面对所有的人我感到自由，其最充分的理由是我不承认有与我平等的人。

我总是自视比所有的人都聪明，这我已经说过，但我以为自己更敏感、更机灵，是个优秀射手、无与伦比的司机，最好的情人。

我自己是个镇定自若的人，曾经让艺术代表我疯狂地表现艺术自己，以满足我的某些愿望。这正好说明我喜欢艺术……这种心理上的代表也许来源于代议制的政府。

因此，当一个善于表现的朋友死去时，代表就回到我自己身上了。而当我也成了别人的善于表现的代表时，到头来就成了纯粹的苦难。

对坏事的好奇心使人的天性高速发达。

当然这一切是从一切不纯洁的接触中产生的。这是总想揭开坟墓出来徘徊的往事魅力的本能，这是一种无法解释的品味，是上帝用来处罚一切堕落的人的办法；因为他们内心相信任何人都会犯错误，虽然他们或许也会因此难过。但是他们找寻、追求、争取这样的机会；他们把头歪在一边，好像建筑师在用曲尺来测量一个角度，他们就这么一本正经去干，看看到底他们需要的是什么。

当他们证明这是坏事之后，他们便为此微笑了。当他们不能确定好坏时，他们就对它加以诅咒；对好的呢，他们却偏要看它的反面。

既然人生在世只有一次，那就切不可虚度此生。也许应该阅尽人世沧桑，做到人尽其才吧。

像富人叫穷只不过是普通的愤恨作态罢了。

人类的胡说八道使我们背离了伟大的情感，这是多么可悲啊！也许我可以借助于目前的行动，一劳永逸地掌握真理。

人类的情感真是一根威力强大的杠杆！它是我们用以保卫和救护自己的工具，是上帝所赐我们的最好的礼物。它属于我们并且服从我们，我们可以把它投向空间，而一旦它离开了这颗脆弱的头颅，就算完事，我们再用不着去管它了。

假如我的余年不了结于残废、损伤或不完全，那么重要的事情、在我面前的事情和我不可不做的事情，是把一切我所做的事情吸收到我的性格品味内，把它变成我的一部分，并且毫无不平、恐惧或厌恶地接受它。

我明白了为什么我解释一切的那些理论也同时使我衰弱。它们把我自己的生活的重负从我身上卸下，而我是应该独力承担的。

我已经渐渐喜欢保守秘密。这似乎是一种可以使我们对现代生活感到神秘或奇妙的方法。一件最平常不过的事，只要把它隐瞒起来，就会变得趣味盎然。

寻找真实的东西并不就是寻找所希望的东西。如果为了摆脱这一苦恼的问题："人生究竟是什么？"应该像驴子以幻想的玫瑰花为生，而不是屈从于谎言，那么荒诞的精神更愿意毫不颤抖地接受克尔凯郭尔的回答："绝望"。一切都细加斟酌，一个下定决心的灵魂总会想出办法的。

我忘了一切，而首先是忘了我的决心。实际上，什么都不算数。战争、自杀、爱情、苦难，当环境迫使我去关心，我当然关心了，然而是以一种彬彬有礼、浮光掠影的方式去关心。

有些人其信仰在于原谅一切侮辱，他们也的确原谅了，然后却永远不能忘怀。

我不是那种原谅侮辱的人，但是我最后总是忘得一干二净，以为被我憎恨的人看到我笑盈盈地向他致敬而感到惊讶不止。根据他的天性，他或者钦佩我精神之博大或者蔑视我的怯懦，却想不到我的理由更为简单：我连他的名字都忘了。

于是，使我冷漠或不讨人喜欢的同一种弱点却使我成了一个高尚的人。

我的心灵在进行一项严峻而离奇的苦役，并且在这项苦役中奇怪地痛苦地膨胀、悸动。

对付天真的纽约只有一个办法，就是童心不改。

世界不断地干扰着我。我必须恢复以往的魔力。我觉得我仿佛生活在现实的边缘，若即若离。这种局面应该结束了。我要定居下来。我要在这儿（指地球上）做一些事，做一些好事。

聪明人总爱使用一些现成的词语，通俗的形容词。只有生活在某些人中才懂得其涵义的动词，这些词使闲谈显得愉快自然，平凡朴素，他们倒是信手拈来，毫不费事。

美国人也许是世界上最讲效率的人，他们使用这种手法达到尽善尽美的程度，发明了大量精辟有力而又平凡无奇的词组，因而可以进行生动有趣的谈话，而不必费脑筋去想他们在说些什么。这样，他们的头脑就有闲空，可以考虑大买卖和私通之类的更为重大的事情。

如果生存确是一件挺恶心的事，那么信仰实在是一种解救，虽然看来有点渺茫。

没有一个哲学家懂得平凡是什么，也没有一个哲学家不深陷于平凡之境。

一个人的道德力量或者是精神能力，可以从其平凡的生活中衡量出来。

你听说过有些人为了赡养老母，不惜沮制滥造些无聊作品来骗取钱财，这表明他们是克尽孝道的好儿子，但这可不能成为粗制滥造的理由。他们只能算是生意人。

真正的艺术家宁可把自己的老娘往济贫院里送。

人的生活就像作曲。各人为美感所导引，把一件件偶发事件转换为音乐，然后，这个动机在各人生活的乐曲中取得一个永恒的位置。……人们没有认识到这一点，即使在最痛苦的时候，各人总是根据美的法则来编织生活。

指责小说中用神秘的巧合来迷惑人，是错误的。指责人们对日常生活中的巧合视而不见，倒是正确的。他们这样做，把美在生活中应占的地位给剥夺得干干净净。

对我而言，记日记，向自己倾诉心肠，是十分必要的。

我丝毫不认为这样做就算犯了自我迁就罪过。粗俗的人不会用言语抒发情愫，但作为补偿，他们会开飞机、斗牛、捕海鲢。

我认为，我的行动和作为，有着历史性的重大意义，而这一想法（狂想?）使我感到，凡是有损于我的人，都是在干扰一项重大的实验。

现代人的个性是无常的、分裂的、摇摆不定的，缺乏与人那种金石不移的坚忍和确信，也不再存在 17 世纪那种坚定的思想，那种明确的原则。

同情体贴本是一种很难得的本领，但是却常常被那些知道自己有这种本领的人滥用了。他们一看到自己的朋友有什么不幸就恶狠狠地扑到人们身上，把自己的全部才能施展出来，这就未免太可怕了。

同情心应该像一口油井一样喷薄而出；惯于表达同情的人让它纵情奔放，反而使那些受难者非常困窘，有的人胸膛上已经沾了那么多泪水，我不忍再把我的洒上了。

我不要世人认真看待。哪些是世人认真看待的呢？一切可想而知的傻瓜。

是的！倘若我是迎合这个时代的风气而活着，我可真要懊悔不及了。

我生来就是独立不羁的，我永远是自己的主义。

我是个奇迹——仅仅对我自己来说。在这世界上，我想弄明白的惟一的人就是我自己，但是目前我还看不出有弄明白我自己的可能性。

对于一个目光开阔的人来说，最美的景象莫过于智力和一种超越他的现实之间的搏斗。

人类骄傲的景象是无与伦比的。任何贬值都莫奈它何，精神给自己规定的这种纪律，这种锻造得无懈可击的意志，这种面对面有着某种强大而奇异的东西的。非人性用这种现实造就了人的伟大，使这种现实贫乏，就是使自己贫乏。

清晨，监狱的门在死刑犯面前打开，他的神圣的不受约束性，这种除了生活的纯粹的火焰之外对一切事物的令人难以置信的不感兴趣、死亡和荒诞，人们清楚地感到，这些东西是唯一的理性的自由的原则：这种自由是一颗人心可以体验和经历的。

过去的日子里我们都羞于使自己的感情外露，因为怕人嘲笑，所以都约束着自己不给人以傲慢自大的印象。

我并不认为风雅放浪的诗人作家执身如何端肃，但我却不记得那时候文艺界有今天这么多风流韵事。我们把自己的一些荒诞不经的行为遮上一层保持体面的缄默，并不认为这是虚伪。我们讲话讲究含蓄，并不总是口无遮拦，说什么都直言不讳。女性们那时也还没有完全取得绝对自主的地位。

最重要的是永恒的品味。

我被蔑视、被迫捕、被压抑，因此，我能够大显身手，享受真实的我，最后，回归自然。我在庄严地向自由致敬之后，悄悄地决定应该立刻将它还给随便什么人。

我要良民们顺从，要他们谦卑地设法获得奴役的舒适，哪怕将奴役表现为真正的自由。

天性的不平等不是明天就会有的。那是未来的一宗善举，如此而已。从现在起到那时，我得与现实合拍，找一个解决的办法，哪怕是临时的也好。

将良知品味扩及所有的人，以减轻它在我肩上的重量。

实际的情况是，我所求助的那些并不是我的知己。对他不能寄托任何希望。我甚至怀疑他的帮助居心叵测，就像是假如我喊救命，我反倒会很快被淹死，因为他会跑过来丢给我一个水泥做的实心救生圈。

如果畸形的脚需要畸形的鞋，那么，奇特的灵魂也有奇特的需要，而爱也就会以奇特的样式应运而生。一个渴求帮助的人对于无济于事的人也是喜爱的。

无论上哪儿，我都不明白是为了什么。

受了教育，几乎会使人和商界划上等号。

我爱纽约社交界！我认为纽约社交界有了巨大的改进！现在纽约社交界完全由美丽的白痴和显赫的疯子所组成。上流社会早就应该是这样。

一切使人工作或骚动的东西都利用品味。

如何将所有的人都拉下水而自己躺在太阳底下晒干？

在等待主人苔杖的时候，我们应当像哥白尼一样，倒过来推理以求胜利。

既然人不审判自己就不能判决别人，那就得自己攻击自己以获得审判别人的权利。

既然任何一位法官有朝一日都得成为忏悔者，那就应该走相反的路，当忏悔者，以便能够最后成为法官。您跟得上吗？

没有音乐教养，最富有的孩子也是贫穷的。

当我倒立着的时候，我意识到这种荒唐的行为后面有一种理论的冲动。当今世界强有力的理论之一就是：为了发挥本人的才能，有必要抓住内心深处的畸形与荒唐；让无意识中所包含的屈辱的真理拯救你吧！

我不买这种理论的帐，但也不能说一点没受它的影响。我有一种干荒唐事的才能。你可不要放弃自己任何一种才能啊！

我把学生时代的一切都忘了。我隐约记得，学生时代的一切都是可恨的。

我要求要么一切为我解释清楚，要么什么都没有。

而理性在心灵的叫喊前面是无能为力的。被这种要求唤醒的精神寻找着，只找到了矛盾和胡说八道。

我不借的东西是没有理性的。世界充满了这些非理性的东西。我不理解它的惟一的含义，就它自己来说，它只不过是一种巨大的非理性而已。只要能说一次："这是明确的"，一切就都得救了。然而这些人竞相宣布，什么都不明确，一切都乱七八糟，人只是对包围着他的墙具有明智和确切的认识。

在这里，沉默应当被人听见。

爱情要提高调门，而静止本身要变得壮观。肉体至高无上。"演戏似的"并非随意而为，这个被错误地贬低的词包含着一种完整的美学和完整的伦理。

道学家们总是把经验看做是一种警告，声称在性格形成的时候，它具有一定的伦理效能，赞扬经验能教我们遵循什么、避免什么。

但是经验和意识本身一样缺乏能动性。实际上这一切表明，我们的未来和我们的过去不会有什么不同，我们一度怀着憎恶之心犯下的罪行，以后还会多次重犯，并且引以为乐。

　　只要身边有书，我就肯定能享受到一种范围更广的生活，一种比我的日常生活可贵得多和必要很多的生活，即使我不能每时每刻都享受这种高级生活，起码也能把它的迹象实实在在地留在我的心间；当这种迹象在实际中变得淡漠时，我就照样能在自己心中看见它们和抚摸它们。

　　我这人精神世界匮乏，缺乏性格力量，以至不知如何享受自由，而不得不接受工作的奴役。

　　理想也不能帮助我，有人告诉我：定我的罪的法律，是错误的、不公平的法律；我在那下面忍受着的制度，是错误的，不公平的制度。

　　但我能够使这些东西对于我是不错的，是公平的，并且正像人对于艺术，只在特别瞬间与某一特别东西有关系，在人性伦理的进化上也正是如此，我把我所遭遇的一切，都向善的方面转化，诸如硬板的床铺；恶心的食物；坚硬的椅子；每天从早到晚的奴隶们的工作；严酷的命令；沉默；孤独；屈辱。同时，把这些东西都变成了心灵的经验，使我从一个庸常之人变得卓而不群。

　　玩世不恭者知道每样东西的价格，却不懂它们的价值。

　　伤感主义者懂得的是每样东西不合理的价值，却不知道它们的市场价格。

　　感想是人们为自己的过错取的代名词。

　　如果情感在现象变化不定的镜子里发现能把现象和自身概括为一种惟一的原则的永恒联系，人们就能谈精神的幸福了，而真正幸福者的神话也只不过是一种可笑的伪造品。这种对统一的怀念，这种对绝对的渴望，说明了人类悲剧的基本运动。

有的人总能给人一个好印象，可我从来没有这种才能。这是由于我自己的感情的关系，有一颗热情洋溢的心，但是个难以信赖的人。假如要我自己对自己作一个实事求是的估价的话，我也不会作出任何和他们不同的结论的。

只是我忏悔过失使我得以更轻松地重新开始，得以享受，我的天性是迷人的悔恨。

我沉醉于一切，女人、傲慢、厌倦、仇恨，甚至沉醉于寒热病，我此时正以无上的快乐感到热度在上升。我终于处在支配地位，而且永远如此。我还发现了一座高峰，我独自攀登，从那儿，我可以审判所有的人。

我感到自己是上帝，感到自己在颁发放荡生活的最后证书，这是多么令人陶醉！我高踞在我的卑鄙的天使之上。

在我看来，那种增长的、膨胀的、放肆的、痛苦的自我意识，是左右我们生活（商业、技术、官僚权力、国家）的政治和社会力量的惟一对手。

你有一种巨大的有组织的生命活动，你有单一的自我，你能独立地意识到它的存在，并为它的超然性、它的免疫力和它的坚定性及其不受任何东西（别人的痛苦或者社会或者政治或者外部的混乱）所影响的力量而自豪。

在一定程度上，它丝毫也不在乎，而我们常常督促它在乎一点。然而不在乎的祸根却存在于这个痛苦地解脱了的自由意识之中。它从人对信仰和其他灵魂的依附中解脱出来。

至于宇宙论和伦理观念体系，它可以把它们成批成批地甩掉。因为，充分意识到作为一个人的自我，也就是区别于其他一切人。

我生活在人们中间，但不赞同他们的利益，也不相信我所承担的义务。我的礼貌，我的懒散，足以回答他们在职业、家庭、公民生活中对我的期待。

别在双重人格中生活。

我最重大的行动常常是那些我参与最少的行动。我所不能原谅自己的，是蠢上加蠢，难道不是这个吗？它使我最凶猛的抗拒正在我身上和我周围进行，迫使我寻求出路。

关于我的赞扬加倍地增多时，灾难恰恰在此。您记住："当所有的人都说您的好话时，您就倒霉了！"

在交际应酬中，一个人只让你看到他希望别人接受他的一些表面现象，你只能借助他无意中作出的一些小动作。借助不知不觉中掠过他脸上的一些表情对他作出正确的了解。

有些时候，人们把一副假面装得逼真，时间久了，他们真会变成他们装扮的这样一个人了。

但是在他写的书、画的画里，他却毫无防范地把自己显露出来。

如果他作势唬人，那只能暴露出他的空虚。

他那些除了油漆冒充铁板的木条还会看出来只不过是木条。假充具有独特的个性无法掩盖平凡庸俗的性格，对于一个目光敏锐的观察者，即使一个人信笔一挥的作品也完全可以泄露他灵魂深处的隐秘。作品最能泄露一个人的真实思想和感情。

在我为了填饱肚子替别人写作个人回忆录的过程中，我发现没有一个成功的美国人犯过真正的错误，没有作恶者，也没有说谎的人。他们所采取的办法，不外乎是用荣誉来担保，作为对表里不一的公开掩盖。

　　我认为地下活动和我的气质不符，也不合我对空气流通的爱好。

　　我觉得人家是要我整日整夜地在地下室里织地毯，等着一些畜生把我从那儿撵出去，先是拆了我的地毯，然后把我拖到另一个地下室去直打到死去活来。我钦佩那些热心于这种深刻英雄主义的人们，然而不能仿效。

　　150年前，人们一听到湖和森林就会顿生柔性，今天，我们有牢房抒情诗。

　　理性有着完全人类的面目，但它也是朝着神的。

　　美国现代教育的整套理论根本是谬误的。幸亏在美国，教育无论对什么都不会产生影响。如果教育会产生影响的话，对于上流社会，那将会是一种严重的危险。可能会导致华盛顿广场的暴力行为。

　　现在的美国，年纪越大越不能保证人格高尚。

　　这是一个平庸的时代。这个时代需要激情。

　　群神几乎把一切东西都给了我，但我却诱惑我自己陷于无感觉的、肉感的、逸乐的久久品味中。

　　我做着怠惰者、激荡者、纨绔子弟，来娱乐我自己，我用卑鄙的性质和低贱的心灵环绕我的周围。

　　我成了我自己的天才的浪费者，并且浪费这永劫不复的青春。

　　我做我的工作，尽我的本分，履行我的职责，期待着生活说的"善有善报"。但结果我能得到的是，被人当头狠狠敲了一棒。

　　我原以为我和生活已经有了一种默契，能使我免遭人生最坏的磨难。这完全是一种小资产阶级的思想。

有位诗人说，愤怒是一种欢欣。

爱的举动比方说是一种供词，其中自私在大喊大叫，明目张胆，虚荣则昭然若揭，或者真正的仁慈也在其中显露出来。

我不能弄错我的天性。没有一个人在寻欢作乐中是虚伪的。

当我面临被抛弃的危险时，唤醒我的不是爱情，也不是仁慈，而仅仅是希望被爱，得到据我看来属于我的东西。

我一被人爱上，同时忘却别人，我就高兴，我就舒服，我就变得讨人喜欢。

我们不应忘记，天才人物的见解，有时很快就会变成流氓分子的口头禅。

在这个时代里，我们都是幸存者，深知我们付出过的代价，因此各种关于人类进步的理论不适合我们的身分。

认识到你是个幸存者，你会感到震惊；认识到这就是你的命运，你会潜然泪下。

死者上路时，你想叫他们一声，可是他们脸色阴沉，灵魂抑郁地离你而去。

他们在灭绝人类的焚尸炉烟囱里化为团团烟雾，源源而去，你却留在美国成就即今天美国成就的光华之中。

既然我是说谎者，我要将这公诸世人，在那些笨蛋尚未发现我的两重性时，向他们劈头盖脸地掷去。

我既已被挑动坦白，我就将回答挑战。

热情这个词将我投入奇怪的狂怒之中。

我通过公然污蔑人类精神来解我心头之恨：我将发表一份宣言揭露被压迫者对正人君子的压迫。

有时候一个人早已活过了他享有一定地位的时期，进入了一个他感到陌生的新世纪，这时候人们便会看到人间喜剧中一幅最奇特的景象。

一个人为什么只因为写了一本小说就要穿得邋里邋遢。

如果你的身段苗条为什么不能尽量把它显示出来呢？俊俏的小脚穿上时髦的鞋子绝不会妨碍编辑采用你的稿件。

文明社会这样消磨自己的心智，把短促的生命浪费在无聊的应酬上实在令人费解。

我对"游戏"中出现的粗暴行为和恶意甚为反感。这很野蛮，因为它的对象无力反抗。

贫穷虽然不是坏事，但它迫使你默默无闻地度过一生。

寻求品味的人，并不在乎品味是怎么来的。

我有自我品味。是的！

我的性格品味，应该原谅教皇。首先，他比任何人都需要原谅。其次，这是居于他之上的惟一方式……

我对有一些财产感到害羞。曾几何时，我在社交场合的谈话中，充满信念地高喊："财产，先生们，就是谋杀！"我因为没有足够伟大的心灵让一个值得赞助的穷人来分享我的财富，于是就把它留给的小偷了，希望这样用偶然来改正不公。

我双臂交叉在胸前，嘴巴紧紧地闭着，屏住看看不说话究竟是不是使人心碎。况且，就恶运而言，我只能算个中等的，甚至还要低。因此，出于对事实的尊重，我拒不开口。

人总是会真的遇上走投无路的事情的。在这种情况下，他就会被迫盲目行动。

自愿地死有什么用？只是表明您有自己的想法吗？您死了，他们则加以利用，对您的行动赋予一些愚蠢或庸俗的动机。亲爱的朋友，殉道者应当在被遗忘、被取笑或被利用之间进行选择。至于被理解，绝不可能。

我爱生活，这可能是我惟一的弱点。

我是那样地热爱它，对此外的一切毫无想像力。这样的渴望有种平民味儿，您不觉得吗？贵族总是稍稍离开本人，离开本人的生活来想像自己。需要死的时候去死，宁折不弯。我呢，我弯，因为我还继续爱我自己。

我们被派到世界上来并不是为了宣扬个性偏见。

我从来不在乎平庸的人说什么，我也从来不干涉可爱的人做什么。如果有一个人能使我着迷，不管他用什么方式来表现自己我都感到无比高兴。

你知道我不是婚姻的拥护者。

不过结婚之后会使某些人的气质变得更加复杂。他们在保留自我的同时，还添加上许多别的"自我"。

35 岁的律师杰姆斯就是比较典型的一个。

迪安和我结婚之初，我们就像两列汽车经常互相追逐，有时候她跑在前面，我落在后面；有时候我超前，她落后……就像猫捉老鼠的游戏。我的意思是，我们的爱并不一致。或许是因为先入情网的人是我，是我追她的，所以我为此感到不安。

还有一个问题是，她有些价值观令我烦恼，例如她对钱毫不在意，打扮天真，随时濒临疯狂边缘。

我们结婚刚刚几个月的时候，她突然冒出了一句话：喂，咱们去布拉格。

布拉格？我说：不行，我可不去布拉格，你难道不知道我是一个喜欢看施瓦辛格的电影，11点就上床的男人吗？

从一开始，我们的冲突就没断过，结婚一年后我就觉得自己一定是昏了头了。我是说，她很刺激，我为她的心灵疯狂，可是半夜荷尔蒙高涨的时候谁需要心灵呢？我倒不是说我们的性生活不好，我只是怀疑自己是不是真的需要一个如此复杂古怪的女人。

迪安不适合我。我不断地这样说服自己。我甚至列出一个单子记载我不喜欢她的理由：她抽烟；她没有正式工作，是个自由撰稿人；她不断地借钱给一些疯狂的朋友……我甚至说服自己她有酗酒问题。

我外面的女朋友法蒂对这件事当然也有一定的影响。

法蒂不断问我跟一个嬉皮穷混有什么意思。她说：谁都知道艺术家是什么样的人，何况她还是个无可救药的酒鬼，而我却可以给你正常健康的生活。

我不知该对法蒂说什么，她逼得太紧了，我什么都搞不清楚了，所以有一天我问迪安：我在我们这种关系中得不到我想要的东西。

迪安转过头来看我，我还记得当时她正在镜子前面梳头发。她放下梳子说：杰姆斯，你想要却得不到的是什么？她不是有意嘲讽，她是真的想知道。

我不晓得为了什么气得大叫：你自己去想！然后我就走了。

可是我离开迪安去找法蒂的第二天，就开始想念迪安了。我不断地拿法蒂跟她比：迪安比较开朗、风趣、温柔，法蒂跟我一样太有条理了。

最后，我决定打电话给迪安，我非常想知道她现在怎么样。

打电话的结果使我非常恼火。

我原以为她的生活操在我的手中，我是准备去安慰她，可我错了。她显然过得不错，我原想她应该濒临崩溃边缘，哭得不成人样。可我错了。我好想问她有没有跟别人约会，可她并没有提及。

过了几天，迪安打电话来公司，要我当天晚上去把我的东西撤走。

我去的时候，她穿着迷你裙和短上衣，里面没戴胸罩。我不认为她是有意这样做，以前我们在一起的时候，她就经常这么穿。如果是善意的，或许还不会成功。她并未现出性感的模样，甚至坐在对面的沙发上，可是她却使我欲火烧身。

所以第二天我打电话约她去以前常去的小餐厅共进晚餐。迪安容光焕发地前来处约，举止友善，坐在她身边闻着她的香味，我忍不住提议回她家去做爱。

她说：什么？你要我做什么？她有点生气也有点发笑。

也许，这就是我回去的原因吧，为了性与笑，这是千载难逢的必胜组合。

另外很重要的一点是，迪安并未改变成我希望的样子，也没有想到我要改变她。

他们被迫过一种双重或多重生活。他们的构造变得更加高级，我想这就是人生目的所在。此外，每一种体验都是有价值的。且不管人们怎么反对婚姻，它也总算是一种体验。否则你的人生总是不完满。

相恋是一种常在不言中的品味的结果，是它的说明和它的完成。然而，只有这种品味的言外之意才能使它完美，它终于使一个古老的主题合乎情理地盛开了，即少许失落使人远离生活，许多的梦想使人靠近生活。

简单的问题带来同样简单的回答，这样的假设却是让人畅游四方的。

一切做事的行动和一切做事的思想都有一个很情调的开端。有品味的做事常常诞生在一条街的拐角或一家饭馆的小门厅里。

我们对自己过于了解，以至不能接受别人对我们的褒扬，只能接受他们的贬责。

在某些方面，做人意味着抛开自己的个性，忍受难以忍受的压抑。

今天，我们随时都准备进行审判。

对我来说，更困难、更痛苦的是承认我在一些几乎不认识或根本不认识的人中有敌人。

我绝无杀妻的运气，因为我独身。

在我们的社会里，贪婪代替了宏图大志，这始终引我发笑。

看一个人，要看他从头到脚的行头。谁会在乎他才高八斗，学富五车呢？至少我不在乎。我由着自己的天性，任其发展，我们都知道幸福即在于此，尽管我们为了彼此相安无事，有时以自私自利为名装模作样地谴责这些乐趣。

对于那些被事实证明是正确的人来说，过去并不是不愉快的。

人人总是在挑剔我的毛病之所在，而我却大睁如饥似渴的眼睛站在那里，既相信一切，又憎恨一切。

对我来说，不是种种机会如何暴露我，而是我如何利用机会去引出隐藏了的事情的真相。

我愿意在一切事情上都占优势。这就是为什么我摆臭架子，装模作样，更多地显示身体的灵巧而不是智力的超群。

好像我真正的愿望不是成为人世间最聪明，最仁慈的人，而是想打谁就打谁，成为最强大的人，而且还是以一种最粗鄙无耻的方式。事实上，您清楚地知道，任何聪明的人都梦想着当强盗，用暴力支配社会。

如果能够统治所有的人，使自己的思想变得卑鄙又有何妨，是不是？我发现自己正做着压迫人的甜梦，并沉醉于梦中不愿醒来。

第 8 章

品味使人生丰满多姿

有人说，在美国失败才是真正的成功，而且那些"成功"的人都能活在他的同胞心中。这里把重点放在同胞身上，也许这就是大错。

人们在这世界上玩的游戏花样真多：如战争，装作去爱，折磨他的同类，在报纸上自我焙耀，或只是一边打毛衣一边说说邻居的坏话。

无辜已经死去，性爱泛滥成灾，好男人流落四方。

不错，只有这样才像美国。向你推荐一种特别牢房：这种牢房有别于其他牢房的是其巧妙的尺寸。其高不足以使人直立，其宽不足以使人横卧。必须采取侏儒的姿势，沿对角线的方向过活。打盹儿就跌倒，守夜得蹲着。

亲爱的，发现这么简单的事，要有天才，这个字我是掂量过的。

在冲突中，弱者从来不知道对方会把他打得有多狠。

人怎样才能使自己振作起来呢？是靠克服那种不时袭来的诱惑，有些时候，正是因为我守口如瓶，把自己的想法闷在心上，所以我才感到自己的力量增强了。

不过，往往在我弄清自己所说的是什么以前，我好像并不知道自己在想些什么，脑袋是一片空白。

这个国家激发起我的灵感，我爱这里的人民，他们挤满了街道，夹在房屋和水之间的狭小空间里，被雾、冰冷的土地以及像洗衣盆一样冒着气的大海包围着，他们为一块冷面包东奔西波，为一杯粗糙的黑咖啡欢呼雀跃。我爱他们，因为他们是双重的，他们在这里，同时又在别处。

有些人故意和生活中最好的事情搏斗，把这些事憾弄成了狂想和幻梦。

有人走到你身边，对你说："有这样一些人终身只知喝酒、骑马、嬉笑、赌博，享尽一切快乐；没有任何不如意的事牵累他们，他们的信条是高兴做什么就做什么，他们要多少女人就有多少；他们都是富有的。别的忧虑嘛，一点也没有，对他们来说天天都是过节。"你对此作何感想？

除非这个人是一个严肃的信徒，他将回答你这是人类的弱点。所谓人类的弱点就是，你是不是有本领来占有这样一个女人？你是不是堂堂君子？你是富感情的人么？你有没有嗜好？你是不是容易发怒？你有没有良心？

美国的现实如此冷酷无情，而这个国家反而从中获取令人寒心的满足。当一个诗人要干学者的事，女人的事，教会的事，精神力量的软弱在这些殉难者的幼稚、疯狂、酗酒和绝望中得到了证明。

俄耳浦斯感到了木石，然而诗人们却不会做子宫切除术，也无法把飞船送出太阳系。

奇迹和威力不再属于诗人。诗人之所以受到爱戴，正是因为他们在这方面无能为力。他们的存在，只是为了反映那种无边的纷乱，为某些人的玩世不恭辩护。

生与死如此美地结合在一起，这不是完美无缺了吗？

一般说来，抒情诗人都产生在由女人主持的家庭，当然，最重要的是母亲——那些高耸于父亲之上的母亲。

抒情诗人一生都在自己脸上寻找男子汉的标志。

你只有完全处在别人中间，你才能成为你自己。

人也散发出非人的东西。在某些清醒的时刻，他们举动机械，没有意义的矫揉造作都使他们周围的一切变得愚蠢。

一个人在玻璃隔墙后面打电话，人们听不见他说话，但看得见他的无意义的手势，于是就想他为什么活着。

这种面对人本身的非人性所感到的不适，这种面对着我们自己的形象的无法估量的堕落，这种如当代一位作者所说的"恶心"，也都是荒诞。

等到那件事过去以后，你会感到自己出奇地洁净。你有一种灵魂把肉体甩脱掉的感觉，一种脱离形体的感觉。你好像一伸手就能触摸到美，仿佛"美"是一件抚摸得到的实体一样。你好像同飒飒的微风、绽露嫩叶的树木、波光变幻的流水息息相通。你觉得自己就是上帝。

情爱并不能给精神的疾病以出路。相反，它是在一个人的全部梦想中回荡的疾病的一种象征。

树木是沉睡的生命，而人类却在拿激情投机，赌注就是灵魂的威力能够净化这些激情。得到净化之后，它们就会以更加优美的形式重生。

血液的红色就是这种净化过程的象征。即使根本不是这么回事，对于玫瑰和月经的思考却总使我陶醉于一种狂喜之中。

你和一位在你面前走过的陌生人互相看了一眼，于是突然被吸引，从你那儿飞出去一种无名的东西，我也不知道那是什么。从此你像是在地下生了根，犹如一粒埋藏在草丛中的谷种，感觉到生命把它从土中抬起，而时候到来它将要成为一种收获物。

再没有什么东西比厌恶的感情来得更迅速的了！

人们的感情还会变得更迅速，当他们彼此互相了解和相爱起来的时候。

那时候，一句最简单的话也多么有价值啊！当你所要倾听的只是心声的相互响应，嘴里说什么又有什么关系。

这就是历史在美国创造的新事物，即：带着自尊的欺骗，或者带有光荣的奸诈。美国向来是过分种持的，讲道德的，堪称世界的楷模。因此，它必须把一切伪善的观念统统消灭干净，而强制自己用诚实这一新的准则对待生活，而且它正在创造这一不可磨灭的业绩。

我知道，在美国的大城市里，你所需要的是一种深广的不受影响的领域，是一个冷漠而苛刻的集团。在建立那种保护集团时，理论也是非常重要的。

我所谓的伟大不是走红运的政治家或是立战功的军人伟大；这种人显赫一时，与其说是他们本身的特质倒不如说沾了他们地位的光，一旦事过境迁，他们的伟大也就暗然失色了。

人们常常发现离了职的总统当年只不过是个大言不惭的

演说家；一个解甲归田的将军无非是个平淡乏味的市井英雄。

在我看来，艺术中最令人感兴趣的就是艺术家的个性；如果艺术家赋有独特的性格，尽管他有一千个缺点，我也可以原谅。我不喜欢圆滑的艺术家，他们让我倒胃口。

巴黎是个真正的假象，是个壮丽的舞台，住着四百万具人形的生灵。据最近一次调查，接近五百万了。当然，他们不繁衍了。这不足为怪。

这是些公的母的，非常资产阶级化的家伙，他们来这儿，像平时一样，或是出于说谎癖，或是出于愚昧。总之，是由于想像力过于丰富或缺乏想像力。

如果在美国有一种高尚的贫困，一种有道德的贫困的话，那就是一种破坏力量，它必定是丑陋的。

给人馈赠应该如人们说的那样，不附带任何条件。

当时最受尊敬的人物，事后往往证明其实是个危险不过的疯子。

人民在造成国王之前就自我造就。至于上帝，暂时不再有他的份。

政权不再源于专横，而是源于全体的赞同。

我们的文明是在懦弱的、可憎的灵魂的自得中，在衰老者的虚荣愿望中幸存。

社会和政治仅仅担负着解决所有人的事情的责任，为的是使每个人都能有欢娱和自由去进行这个共同的寻求。历史不再被树立为信仰的对象。它只是一种机会，问题是要通过警惕的反叛使这种机会变得频繁起来。

永久的东西都是兴趣的失败。

真正的生活总是在别处。男女挚爱不能承受羽毛之轻。

眼泪是最好的溶剂，溶化男人，溶化女人，溶化天地间凡夫俗子的生活。

若说偷情使一切都合法，它并没有对任何事情作出结果。

偷情并不是人们日复一日在行动中加以实现的一个目的，而是一种绝对的、安慰人的神话。偷情"就像爱情，是真正的生活"。

我们都知道，不论男女都可以忠实于对方，也可以不忠实于对方。当男人不忠实于妻子时，他就想起了那种所谓"多配偶性"的说教（况且在某些谈婚恋的著作中也能找到）。

37岁的银行贷款部经理马斯特斯就是一个很好的例证。

我的第一次婚姻是一场灾难，当时我们都还是孩子，10个月就结束了，我在纽约又过了六年单身生活。

对我来说，那六年的单身生活真是再美妙不过了，身边围绕着一堆女人，大多是一些有夫之妇，和她们在一起的那种偷情的感觉真好，那是真正的生活，有享不尽的风流。

可是，我一不小心就遇到了罗伊丝。

她是个非常特别的女人，特别得让我想和她一起过那种安定的生活。

我们竟然很快就结婚了。

我猜想，后来我们之间的问题是出在我对那种生活的"不习惯"。

罗伊丝是性感的，我们的性生活也颇有新意。可是她太投入周末的社交生活，结果我们的话题总是在讨论宴客时谁应该坐在谁身旁，而不是上床时谁要在上面。

另外一个问题是，我开始觉得她老是要跟我竞争，总想在某些方面打败我。我在办公室天天面对的就是这些，我可不希望晚上回家还要面对竞争。

反正，家里的气氛很僵，所以，当那位迷人的室内装潢师琴格在宴会中勾引我时，我就无法抗拒了。第二天我就约她吃中饭，两天后我们就上床了。

单身生活时的那种美妙感觉又回到了我的身上。

这样持续了 6 个月，出差、加班，各种藉口都用尽了，最后，我受不了这种双重的生活，我想回到过去的生活的那种感觉里，于是，我就告诉了罗伊丝。

室内装潢师？她嘲讽地笑了：那可真方便，真希望她已装潢好了你的新家，因为你快要不住这里了。

罗伊丝的话提醒了我。我打包行李，给琴格打了电话，10 分钟后就到了她家。

起初，日子美妙极了。跟一个为我倾心的女人度过一个个浪漫的夜晚，我似乎觉得是在重温旧日的时光。

令我诧异的是，除了开头的爆发外，罗伊丝又恢复了正常。每次见到她，她都很文明沉着。不过我的一些朋友就没那么友善了，他们很有默契地都不理我了。

琴格也开始催我离婚。她还年轻，想要拥有自己的家庭。我不喜欢她的唠叨，我发现她的性格跟我初识时不太一样了，她身上逐渐显露的某种东西，让我很难受。所以我做了一件怪事。中饭后，我给罗伊丝打了一个电话，问她我能不能去看她。她说，当然可以。

结果她一打开门，我就知道我想回家了。

我真的离开了琴格回到了家里。罗伊丝也改变了许多，不再处处想打败我了，又恢复了往日的性感。她喜欢和我做爱，而且让我知道这一点。

她告诉我，我离开的那段日子，她想了很多。

我猜想她一定是发觉自己真的想要这段婚姻，惩罚我只会毁了重新开始的机会。

哲学家说，世界如何看待我们并不重要，除了我们自身的真实存在以外一切都不重要，可是哲学家实在什么也不懂。

只要我们与他人一起生活，别人把我们看成什么样，我们就是什么样，考虑别人如何看待我们和尽量让我们的形象具有吸引力，往往被认为是施加影响和欺骗。

可是，我们的自我与别人的自我，除了通过眼睛这种媒介，还可能有其他直接的接触吗？

除了焦急地关注我们在自己所爱的人心目中的形象以外，我们还能想像出什么是爱吗？如果我们对自己所爱的人如何看待我们不再感兴趣，那就意味着我们已经不爱了。

人生就像从这个终点站到另一个终点站往返行驶的有轨电车，连乘客的数目也能估计个八九不离十。

抒情诗的特征就是缺乏经验的特征。诗人不谙世情，但他把从生命里流出来的词语安排成像水晶一样匀称的结构。诗人自己不成熟，可他的诗却不幸地预言了什么。

美国的品味显然失去了自我完善的能力。

知识分子把安排生活的权力视为己任，然而，从华盛顿时代直到现在，这种安排一直是壮丽诱人而殃及众人的灾难。

　　除电视新闻外，美国的头脑里尽是些流言和幻觉。不错，在所有年代中，曲解是天生就有的。

　　文艺界的上帝就是"时髦"，就是"迎合时尚"。

　　美是圆满无缺的，圆满无缺的东西也只能吸引我们一段时间，我们的品味总是在转移。

　　老年人再三再四对青年人讲，他们老年人是要比青年人精明能干一些的，在青年人还没有来得及摸清这套胡说八道的究竟时，他们自己也变老了，于是他们乐得利用这一套来继续对付下一代。此外，凡是在社会活动的人，都会发现：治理美国几乎不需要什么聪明才智。

　　兄弟举手打兄弟，儿子打父亲（多可怕啊！），父亲也打儿子，而且这是世代相传的，这样做是为了永远保持相同性和法律连续性。

　　社会团体，虽然有它的愚蠢和无能之处，但比我做出的成就要多得多，表现要好得多，因为至少它有时候给人以时尚。而我只是一团糟，只会空谈正义。

　　对大多数人来说，有品味是一种坚定和永恒的好品质，而在我身上却是一件怪事，它是一种离开我的梦想而独立的本能。品味一发作起来时，就像一种强烈的激情。

　　它是每隔一些时候就要发作的，而且说来就来，不管在什么时间和地点，我是丝毫无法抵抗的。

　　品味可以随心所欲，为所欲为，随兴之所至，把我拖到它所乐意去的任何地方。

　　社会没有品味，人类便不可能获得进一步的发展。社会有了品味，人类在按部就班中又会感到厌倦。

　　你没有注意到我们的生活常常是为了这种灭绝人的性格

品味而组织起来的吗？你自然是听说过巴西河流中那些极小的鱼，它们成千上万地一齐攻击粗心大意的游泳者，小口小口地、飞快地清扫他，一会儿工夫，就只剩下一具完整干净的骨架。你看，这就是它们的组织，非常具有淹没能力。

你希望我们能够过虚渺的生活，不是用谎言把我们自己骗进美好的本性、信任，以及普通人情体恤之中，而是像从未被探究过似的用钢铁般的决心，坚持不懈地去探究邪恶通过邪恶，超越邪恶，拒不接受卑屈的舒适。这是些最绝对、最尖锐的问题。

我总觉得贵族们的谈话富于机智，他们中的一个同行刚一转身，他们就会把他批评得体无完肤；我总是惊讶不已地听着他们那辛辣刻毒的幽默话。

艺术家较之其他行业的人有一个有利的地方，他们不仅可以讥笑朋友们的性格和仪表，而且嘲弄他们的著作。他们的评论恰到好处，话语滔滔不绝，我实在望尘莫及。

在那个时代谈话仍然被看做是一种需要下工夫陶冶的艺术，一句巧妙的对答比锅子底下僻啪爆响的荆棘更受人赏识，痴笨的人还没有靠格言警句冒充聪敏，风雅人物在闲谈中随便使用几句会使得谈话妙趣横生。

白天尽说些不足信的话，晚上尽做些不可能的事。这正是我所喜欢的生活方式。

没有人会碰上两个理想的形象，碰到一个就算很稀罕了。

往者已矣，它可以通过追悔、否认和忘却，使之永远消逝。但是未来却无法逃避。

爱情，是欲望、温情和智力的混合，这种混合把我同另一个人联系在一起。它又因人而异。我没有权利用同一名称称呼所有这些经验。

不相信事物的深层的意义，这是现代的人的本色。那些热烈的或惊奇的面孔，他都一一看过，储存起来，并付之一炬。时间与他一起前进。

现代的人就是那种不脱离时间的人。

这个青年以毕生的精力试图在 19 世纪再现属于以前各个时代的一切欲念和思潮，从而集世界精神所经历的种种思潮于一身，为的是玩味那些被人们荒唐地称作美德实为矫情的自我克制，同时也欣赏至今仍被贤哲们称之为罪恶的反抗天性。

在某种意义上说，如同在情节剧中一样，自杀就是招供。招供他已被生活所超越或者他并不理解生活。

我常常发现，生活中有个良好策略，那就是没话可说就别说话，不知道如何回答人家的话时就保持沉默。

我并不盲目骄傲，以至不承认某种比我伟大的东西的存在；对这种东西而言，我只是一个想法，或者只是一个想法的一部分。

解毒剂本身能引起另一种疾病。

生活一片混乱，充满了各种可笑的、超龄的事情，它只能给人们提供笑料。

我仿佛是接力赛中的第三个接棒人，正迫不及待地拿着接力棒。可是一旦我接到了棒，却很少朝正确的方向跑去。

不论我的感情表面上如何混乱，我获得的结果是明确的；我把我周围所有的爱情都维持着，以便随意使用。

"有些女人我可以随时使用。" 32 岁的麦克常说这一句话。

麦克是个令人喜爱的男人，他在姑娘面前从来是拿得准的。麦克能够在一个尽是陌生人的晚会上，不出 10 分钟就和一个女孩子谈得火热。半个小时之内，他就可以挎着女孩出去幽会，去他的家或者她的家，视哪里近而定。

麦克是怎样做到这一点的？许多男人都有这样的疑问。这些男人用了半个晚上的时间才能鼓足勇气去接近一个女孩子，看到麦克进来迅速有效地成功了，都不明白这是为什么？

问那些姑娘们，她们会耸耸肩说："我不知道，我想大概他身上探出一条天线来了吧。我得到了信号于是我做了回答，我知道的首先是……"

麦克长得并不十分好看，却足够英俊，但这还不是他的吸引人之处。看起来麦克似乎有着第六感觉，只要哪里有主动的姑娘麦克就会找到她，或者她会找上门来。

一位女性说："麦克是个很性感的男人。麦克的性感，并不在他的容貌上，是因为他身上的某种东西，像是一种气息。"

事实上并没有气息这类含糊的东西。

如果你在某个晚会上注意一下麦克，你会发现，他有许多微小的手势，也许是不经意的，但它们精密地传达出了他的性感信号。一个女人把这些手势形容为"轻松的优雅"。

当麦克在房间里斜靠在壁炉架上，环视女人们时，他的胯部略微向外突出，两腿常常分开，这种姿态在某种程度上暗示着性。

麦克说："我注视着她，时间比正常的长，因为我还不认识她。我不会让她的眼光滑开，我把目光集中在她眼睛上，这会使那些情愿上钩的女人着迷。"

就是这样。当麦克和他选择的女孩离开时，一句简单的"我们走吧！"就足够了。

我们的一些男人创造了许多有关女人的话题，其实大多数女人在这些情感方面的限度远超过任何男人。

如果就像我所感受的那样，千万年来我一直在等待上帝把我的灵魂送到这个地球上来，那么，这样的"顺应"又有什么意思呢？在我回去之前，在我走完尘世的时候，我应当捕捉一个真实而明确的字眼。

大自然，例如一片风景是可以多么强烈地否定我们的主观世界啊。在任何美的深处，都潜藏着某种非人的东西，这些山丘，天空的柔情，树木的图画，转眼间就失去了我们赋予它们的幻想的含义，从此比失去的天堂更远了。

世界原始的寒意又朝我们追来。我们片刻对它不再理解了，因为若干世纪中，我们只把它理解为我们事先赋予它的那些形象和图画，因为此后我们已无力再使用这种人为的方法了。

我们把握不住世界了，因为它又变成了它自己。这些由习惯蒙上假面的布景又恢复了本来面目。它们离开了我们。

忧郁的哈姆莱特说的"活着还是死亡"这句话千百年来还在纠缠着人类，死死抓住不放。其余的，如世界是否是三维的、精神是否有九个或十二个等级都在其次。这些都是无足轻重的事。

现在再来谈谈律师。我站在他们中间，站在三个赤裸裸的自我，属于低级现代理性和计算的动物中间。

在过去，这些自我都披着各自的外衣，披着与各自的身分相称的外衣，不是高贵的外衣便是卑贱的外衣；每个自我都有各自的风度，各自的相貌，各自合身的衬衫。

而现在呢？连衬衫也没有了，变成了赤裸裸的自我。只是赤裸裸的自我伴随着赤裸裸的自我，难以忍受地燃烧并制造惊恐。在客观性起作用的一瞬间，我感到了这一点，我感到迷茫。

几乎随便哪个家庭都有这么一个成员，如果邻居不提起的话，他们是很愿意把他忘掉的；随着一两代新人的出生和成长，这个人的怪诞行为会笼罩上一层浪漫色彩，这时他们的家庭日子就好过多了。

但如果这个人一直还活着，再假如他的怪癖不是那种用一句"他的心眼不坏，就是同自己过不去"就能宽恕过去的话——就是说，这个罪人没有干过什么大坏事，只不过爱喝喝酒，或者拈个花惹个草，可以用这么一句无关痛痒的话就遮饰过去的话，那么惟一的办法就是对这个人避口不谈。

聊天是生活中一个很大的乐趣。

任何健康的人都倾向于繁殖。

人们的激情比他们的思想更有品味。

自己的灵魂以及朋友们的友情—这是生活中颇为迷人的东西，同时又是很奢侈的东西，因为很少有人能拥有它们。

各个阶层都要宣扬这些美德如何重要，因为在他们的生活中并没有加以实干的必要。富人们滔滔不绝地谈论勤俭节约的重要性，游手好闲的懒汉口若悬河大谈劳动的尊严。能躲开这些说教真是太开心了！

知道人能否义无反顾地生活，这就是我感兴趣的一切。

　　我丝毫也不想走出这个范围。生活的这种面貌既已给了我，我能够将就吗？

　　我认为用这些不容违反的规则来决定人生，人生就太复杂。

　　我对于为快乐而生活，一点也不悔恨，我像一个人做了他一切所应该做的事情一样，我那时也把它做到最后的一点，我体验到了所有的快乐。

　　我把我的灵魂的珍珠投进酒杯中了，我在笛音里踏着莲馨花径，我以蜂蜜为粮，但是只把同样的生活继续下去是错误的，因为这是受限制的啊！

　　艺术是一种象征，因为人是一种象征。

　　如果我的翅膀充分达到这一点，这确是艺术生活的终极的实现。

　　艺术生活不过是一种自我的发展，艺术家的谦让，正是表示他坦白地接受一切经验，恰像艺术家的爱，正是把爱的灵和肉显示给于世界的美的感觉一样。

　　思想不管怎么说，是我们应该驾驭的自我。不能让机会驾驭它，也不能让偶发事件驾驭它。我们的人性，我们的尊严，我们的自由，要求我们对它负责。

　　我们害怕驾驭自己。

　　这很难，我们立刻就想放弃我们的自由。这其实不是真正的自由，因为它没有伴随着理解。它只是自由的先决条件。

　　只不过是牛奶很好吃，特别是加上几滴白兰地。但是母牛却巴不得赶快让它淌出去肿胀的乳头是很不舒服的。

　　有些人的生活只是社会有机体的一部分，他们只能生活在这个有机体内，也只能依靠它而生活，这种人总是给人以虚幻的感觉。他们有如体内的细胞，是身体所绝不能缺少的，但是只要他们的健康存在一天，就会被吞没在一个重大的整体里。

我对高贵的语言有癖好。请相信，我自己也责备这种癖好。我知道爱好精致的袜子并不一定意味着有一双肮脏的脚。

尽管如此，风度只不过是掩盖着湿疹的府绸衬衣。

我对自己说，无论如何，聊以自慰的是，说话结结巴巴的人也并非没有高贵的思想。

我承认，这些铁板一块似的生灵吸引着我。当人们或是出于职业需要，或是出于天性，就人这种生灵沉思良久之时，往往会怀念起灵长类来，它们是不打小算盘的。

每逢遇见有才智的人，我就巴不得立刻和他喝上一杯。

我们为了使自己获得自由而不断进行斗争。

真正鲜明的色彩就是性格品味。

无论如何，说我从未爱过是不对的。至少在我的一生中有一种伟大的爱情，其对象一直是我本人。

我不是不爱别人，只是我更爱品味自己。

任何人都是血肉之躯，凡是因为臂力过人而自夸的人，迟早会给弄得失面子的。

只有忍受痛苦才是唤醒精神的惟一可靠办法。自古就有一种说法：爱情也有同样的魔力。

一个人如果用艺术品味的眼光看待人生，他的头脑就是他的

必可能受到毒害，也可能变得完美。随你怎么处置。

我们觉得绝对有把握的事情都不是真的。那是信仰的死

亡，是迷信，也是浪漫的花朵。

只要能恢复青春品味，叫我做什么事都行。

人类被某个人的富足和美弄得糊里糊涂了。狂郁症患者一旦摆脱了他的愤怒就会势不可挡，甚或可以驾驭天性。

我认为，恶化就是无意识的秘密伎俩。

青春的品味！一切都不能和它相比。责怪青年人无知是荒谬的。现在，我只有对比我年轻得多的人的意见才怀着尊重的态度去听。他们似乎走在我们前头。生活向他们显示出最新的奇迹。他们充满激情的年轻的心脏也让我妒嫉羡慕。至于上了年纪的人，我跟他们老是合不来。这是我处世的原则。

如果拿昨天刚刚发生的事去请教他们，他们会板起面孔搬出1820年流行的观点来回答你，要知道，那时候的人还穿着长统袜，什么都相信，但是什么都不懂。

任何人都会破坏，但并非所有的人都会建设。不破不立并非处处奏效。

有些人之所以死抱住其他品味不放，若不是由于顽固不化，就是出于私利的考虑？他们心里明知那些品味纯属虚妄，但仍有意装模作样来蒙骗他人。

在我恼火的时候，我就想为我感兴趣的人去死。一方面，这

除了感官，没有别的东西可以医治灵魂的创痛。

同样，除了灵魂，没有别的东西可以医治感官的饥渴。

生活中最伟大的秘密之一——用感官来医治灵魂的创痛，用灵魂来医治感官的饥渴。

我是上帝创造的杰作，我所知道的事情比我自己估计的

要多得多，正如我知道的比我想知道的要少得多。

我宁可接受我完全不了解的事情作为动机，而不愿接受我完全了解的事情作为动机。一清二楚的解释对我而言是虚假的。

讲点实际并不是什么丢人的事。不想想清楚就讲，难道是值得骄傲的事吗？

你说的"世人"究竟是指哪个世界的人呢？一定是来世的。我同今世相处得十分融洽。

时下人们都喜欢背后说别人的坏话，偏偏这些话又是千真万确的。

世界上伟大的事件是在脑子里产生的，同样，世界上最重大的罪行也是由脑子产生的，并且只有在脑子里才能产生。心只关注琐碎的情感。

音乐在我们心中创造出的不是一个新世界而是一团混沌。

别对我说你对生活腻味透了。一个人越这么说，那就越表明生活对他腻味透了。

愤慨总是使我充满活力。我后来之所以身价大增，就是我把别人的轻蔑变成了进取的动力。我发愤图强。

她低声说我是个怪人，她就是因为这一点才爱我，也许有一天她会出于同样的理由讨厌我。我一声不吭，没什么可说，死终于能固定我们的关系；另一方面，对她也是一种解脱。

然而，人们不能希望所有的人都去死，无论如何，也不能为了享受一种难以想像的自由而使政治法律灭绝人迹。我的感觉反对，我对人的爱也反对。

我们不是自然的生物，而是超自然的生物。

从临床的角度来讲，眷恋本身就是歇斯底里。

从哲学方面而言，我理解得更好的就是恐惧。

当胆小的知识还在犹豫不决的时候，大胆的无知已经采取行动了。

现代生活中剩下的惟一真正鲜明的色彩就是行为。

现在给人安慰的不是忏悔，而是寻欢作乐，忏悔完全过时了。

不错，旅行是可取的好事，说真的，世界就是一座精神广场，旅行则是精神活动。我以前一直对此有怀疑。其实，我们所谓的现实无非是迂腐的空谈罢了。

受惠者的知恩报答心理，要比施惠者的施恩图报心理淡薄得多。

我不但要使自己活下去，也要使每个人都活下去。我不能再容忍坏事在世上这么泛滥。

人们说空气是灵魂的最后归宿，可是我倒认为，就种种感觉而言，恐怕再也找不到一种比水更可爱的介质了。

在这个世界上，我最爱的还是太阳，它能把高尚的灵魂和卑贱的灵魂通通晒干，挂在树梢上。天底下还有什么东西能比语言更加实在？

过去的事情之所以吸引人，全在于它一去不复返了。

但是女人却从来不知道大幕已经落下，戏已散场，而她们总是想着第六场，尽管戏里最精彩的地方已经演完，而她们还想继续演下去。

"我们的关系还不算太糟，只是有点像不存而已。我丈夫布什内尔说，我们之间的戏已经完了，大幕已经落下。"34 岁的卡通画设计师内莉说。

我们大学一毕业就结婚了，布什内尔说生活的大幕已经拉开了。

婚后，我的事业越来越吸引我，布什内尔的工作却一换再换，先试了建筑装潢，后来又进过银行圈与广告界，可是一样也没有结果。这不只是钱的问题，而是长期跟一个没有目标、不享受工作的人生活在一起。每次我兴冲冲地回家跟他分享我的新设计，总是看他意志消沉地躺在电视机前面。我知道告诉他我的工作只会使他的心情更坏。后来我就不太跟他说话了，工作不谈，同事间的笑话也不提，我们之间变得几乎没有任何话题而言。

布什内尔向来都沉默寡言。18 岁上大学第一学年认识他时，我以为沉默等于"深度"，当时他吸引我的是：他常常会冒出一些和别人不一样的观点，对那时的生活总有一些非常特殊的认识。

年岁渐长后，我才不安地发现事实并非如此。布什内尔是个极端个人化的人，可是我还是一再地告诫自己，有的女人的境遇更糟，至少布什内尔不会虐待我，也不过问我的生活。何况我也无法想像不结婚的日子。那么多年里，他总是在那儿，就像家里腿色的白沙发，或是爸妈送给我们做结婚礼物的第凡内台灯。我已经习惯他，朋友们也都习惯了，和他继续在一起似乎比较容易。

突然有那么一天，布什内尔对我说要和我离婚，他说我们生活的大幕已经落下了，他没有别的选择。

我简直惊呆了，几乎承受不住这个打击。

　　他真得搬走了。

　　我实在不能理解他。我们都已经有了孩子，我们彼此似乎都没有什么过错，生活本应该继续，可他离开了我……

　　如果内莉的想法得以实现，那么任何喜剧都会落得个悲剧的结局，任何悲剧都将在闹剧中终场。生活中有多少人矫揉造作，显得很动人，但是他们没有一点美感。

　　我一直等待着证据，并希望它有道理。

　　尽管有那么多自命不凡的时代，那么多雄辩而有说服力的人，我知道这是错误的。至少在这方面，是绝没有幸福的，除非我不知道。这种普遍的理性，实践的或精神的理性，这种决定论，这些解释一切的范畴，都有令正直的人发笑的东西。它们与精神毫无关系。它们否认它的深刻的真理，这真理就是受束缚。

　　今天，思想不再追求永恒了，它的最好的历史将是它的悔恨的历史。

　　戏剧感可以在随便哪条街的拐弯处打在随便哪个人的脸上，它就是这样，赤裸得令人懊恼，明亮却没有光芒，它是难以把握的。

　　同情之心也是不起什么作用的，同情要适可而止，否则要吃苦头，并且非常危险。

　　一个人既然有幸从天上和云间踩着云朵步入梦境，那么他应该能够视死如归了。

　　回避矛盾、尚未发挥尽自己天才就背弃天才的人，他的品德又从何谈起？

　　死亡表示一切的终结，但丧生意味着死亡的体验。

　　你说的一切很真实却不简单。如果两者兼备，现代生活就相当乏味，也不会产生现代文学了。

搞文学批评不是你的专长，不要尝试，让那些没有上过大学的人去搞那玩意儿吧。在报纸上他们会把那玩意儿搞得很出色的。

既然我需要爱和被爱，那我就认为自己陷入了爱情。换句话说，我装傻。

我常常对提一个问题感到惊讶，这个问题，我作为过来人总是加以回避的。我想问："你爱我吗？"按照惯例，在这种场合应该回答："你呢？"如果我回答是，我就承担了超越我的真实感情的义务。如果我竟敢说不，我就有不再被爱之虞，我因此而痛苦。

"在人迹不到的蹊径上，避开那种炫耀自己的生活……"啊，那是一种瘟疫，那种炫耀自己的生活，是一种真正的瘟疫！

竟到了这样一种地步，每一个亚当的荒谬的儿子都希望出现在别人面前，带着他全部生理上的扭动、痉挛和抽搐，带着他全部自我崇拜的丑陋所起的得意神情，他的突出的牙齿，他的削尖的鼻子，他的狂妄的扭曲了的理性，对别人说——在一片自我陶醉的泛滥中，而他却把这看成是施舍给别人的仁慈——"我在这儿作证。我来做你们的榜样。"多可怜，多愚蠢的灵魂。

这种生活模式给人以安祥亲切之感。

它使我想到一条平静的小河，蜿蜒流过绿茸茸的牧场，与郁郁的树荫交相掩映，直到最后泻入烟波浩渺的大海中。

但是大海却总是那么平静，总是沉思无言、色不动，你会突然感到一种莫名的不安。也许这只是我自己的一种怪想法（就是在那些日子这种想法也常在我心头作祟），我总是觉得大多数人这样度过一生好像欠缺一点什么。

我承认这种生活的社会价值，我也看到了它的井然有序的幸福，但是我的血液里却有一种强烈的愿望，渴望一种更狂放不羁的旅途。这种安祥宁静的快乐好像有一种叫我惊惧不安的东西。

我的心渴望一种更加惊险的生活。只要在我的生活中能有变迁和无法预见的刺激，我是准备踏上怪石鳞峋的山崖，奔赴暗礁满布的海滩的。

我天性中的这一部分我任其发展，对寡妇孤儿我必然产生共鸣，日久天长，这一感情终于驾驭了我的全部生活。

文明不是唾手可得的。

凡是有人失踪了，总会在旧金山出现。那一定是个挺可爱的城市，想必具有来世的种种引人入胜之处。

一旦人们可以逃得过一切，就是死里逃生。死亡和庸俗是 19 世纪两种无法解释清楚的现象。

从晚风到我的这只手，每一种东西都有自己的真理。

厌倦本身具有某种令人厌恶的东西。

一个人的个人生活，比一个国王更雄伟……超过了历史上的任何王国。我们承认我们所过的生活是平淡无奇的……我们现在不是完美的人……我们所生活的社会不愿听见我们说，每个人都应该为狂喜或天真打开胸襟。

无论如何，看报的人和通奸的人不能走得更远了。

我专门承揽所谓高尚的诉讼，为寡妇和孤儿辩护。我不知道那是为什么，反正也有行为过分的寡妇和凶恶残忍的孤儿。但是，只须在被告身上闻到一点儿受害者的气味，就足以使我挥动衣袖投入行动。怎样的行动啊！简直是一场风

暴！我的心全在那衣袖上了。人们真会相信正义每夜都与我
同眠。

有两种真诚的感情支持着我：为站在法庭上代表正义的
栏杆的这一方而感到的满足，以及对于所有法官的一种本能
的轻蔑。

丑事传播得最快。

品味好在并不是件什么严肃的事情。

一个势利眼就是根据别人比自己地位高或低而对其羡慕
或蔑视的人。这是我们道德上最可鄙的弱点。现代人则更是
变本加厉，达成了生活的基本准则。

天真纯朴却是你无法买到的一种东西。

我已经注意到，吹牛会给人一种神奇的神色。

虽然他从祭坛上跌下了，但是不要把他扔进泥潭。

我的悲剧，完全是可憎的、下作的、反叛的、缺少风格
的。我们的服装，使得我们很奇怪。我们是悲哀的小丑。我
们是心碎的小丑，我们是特地被找来诉说诙谐的感觉的。

智慧的表情在哪里出现，真正的美就在哪里消失。

像一切有性情的诗人一样，我爱无知无识的人，我晓得
在无知无识者的灵魂中常常有接受伟大的思想的余地。

一切都允许并不意味着什么也不被禁止。

你知道我们做不出什么超越表象的致命把戏的事情。我
知道精神的结局就是失败。我滞留在历史披露给人们的精神
冒险之中，无情地暴露出每一种体系的失败，拯救一切的幻
想，毫无隐瞒的预言。

滥情和残忍——两者总是同时并存的，就像化石和石
油。保守内心不是太坏的事情，任何时代都需要你咬紧牙

关，甚至咬烂舌头。

罪行不断地占据着前台，而杀人犯却是昙花一现随后即被代替。这些短暂的胜利最后要付出太高的代价。

当道德是形式时，它吞噬着人，人在它面前至少要装的俯首贴耳。

在本质上，法律注定是要被人触犯的，它不能当摆设供着。

"原则应是温和的，法律应是无情的，刑律应是不可追回的。"这就是断头台式的风格。

对父母，我是个忘恩负义的儿子；对祖国，我是个漠不关心的公民；对兄弟姐妹，虽然亲爱，但平时很少往来；对朋友，自高自大；对爱情，十分疏懒；论聪明才智，自己愚昧迟钝；对权力，毫无兴趣。对自己的灵魂，不敢正视。你该告诉我，是不是我活得没有趣味，抑或我该向地狱的边沿凑一凑。

一个人除非死于横祸，总有一些事值得庆幸的。

当你的朋友告诉你，他的书没有销路，他的短篇小说无处投稿；导演连看都不愿看一遍他的剧本，你就会感到很尴尬。而当他把他写的那些作品和上演的剧本一比较（这时他谴责地瞪你一眼），那可真是有点难以应付。

你窘态百出，转脸他顾，不敢接触这位朋友的视线。你只好小题大作夸张一下你所经历过的失败，这样就可以让他知道你的生活也不是一帆风顺。提到你的工作，你就得极尽挑剔之能事，说得一无是处，你会有点吃惊地发现你的朋友这方面的意见和你相同。你谈到群众的意见是变化无常的，当他想到你的荣誉也难以持久时，他似乎也聊以自慰了。

　　大多数人都生存在一个品味质朴的小圈子里，限制在他们的家庭、他们的住房、他们的工作中。

　　他们生活在善良和邪恶之间的安全领域，他们看见一个凶手，会真诚地感到恐惧。不过，你只需要让他们离开这个安全的圈子，他们根本不知道这是怎么回事，也就变成了刽子手，历史时常使人们陷入某种压力和圈套。

　　那些不学无术的人过去用拉肢架和火刑架镇压他们害怕的意见，现在早已放弃不用了；他们现在发明了一种更恶毒的毁灭武器——说俏皮话，这样就轻松多了。

　　大多数人破产是因为对平庸的生活投资过猛。

　　对富有诗意的生活投资过多而破产的，就是一种荣誉。

　　我活得愈久，就愈加强烈地体会到，我们的父辈感到满意的东西，到了我们手里总嫌不够好。

　　悲伦哀婉不能使我动心，只有美才能使我的眼中充满热泪。

　　我的本性，是正在寻求一种自我实现的新方法。只有这一点，是与我有关系的，而第一件必须做的事情，是把我从怨天尤人的一切感情的痛苦里解脱出来。

　　毫无疑问，我很爱妈妈，但是这不说明任何问题。

　　所有健康的人都或多或少盼望过他们所爱的人死去。他们想提前感觉忧伤，假想忧伤。因为他们总想试试自己到底有多么坚强。

　　我对他说我有一种天性，就是肉体上的需要常常使我的感情混乱。

　　大学毕业后，我在英国伦敦呆了 6 年，那是我一生当中最混乱的时期。我用父亲给我的钱拥有了许多英国女人，我却很少想起父亲。

当我一事无成地回到纽约时，我发现父亲已经很老了，父亲没有责怪我，只是用那种我曾经非常熟悉的眼神望着我，我忽然感到我还是很爱父亲的。

在纽约我仍然无所事事地周旋在女人中间，我没有爱过她们，她们能做到的只是在满足我肉体需要的同时，让我的感情稍稍混乱一点。

父亲重病期间，我忽然有一种奇怪的念头：希望父亲早早地死去。我是想，如果父亲不在了，我会是个什么样子？我的生活是否会有什么改变？

后来父亲真的故去了，我的生活也真的发生了一些变化。我感到很孤独，女人的安慰也无济于事。我开始怀念父亲，我开始认真地思考一些未来的事情。就这样，在不知不觉中我远离了过去的生活，我甚至觉得我比父亲干得还漂亮。

尽管女人不再是我生活中的主要目标，可我知道，我一生都无法拒绝女人，这可能是我的天性，说不清为什么，我就是欢那种疯狂的肉欲所带来的混乱的感觉。

怎么分清是心在召唤，还是肉体在呐喊？

欲望把我们与女人联系得过于紧密，结果把我们拉人了陷阱。这就是战争的污秽：两败俱伤的密切关系，两名怒目相视，以刺刀搏杀的士兵淫荡的接近。

我指的是现实主义、自然主义的生活，就像艺术掩盖了真理，只有疯人的痛苦才能暴露它。

我不知道何时才能超脱这充满巧遇的、假象的、浑浑噩噩的人生，取得莅临更高尚境界的资格。

单以自我实现为他们的欲望的那些人，是永不了解他们在向着什么地方去的，他们不会了解的，不过在这词的某种意义上说，像希腊的大圣所说的"认识你自己"，这自然是必要的。这是智识的最初的成就。

最后的神秘还是个人自身。就是一个人把太阳在天平上秤了，把月亮的运行也计算了，星傍星地把七层天地也描写出来了，而个人自身还是残留着。谁能计算他自己的灵魂的轨道呢？

活得自由。想怎么生活就怎么生活，想上哪儿就上哪儿。这真是一种淋漓尽致的境界。现代人最大的悲哀就是成为物的奴隶，为情所役，束手束脚，最后甚至不如纽约街头的乞丐活得洒脱。

一种快感，一种当人们感到自己被监视，躲也躲不掉，包括在最最隐密的时刻也不例外，监视的目光让你不得安生时所感受到的奇特的欢愉。没有注意你时，你才最难过呢。

任何一个人也不会罪孽深重到上帝不能饶恕的程度。

灵魂是空的，什么都能接受。

灵魂不是创造出来的；它亘古以来就有了，而当它终于解脱掉愚昧的七重蒙蔽之后，就会回到它原来的无限中去。

它就像海里蒸发起来的一滴水，在一场雨后坠进水潭，然后流人溪涧，进入江河，通过险峻的峡谷和广袤的平原，迂回曲折，绕石萦林，终于抵达它所由升起的无垠大海。

现在的人都很聪明。聪明已经成了一种真正的社会的毒瘤。但愿我们能遇上剩下的几个傻瓜。他们一般都在有些许阳光的拐角处。

我要投生，投生再投生。

我愿意接受形形色色的生活，不管它是怎样忧伤痛苦；我觉得只有生生不息，一个生命接一个生命，才能满足我的祈求、我的活力、我的好奇心。

人们在某个时候必须作出选择：坚定走自己生活的道路呢？还是迎合虚伪人世的需要，接着过一种虚伪、轻浮甚至堕落的生活？

我是现代生活中的一个佼佼者，我的确如此，而且精通现代生活的一套。在有文字记载的历史上，我是第一个穿着时髦的哲学家。

别人都是很讨厌的，惟一使人满意的友伴是自己。

我们每一个人都有不同的命运，我的命运是公然的丑名、长期的入狱、悲惨、败灭和屈辱，但我对于这些还不大配——至少，还不大配。我记得我常常说：我想我能忍耐真的悲剧，有人说一切殉情者在旁观者看来都没有意义。

摄像机表面上似乎只钟情于名流，可是，只要一架喷气式飞机在你身边坠毁，你的衬衫着火，那么，转瞬之间你也就名扬天下，被拉入这场普天同庆的狂欢，这种狂欢并不给人们欢乐，它只是向大家发出严正警告，警告他们无处藏身，每个人都受到别人的钳制。

对自然的反叛等于背叛自己。这是用头撞墙，马虎不得。

希腊人从来不作沉思。同他们相比，我们沦为处处设防的兵营。

魔鬼目睹基督教挑起的那些残酷战争，教徒对教徒进行的迫害和刑罚，以及残忍、虚伪、偏狭，一定对这种行径感到心满意足。而且当他想起基督教给人类背上了一个原始罪恶的痛苦包袱，使美丽的满天星斗昏暗下来，给世上那些供人们享受的赏心乐事投下一道邪恶的阴影，他准会咯咯笑起来，一面咕囔着：活该受这报应，这个倒霉蛋儿。

没有敢于正视个人或集体的恐怖的艺术，我们就品味不到自己或别人。

只有艺术才能穿透世界的表面现实，这就是由骄傲、激情、智慧和习惯在各方面所建立的一切。还有另一现实，即我们所忽略的真正现实。这另一现实经常给我们一些暗示，可是没有艺术，我们是无从领会这些暗示的。

美国的生活已变成一场五花八门的狂欢，人人都参与其干。

既然死在威胁我们，那就应当证明死亡并没有什么。还有一句名言就是，既然活着都不可怕，死又有什么可畏惧的。

死亡意味着返回到原始元素状态，存在就是石头。

伪善是最困难、最折磨神经、任何人又都总是摆脱不了的恶习；它得始终绷着神经来做作，随时装出一副并非本来的面目，它不能像通奸或暴食一般，偶而为之；它是需要耐心从事的玩艺儿，还需要嘻笑怒骂的幽默。

对我们来说，在光明与黑暗的追随者之间，没有简单的选择。善与恶并不是对称地按政治路线来划分的。但是我已经说明了我的论点：我们面对着来自各方的忧虑；我们天天为之担忧的是许多事物都在衰退和崩溃；我们既为个人生活而不安，又被社会问题所折磨和困扰。

日常的细微小节足以塑造一个人的品格或破坏一个人的品格，所以人在密室内所做的事情，终有一天要在屋脊上高声地叫喊出来。

在中心处，人类为取得自由而与集体势力作斗争；个人则为做自己灵魂的主人而与非人化作斗争。

独处：甜蜜而决绝地摆脱一切目光。

我所回想起的过去，似乎已经失去它的真实性，我看它就好像一出戏中的一幕。

而我呢？只是一个黑暗的顶层楼座中后排的一名观众。不过，即使过去了很久，我对自己也还是一清二楚的。它不像一个所经历的生涯，在各种各样的印象似乎都失去轮廓时那么模糊不清，而是像维多利亚中期一位艺术家辛辛苦苦创作的一幅风景油画，轮廓鲜明、准确、清晰。

直觉是天性品味的灵魂

有一个诗人的诞生也必然有一个诗人的死亡，因为这世界诗人处于饱和状态。

人们在诗歌中讨论原则，而原则是不应讨论的。

诗人们面对着自己的被谋害的兄弟，自豪而无辜地称他们的双手是干净的。从此，全世界便漫不经心地把目光从这罪恶上移开了；受害者便完全无人问津，诗人放逐了自己的良心。

进入美国文学界最好的通行证就是身分显贵，脸皮奇厚。

文学中的光荣冠冕是诗歌。

它是文学的终极目的，是人类智慧的最高活动，是美的功德。诗人经过时，散文作家只能让路。诗人一出现，我们中间最优秀的人物也不过像一块干酪，显得十分渺小。

一丁点儿智慧胜过一大本道德格言，这是常识。

世界尚有一丝光明，似乎习惯上人们愿意年轻姑娘们具有"小说气质"。

从普遍观点看，人们总认为故事是与生活相分离的，它美化了生活，同时又背叛了生活。

人们在逃避什么呢？

逃避一种被认为是过于压抑的现实吗？幸运的人同样也读小说，而且极度痛苦往往会使人丧失阅读的兴趣。

讥讽是一种神赋，它是说话的语气中最微妙而刺激人的一种。它既是甲胄又是武器；它既是一种哲学又是一种永久的娱乐；它是智慧饥饿时的粮食，是讪笑干渴时的饮料。用讥讽的天气预报镇服你的对手，较之用讽刺的板斧将他剁砍或用谩骂的大头棒将他捶打，远为温文尔雅。

精于讥讽的老手，当惟有他知其意义时，会从运用中自享其乐，他掩袖暗笑，看着所有为迟钝所缚的人们对他的话信以为真。

在一个狂热的世界里，它是饶舌人惟一的防御。对于文人，它是一颗导弹，他可以把它投到读者脸上，以驳斥那种有害的邪说：一个人写书是为了丛书的订户而不是为了他自己。别受骗，高雅的读者，任何一个有尊严的作家都不会关心你那区区两美元！

超现实主义者禀性过分高贵，不会杀死所有人。鉴于他们的态度的必然逻辑，超现实主义者竟认为必须首先推翻社会以解放欲望。

超现实主义的背叛者在大部分原则上都是忠无虚无主义的。他们愿以某种方式去死。

当作家碰到了某种极为不幸的事，备受折磨、屡经痛苦后，他可以把自己的经历写入一篇小说中。于是他便解脱了，内心欣慰不已。他又渴望着再一次的磨难速速到来。

作家对那些吸引着他的怪异的性格本能地感到兴趣，尽管他的道德观不以为然，对此却无能为力；直到习惯已成自然，他的感觉变得迟钝以后，这种本能常常使他非常狼狈。他喜欢观察这种多少使他感到惊异的邪恶的人性，自认这种观察是为了满足艺术的要求；但是他的真挚却迫使他承认：他对于某些行为的反感远不如对这些行为产生原因的好奇心那样强烈。

一个人如果想体会到生活中的浪漫情调就必须在某种程度上是一个演员，同时也是一个观众，那就是时而跳出自身之外，能够对自己的行动抱着一种既超然物外又沉浸于其中的兴趣。

咒骂莎士比亚和美的并不是鞋匠，相反，是那个继续读莎士比亚并且不会去做靴子也永远不会穿靴子的人。

一个艺术家在品味面前能做的最后一件事就是忏悔。

超现实主义者笔下受风雨拍打的令人胆战心惊的新生的城堡、监狱、受堡垒掩护的民族、集中营、自由奴隶的帝国，这一切都以各自的方式说明对于和谐与统一的同样的需要。

天晓得，作者为他一本书花费了多少的心血，经受多少折磨，尝尽了多少辛酸，只为了给偶然读到这本书的人几小时的休憩，帮助他驱除一下旅途中的疲劳。

如果我能根据书评下断语的话，很多书是作者呕心沥血的结晶，作者为它绞尽了脑汁，有的甚至是孜孜终生的成果。

我从这件事取得的教训是，作者应该从写作的乐趣中，从郁积在他心头的思想的发泄中取得写书的酬报；对于其他一切都不应该介意，作品成功或失败，受到称誉或是底毁，他都应该淡然处之。

逾越礼规的言词是机智的灵魂。

诗歌是夺取"至高无上点"的惟一可能。

"我宁愿成为一个俄国鞋匠，而不愿成为俄国的拉斐尔。"一双靴子对我来讲要比莎士比亚更有用。

对艺术的诉讼最终还是开始了，今天还继续着，而且，专门对自己的艺术和自己的智慧进行污蔑的艺术家和知识分子为难地参加到这个诉讼中去。

知识是一团鬼火，永远飘荡在行人伸手莫及的地方；甚至为了看它一眼，也必须作一次使你劳顿不堪的旅行。

真实的生活都是戏剧品味。

一个人，只有当他颇具学识的时候，才会知道他的愚昧何等可憎。一窍不通的人以为无窍可通，因而也就认为他已无所不通，于是心满意足；要叫他相信他并非无所不知，还不如叫他相信月亮是用未熟的干酪做成的来得容易。

当然，小说活动意味着对现实的一种批判和否定。但是这种否定并不是一种简单的逃避。人们是否应在其中看到高尚灵魂的后退运动，在黑格尔看来这种灵魂在其失望中为自己创建一个在其中只有道德统治着的假想世界。

当文化无法解决人所倾向的空虚与恐慌的情状时，便会有另一个有影响的人物出现，把我们用疗法、胶水或者口号，或者唾沫粘结在一起；要么就像文艺批评家古姆本那个家伙说的，可怜虫们在睡榻上再生。

艺术反对现实，但并不脱离现实。

一位宗教批判家说："艺术，不论它的品味是什么，总是制造一种同上帝进行的有罪的竞争。"的确，说小说是同上帝的竞争比说小说是同自身身分的竞争更加正确。

戏剧是真实生活，那样一种阴森而痛苦的奇怪生活，男男女女都把自己内心邪念暴露在无情的睽睽众目之下。

姣好的容貌把堕落的灵魂包藏了起来；君子淑女拿德行当作掩饰丑恶隐私的面具；徒有其表的强者由于自身的弱点而逐渐演变为色厉内荏，诚实之徒并不诚实。

高洁之辈原是荡妇、淫棍。你恍惚置身于这样一个房间：前一夜，人们在这儿纵酒宴乐；清晨，窗户尚未打开，空气浑浊不堪，酒残烟陈，杯盘狼藉，煤气灯还在闪亮。

台下没有爽朗的笑声，至多也只是对那些伪君子或傻瓜蛋窃笑几声罢了。剧中人自我表白时所使用的残忍言词，仿佛是在羞痛交逼之下硬从心坎里挤出来的。

艺术家为自己重造世界。

自然的交响乐并不值得延长号。世界从来就不是安静的，它的沉默本身按照我们听不到的振动永恒地重复着同样的音符。

失恋者终于将能够围绕希腊少女雕像瞻望，以在少女塑像的身体和面容中捕捉到在失恋后尚存的一丝狡猾。

诗人从巨大的悲伤中创作出微小的诗歌，就像奶牛吞咽了一槽青草只挤出一罐牛奶一样。

凡属真正的画家、作家和音乐家，身上总有那么一股力量，驱使他们将全身心都扑在事业上，这一来，他们势必要让个人生活从属于整个艺术事业。他们明明屈从于某种影响，自己却从未有所察觉，像中上邪似地受着本能驱使和愚弄，只是自己还不知道罢了。生活打他身边一溜而过，一辈子就像没活过一样。

不管怎么说，艺术是件奢侈的身外之物。人们重视的只是自我保存、传种接代。只有在这两种本能得到满足之后，他们才愿意忙里偷闲，借作家、画家和诗人所提供的余兴来消遣一下身心。艺术是空气中悬浮的颗粒，是类似于胡椒粉的一种调味品，不是生活的主项，一种点缀而已。

真正的小说创作利用现实，并且仅仅利用现实，利用现实的热、血、激情或呼声。只不过，它还在小说中添上某些使现实改观的东西。

有时艺术试图成为现实主义的，但总不成功。

我常认为，最典型的艺术家就是对自己开的玩笑自得其乐，这才是幽默家。

知识分子所感兴趣的艺术仅仅是那种观念至上的艺术，……艺术家必须使知识分子这个新兴阶层感兴趣。这就是文化的现状、文化的历史成为艺术的主题的原因之所在。

现代社会的有识之士，就是所谓的原始积累阶段的有品味的暴民，而他们的使命就是把杰作贬为垃圾，把庸俗宠为时尚。

人们本能地认为，品味比道德更为重要。

有人认为，最高尚的品味莫如家里有一位名厨来得更有价值。

上流社会的通则是和艺术的通则相同的，或者是应该相同的。在这里，品味形式是极端重要的。

它应该兼有礼仪的庄重和虚假两个方面，它还应该把浪漫戏剧中虚情假义和这类戏剧中我们喜欢的机智文采揉合在一起。

小小环球上的短暂居民——人，含辛茹苦，奋斗一生，在不生不灭的精神品味中，原只不过是一个玩笑而已。

想到作家的生活，他们的生活真是充满各种忧伤品味。

首先他必须忍受贫困，忍受世态炎凉；后来，取得一定程度的成就，他又必须虚怀若谷，逆来顺受，随波逐流，依赖文学界变化无常的一褒一贬。

他还得听新闻记者的摆布，他们要访问他，摄影记者要给他拍照；还得任编辑和收税人的支配，前者逼书稿，后者逼税款；还得讨好上流人士和社会团体，他们要请他吃饭，作报告。

还得对付女人和青年，有的女人要和他结婚，有的女人要和他离婚，青年们要他亲笔签名；还得敷衍演员及素不相识的人等等，演员要求扮演个什么角色，素不相识的人要借钱，多情的女士们要征求对他们婚姻大事的意见，热情的青年希望要你给他们的作文、作品提意见；还有代理商、出版商、经理，令人讨厌的人们，欣赏你的人们、批评家以及自己的良心等等。

不过，他也有一得：随便什么时候，脑子里想到什么，无论是令他心烦的回忆、朋友逝世的悲伤、单相思、受伤害的自尊心，对于以怨报德的人们的义愤。

总而言之，任何感情或任何错综复杂的思想，他只要白纸黑字把它写成文章，以此作为一个故事的主题，作为一篇文章的装饰品，然后忘记它。他是惟一的自由人，也是我惟一深表同情的人。

为了想在人类命运中扮演一个重要角色，也就变成了无赖和小丑。

作为意义和美的自封的代表，他遭到了双重的惩罚。艺术家在磨难之中学会了如何忍受沉沦与毁灭，如何去拥抱失败，如何保持虚无和克制自己的意志，并接受了进入现代真理的地狱的任务的时候，也许他的俄狄甫斯神力又恢复了。

这样，他在演奏时，顽石又会起舞。天地将会合为一体。经过长久的分离，双方是何等快乐呀。

为什么作家越老越受尊敬？这一问题我久久惑而不解。

有一阵子，我认为，赞扬 20 年来没有写出有意义作品的作家，多半是因为年青人再不必担心老年作家来竞争，不妨放心赞扬赞扬他们的功迹。大家都知道，赞扬不和你抗衡的人，往往是破坏你的竞争对手的好方法。

不过，这是以低调方式观察人性，我绝不愿招致愤世嫉俗这一可鄙的罪名。

经过深思熟虑后，我得出结论是：对于超越一般年龄的作家，人们普遍赞扬他，安慰他的暮年，其真正的理由是：聪明的人过了 30 岁，什么书也不读了。

人越来越老，他青年时代所读过的书就会大放异彩。

随着时间的消逝，他们就把更大的荣誉归在写这些书的作家头上去。当然，作家要继续前进，他不能脱离社会。他的思想还够写一两个杰作，这不管用。

他必须为他那四五十件没有特殊影响的作品中那一两部杰作提供基础，这就需要时间。

一个作家的产品必须是这样的：如果他不能以他的魅力（质量）赢得读者，那么他用重量（数量）也得把读者征服。

边疆居民向来对诗歌是不感到恐惧的。

只有那些对于艺术无知的大企业家和粗俗的像失之刚阿的的牧师，才把宗教和艺术弄成现在这种阴阳怪气的样子。

可怜的诗人只谈论基督的钱，基督关心的是他的钱"是否平安""是否能源源不断地给他带来利息"。

我所干的就是在用我的戏剧，用嘲笑、失败、责难、歪曲，使自己激昂起来，在色砍和美感上兴奋起来，达到一个高潮。而这个高潮看起来像是一种品味，是许多"更高深"的问题的答案。除此之外，你便只有沉沦。

在重大问题上，最重要的是为人的风格品味。

我真的认为应该让死人埋葬他们自己的尸体，我还相信，只有当生命被清楚地看做是在慢慢死亡时，生命才是生命。

破损之后必有完美，是另一种品味的完美。

当一个人感到前途极端无望的时候，就不得不作出一种选择使每一个精神上的痛苦最终必须得到解放。

当心智处于被动状态时，任意的联想是一种束缚。或者说，在那种时候，各式各样的束缚都有可能出现。

有人认为，理智自然能够使混乱稳步地进到和谐，不必每天重新开始对混乱进行征服。

我遇见了一位我钟爱的朋友。这位朋友对我讲话时我有些漫不经心。回家后，这个人自杀了。人们随后谈到他内心是否有忧伤和不为人知的悲剧。如果非要有一个理由不可，那就是：他自杀是因为一个朋友对他漫不经心地说话。

假如有一句在黎明或是夜间，为快乐或是为痛苦，都可以读的座佑铭，那么可以在你家的壁上，用太阳照上去则为金辉色、月光照上去则为银灰色的文字，写上"凡别人所遭遇到的事情，也会遭遇到自己身上来"。

每当我似乎感受到世界的深刻意义时，正是它的简单使我震惊。

我以坚强的意志和极叛逆的性情反抗一切东西，直到我在世界上除了一件东西之外绝对没有别的东西的时候。我已经失掉我的名字、我的地位、我的幸福、我的自由、我的财富。

我是一个囚犯，一个乞丐。可是我尚有许多孩子。忽然之间，他们却以法律的名义从我这里夺去了。

这种重大的打击，使得我不知所为；于是跪下了我的膝，低下了我的头，并且涕泣着说道，"孩子的身体和主的身体是一样的，我都没有资格啊！"这一瞬间，似乎我得到了拯救。于是悟到我所要做的惟一的事情，是接受一切。

人有权要求死亡，因为看透了生活。

时空的连续在回收它自己的元素，一点一点地在把你取走，然后继之而来的又是空虚。

空虚比一个不可救药的人所尝受的痛苦和厌倦要好一点，因为他们始终有着同样的惊人之举，老是蒙受同样的奇耻大辱。这些耻辱和痛苦的时刻看来似乎是永恒的，所以一个人假如能捕捉住这些痛苦时刻的永恒，给它们以不同的内容，他就会完成一次革命。

我生涯中的两大转机，是我父亲送我到哈佛大学去的时候和社会送我到监狱里去的时候。

在重大问题上，最重要的是为人的作风。美国一直这样教导我。

这世界上有两种人，一种是精神激昂的人，他们痛苦；

所有这类感情外泄的人，他们所需要的是"无限"，他们一遇到障碍，就哭泣，垂头丧气；他们沉湎在病态的幻梦里，而在茫茫的苦海中他们所看到的就只有一片脆弱的芦苇。另一种是身体壮健的人，他们昂然地活着，享受人生实际的乐趣，他们所关心的只是盘算他们拥有多少金钱。到头来这也不过是来自灵魂方面的，引起一场痛哭；来自肉体方面的，则是一场大笑而已。

总有些硬汉不惜以自由、以生命作代价，去不断地考验人类一切制度所具有的权力和完善程度，试图能够制胜它们。

艺术，仅仅是发掘生活中神奇礼物的一种方法；这样的礼物甚至一个正在玩耍的孩子或一个沉浸在梦中的普通人也能发现。

世纪末最糟的事不是人世不自由，而是人们弄丢了他们的自由……假如我们不能改变这个世界，那我们至少应该改变我们的生活，自由自在地活着。不为世事所累，内心清新爽洁。

我表面上相信无论在什么地方自己与完全的自由并存，因之自以为得计，但事实上我感到的却是自己的渺小。假设灵魂的不朽就是解脱每个人心头关于死的重负，就像消除任何一种困扰（如金钱的困扰，或者性的困扰）一样，那只不过是展示不朽的一种大好的机会。

在这生活中，我用忧虑赋予每一事物以价值。

我永远是我自己的囚犯和情人。

人类有处置今后劳作、感受和信仰的才能，而那些以先知和先觉自诩并想方设法辱没人类的人，则时而把这种才能引导到这儿，时而又引导到那儿。

所有我不厌烦的国家都是不给你任何教益的国家，给了你教益，它就束缚你了。

我设法在这一切艺术作品中减轻焦虑。惯用的方法是在忧郁中消除我的反抗。

据说一个文明而理智的人的灵魂是自由的，可是实际上束缚得很严实，自由被大大地打了折扣。

我是一个需要微观世界及宏观世界观念的那种类型的人，或者是相信人身上所发生的一切都具有世界意义的那种人，就是这种信念温暖了我的环境，长出了园林中鲜嫩光洁的树叶，累累下垂的桔子。在那里，未被玷污的自我有如纯贞的少女，它正满怀感激之情与它的造物主亲密交流。

这是我可能达到的真正自我的惟一途径。

这无泪的充实，这充满我自身的没有快乐的和平，这一切都只是由一种不再回复我自身的东西的清楚意识造成的，即由一种弃绝和漠不关心造成的，就如同一个行将死亡并且已经知道自己将死的人并不关心她妻子的命运一样。

对情感来说，这个年代不存在任何不朽的诺言。

有些毒物十分难以捉摸，要了解其毒性，非得先中毒不可；有些病症又非常奇怪，如果想弄清其病源，非得先生病不可。

研究奇妙而严谨的情欲逻辑以及涂上感情色彩的理性生

活——观察这两者在哪里交会，在何处分离，它们在哪一点上协调一致，在哪一点上互不调和——这里面真是其乐无穷！至于研究它需要付出多大代价，那又何必顾虑？为了追求新的感觉，付出再高的代价也不为过。

小城里到处都是阴暗的广场。慢吞吞、懒洋洋的鸽群寻找栖息之处的中午时分，灵魂在其中消磨反抗斗志。情侣们的热吻已淡而无味，激情的眼泪随着鸽群四处抛洒。

我碰到的每一个人，街上的每一种气味，这一切都是我无限地去爱的理由。

这个国家把我带回到自己的内心之中，并让我面对我隐秘的焦虑和恐慌。

这种日子很快就要到来——只有证明你陷于绝望时，才会给你投票的权利，投票的权利不再取决于财产的多寡，是否缴纳人头税，是否通过文化程度测验等等。你必须是孤苦无依的。每一个深深的创伤所引起的痛苦，从前人人都默默地忍受着，仿佛什么也没有发生过。

我需要一种伟大。在我深深的绝望和世上最美景致之一的隐秘冷淡的对抗中，我找到了这种伟大。我从中汲取力量以成为既勇敢又有意识的人。

没有生活之绝望就不会有对生活的爱。我渴望爱如同他人渴望哭一样。

我似乎觉得我睡眠中的每一小时从此都是生命中窃来的……这就是说，是从无对象的欲望的时光中窃来的。我得珍惜。

生命是短暂的，浪费时间是犯罪。别说我充满活力。但是当误入迷途时，充满活力更是浪费自己的时间。

我们一直在社会的鞭子下行走。现在他转身面向主人。

他将更可取的东西与不可取的东西对立起来。并非所有的价值都会引起反叛。

大部分人的品味，都是别人的品味。

他们的性格是别人的，他们的生活是模仿，他们的热情是借来的东西。

基督不单是一个个人品味者，他还是历史上第一个个人主义者。人们都试着把他当作一个普通的博爱家，或者把他安放于非科学的感情的爱他主义者中间。

但实际上他不是前者，也不是后者，固然，他对于贫苦的人、关在牢狱里的人、卑下的人和不幸的人，都表示怜悯；可是他对于富者、无情的快乐主义者、做事物的奴隶而浪费自由的人们和穿了柔和的衣服而生活在王宫中的人们，更是怜悯。

在他看来，财富和快乐比贫穷和悲哀更的悲剧。基督意识到了这一点，大众还懵懵懂懂。

你假如要在这个世界上混得好，你就得接受这个世界的一套，而且不去做别人明白指出的那种不牢靠的事情。否则，你一脚踏进阴沟，招来的不只是窃笑，还有袖笼着手的旁观。

当你决定离开常轨行事时，这是一种赌博，许多人被点了名，但是，当选的寥寥无几。

我们尊重自己，但我们又羞于尊重自己。

我们被迫忍辱负重，致使我们低估自己。另一方面，文明却教导说，我们每人都具有不可估量的价值。由此，有了两种准备：生与死。我们不动感情，学会了保持心灵的恬静。我们如果偶然对自己加以审察，将采取十分冷静的态度，仿佛审察对象是我们的指甲，而不是我们的灵魂。

　　有些是在青少年期
　　有些是在老年后才被暗害的
　　有些是用一双淫欲的手
　　有些是用一双铜臭的腕
　　最有梦的眼睛才是最锋利的一把刀

　　在不完美的事物面前，我们会紧蹙眉峰，似乎我们面对的是一块碎玻璃或一块污垢。

　　我们被迫受到不公平的待遇，我们被要求做一个默默无闻的人，被要求献出生命。

　　我们学会了对自己无动于衷和冷漠淡泊。谁一旦得知自己也是狩猎对象后还会一心一意挺起胸脯等候枪响呢？

　　或者我们不是引人注目的猎物，但仍然是被驱向鱼群中的一条。在这种大渔网面前，只好闭眼。

　　我需要用些时间来忘掉我所学到的一切。这下别的女子对我都变得无意义了。

　　情人在最深刻的激情中没有任何保留，因为他把所有的一切都投入进去了。

　　个人要捍卫的这种庄园并不属于他一个人。至少，应当由所有人来造就这种季节。在情爱中，人自我超越成为他人。从此看来，人的一致性是无法阻挡的。

人们羡慕自己并不拥有的东西，而情爱则只维护自身。

我不仅仅索取我并不拥有的利益或是人们可能从我那里巧取豪夺的东西。我的目的是让人承认我所有的某种东西。我几乎在一切场合都把这种东西视为我所慕之物加以强调。

美国从骨子里并不是现实主义的。

喜欢模仿的人类往往图方便的来源获取需要的东西，正如新城往往在旧城的瓦砾堆上建成。

根据精神分析的学说，本性的构成是丑恶的、僵硬的——我们无法欣然接受，只能宽容忍耐。

当人说"饶了你的仇敌吧"的时候，这并不是因为仇敌的缘故，他这么说是为自己的缘故；谁都知道爱是比憎恶更加美丽。

在对青年"要去变卖你所有的，分给穷人"这样的请求中，我所想的，并不是穷人的状态，而是为财富所害的青年的灵魂，在我的人生观中，我是和艺术家一致的。我深知因为自己完成的必然的天意，正像山栌在春天一定开花；壳物在收成变成金黄色，月亮依照它的规定运行，盾形变成镰形，从镰形变成盾形一样；诗人一定要歌咏，雕刻家一定要在青铜上把世界造成他的情调的明镜。

惟有爱能根据它在坚强的或软弱的心灵中的发展而变得野心勃勃或者辛辣尖刻。

而愤恨对它的怨恨对象尝到的痛苦滋味事先就津津乐道。

惟一的爱情就是人们已失去的爱情。

我考虑问题时像个保守党人，而谈起话来却像个激进党人，我想，目前时世正需要这样的人才。女权属于历史，而女权的统治起始于历史的结束。

是的，一切都是简单的，是人自己使事物变复杂了。

有些人宁愿凝视自己的命运。

只有那种歇斯底里的人才会让自己的生命被简单的完全相反的观念极端化，强大——软弱，有力——无能，健康——疾病。

他感觉受到挑战，但是他太软弱，不能与社会的不公斗争，于是他就和女人搏斗、和小孩搏斗、和他自己的"不幸"搏斗。

一个人如果将他的整个生命献给某种极端的努力，往往会弄得焦头烂额，甚至在自己选定的范围内丢掉老命，这种事情不可能是政治方面的，而是性生活方面的。

当我起初被捉到监狱里去的时候，有许多人劝我忘掉我从前是怎么样的一个人。这真是灭亡的忠告。

我只有实现我是怎么样的人，我才能找到一种安慰，现在还有许多人劝我出了监狱，就把在监狱中所做的事情忘掉。我知道这是同样致命的。这就是说，我是常常要被不能忍耐的屈辱的观念所嘲弄；在人我之间有同样意义的一切东西——日月的华丽、四季的美观、黎明的音乐、深夜的静寂、落在树叶间的雨、落于草上使草变为银白色似的露水——都要放弃我。

悔恨自己的经验，就是阻止自己的发展，不承认自己的经验，就是在自己的生涯的嘴唇上撒谎，这无异于否定灵魂。

人们在即将来临的衰老之上建设着。

他们要赋予这无可挽回的烦人的衰老以无拘束的闲情逸

致。他们要成为工头以便将来在小别墅中养老。然而，一旦已到暮年，他们就知道这是错误的。他们需要别人来保护自己。但对老人来说，必须有人听他说话以使他相信自己还活着。

在天堂，幸福的人们中最伟大的快乐将是看到罗马皇帝们在地狱中受煎熬的景象。

情感在原则上限于拒绝受辱，而不为他人去求屈辱。它甚至为了自身而甘心受苦，只求它的廉正得到尊重。

所有时间只应该是一个季节，这就是开心的季节。

对于活着的悲哀，除了爱的手之外，无论什么手触上去，都是要出血受伤的；并且就是爱的手触上去，虽觉不到痛苦，但出血的事也终是免不了的。

有悲哀的地方，就是神圣存在的地方。总有一天，人们会了解那是什么意义的。除非等到了那是什么意义，否则人们是不会懂得人生的。

就像外部世界一样，你自己也有你内在的奇迹。我曾经想过，最明智的办法莫过于为这些奇迹修一座林园，就像养鸟、养鱼、养花那样，把你特有的东西即你的怪癖都保养起来。

狂暴的绝望、注定受劫难的作家与死于自杀的政客，都具有戏剧价值和社会价值。

苏格拉底的"认识你自己"和我们忏悔室内的"要有道德"具有同等价值。它们流露出一种怀念，同时也流露出一种无知。这是关于一些巨大的主题的一些没有结果的游戏。这些游戏只在近似确切的情况下才是合乎情理的。

　　我们每个人都有可能活在时间之外。我觉察不到自己的年龄，而大多数情况下则无年龄可言。

　　千金难买回笼觉，这是一天当中最惬意的时刻。

　　我们回归自身。

　　我们感到了我们的不幸，因此我们就更要去爱。是的，这可能就是幸福，即对我们的不幸所表现出的同情。

　　人性多么矛盾，我不知道真挚中含有多少做作，高尚中蕴藏着多少卑鄙，即使在邪恶里也找得到奇形怪状的美德。

　　如果想从感情上说动一个人，在午饭以前是很少会成功的。我自己就常常遐想一些爱情的事，但是只有吃过晚茶后我才能幻想美好婚姻的幸福。

　　世界对小孩来讲，也许是陌生而新奇的，但是小孩不像成年人那样对它怀有恐惧心理。小孩只会感到惊奇，而成年人则主要是畏惧，为什么呢？这是因为有死亡。

　　人生的怪事，怪就怪在这里——它把死亡推到老远的地方，犹如在孩提时代那样。

　　对爱而言，一个动作比一个人更有个性。

　　再说得简明扼要些就是：人多动作少。

　　人们多半不愿意跟碰到的麻烦事儿打交道。麻烦事儿有一股臭味。

　　我厌恶谦虚！谦虚是伪的！

　　没有自我这种信念，没有这样一种基本的幻像，我们就无法生活，至少不能认真对待生活。光有自我认同是不够的，必须充满激情地认同，视之为性命他关天大事。只有这样，我们才能不把自己仅仅看做是人类原型的一个重复，而是一种有其不可替代的全新的生命。

如果说精力就是乐，富足就是美，那么狂郁症患者就比别人更懂得乐与美，因为有谁能比他拥有更多的精力和富足呢？

所谓快乐者，不是别的，只是痛苦的缓解而已。因此，痛苦越多，所包含的快乐也就越强烈。

空虚给人类造成无数的不幸，活像印度的一种毒蛇，这种蛇所居住的地方，就是能治愈它所咬伤的生物的一种植物的叶子；这个社会几乎始终是把医治那些由其所造成的痛苦的药物安排在旁边的。

一个生活有规律的男人，事业有起色，他规定时间拜会朋友，规定时间工作、规定时间谈恋爱，那他即使失掉他的情妇也没有危险。因为他的业务和他的思想都同那些在一条战线上排成战斗行列的镇静的士兵一样，一声枪响，打死了他们中的一个，而旁边的士兵便立刻靠拢来填补上他的空隙，就像没有事一样。

我们在生活中得到每一个教训时，几乎都是对我们已经没有用了的！

说出这件事等于要我重新做一遍。

行动是人生的第一次悲剧，言辞是第二次悲剧。可能第二次悲剧更惨痛，言辞是冷酷无情的！

一个情人的消失就等于另一个情人的出现，尽管这种出现可能以令人困惑的形式实现。在此，我们或再次发现了一切，或一无所有。

我不知道情人在我的生活中到底占据着什么位置，我也从不认为我的那些情人能比我妻子凯思琳好多少。婚后，我周旋于一个又一个女人中间，其实想一想也就是在重复着那一件事情。

在许多夜晚我常常要梳理自己的过去，但我还是无法弄清楚我自己。

还是在我27岁的时候，也就是我结婚的第2年，我惊奇地发现我周围的许多男人都有婚外情，而且还不止一个。我忽然有一种失落感，觉得自己成了一个落伍者。所以，我在寻找情人方面也投放了一些精力。

我遇到的第一个情人是托妮，她是一个未婚女子。现在我也搞不清她对我为什么会那么着迷。当时，我也很投入，和托妮在一起，性只是一方面，我常常会有一种和凯思琳恋爱时差不多的感觉，我好像是在重复着那种美好的感觉。可是，为此我付出了代价，差一点毁掉了我的婚姻。

摆脱了托妮之后，我清醒了许多，在这方面我开始走向了成熟。于是，"情人"开始接二连三地出入我的生活，她们总是在我想和凯思琳过平静生活的时候出现。

凯思琳似乎非常清楚我所做的一切，可她从来没有盘问过我，只是很少和我说话了。我们在一起的时候，她总是长久地注视着我，仿佛看到了我的灵魂。

有一天，我终于对她说：凯思琳，我好像什么地方出了问题……

在情感的经历中，苦难是个人的。从情人的行动起，苦难便有了集体的意识，它成了众人广泛热衷的冒险行动。

一个人，或者推而广之，一部小说中的某个人物，就其定义而论，难道不应该是个独特无匹、不可模仿的存在吗？他不该是特立独行，具有独特思想的吗？不然的话，你称怎样的人为人呢？

如果你把愤怒发泄在无生命的东西上，那么你就会伤害有生命的东西，这是一个文明人所难免的，只为了去掉你自己身上狂起的波浪。

我琢磨着，相爱的人相爱的程度总是一样的，人嘛，总是想振作起来的。我试过你能想到的办法。当然啦，在这个疯狂的时代里，要想不受疯狂的影响，这想法本身就是一种疯狂。然而，要想有个清醒的头脑，可能也是一种疯狂。

在清醒与沉睡之间回旋真是妙不可言，仅此一点，我们就应为自己出生而感到庆幸。

我们注视着尘世在晨曦中又重新显现出它本来的面目。暗淡的镜子又开始摹拟人们的日常生活。

熄灭的蜡烛还摆在昨夜的老地方；旁边放着昨夜读的还未完全裁开的书；一朵在舞会上戴过、现在已经枯萎的花；一封一直怕读、或读过多遍的信。总之，我们觉得一切都没有变。

我们所熟知的现实生活又从夜间不真实的幻影中归来。

如果正式接受某种教义或体系，或者错把星月无光之夜看得诗情画意，或者借宿一宵乃至度过几小时逆旅当作定居的家园，那就会妨碍自己智力的发展，我是永远不会犯这样的错误的。

任何关于生活的理论与生活本身相比都是微不足道的。

人们热爱全体人类，而无需热爱个别的人。

热恋貌似否定，因为它并无建树，但在本质上讲却是肯定的，因为它揭示出在人身上始终要捍卫的梦想。

如果有人在你面前敞开心扉，你切莫把它关上。你应该让他自己来恢复原状，否则你所造成的伤害是无法估量的。

　　离开了行动和实验，一切推理都是没有结果的。

　　感觉和灵魂一样，其精神奥秘有待于品味。

　　为什么乳香能使人们产生神秘感，龙涎香刺激人的欲念，紫罗兰能使人回忆起逝去的浪漫时光，荫香能使人晕头转向，金香木使人变得胡涂？

　　我经常考虑创立一门名副其实的芳香心理学，对于有甜味的草木的根和授粉期的香花、香油，有香气的深色树木，能使人致病的甘松香，能熏人致疯的枳桔以及据说能使人得忧郁症的伽南香，准备分别测定它们的功效，噢，同时千万别忘了还有女人香。

　　现代生活迫使人显露出内心的真相。

　　我轻视一切伪装和虚构。像我这样的人，就很快活。头脑简单，到处跳舞，生性好动。会紧紧拥抱自己的朋友。意志薄弱，听了笑话就哈哈大笑。

　　有时候我也显得感情深厚。会高声大嚷"我爱你"，或者是"这一点我相信"。但就在你被这套"信誓旦旦"所感动的时候，我会把你偷个精光。

　　爱在拒绝接受会使他自己致命的誓言时，还拒不承认使他在这种条件下生活的强权。

　　人的灵魂在躯体内很不稳定，常常会发生神秘的变化。

　　一个讨厌鬼就是那种自以为是、口若悬河的人。不管别人说什么他都要争辩一番。

　　如果你说你喜欢什么东西，他马上就要告诉你，你的爱好是不对的。

　　一个讨厌鬼总是千方百计地使你觉得自己是个笨蛋。不管你说什么，他都要比你知道得多一点。不幸的是，我周围这种人太多。

当所有爱都证实不能把人内心的贫困减轻多少之时，宗教就变成了一种真正的、给人以希望的手段了。爱成了人内心的敌人，因为爱是如此可怕。

使人深感兴趣的是，仇恨竟会这样为人所青睐，几乎像是一种爱恋，刀锋和伤口互相渴求。

怨恨的进程大半都取决于受害者的受伤程度，有的哭出声来，有的默默地咽下伤痛，关于后者，你可以写一部人类的内心活动史。

我对于伟大的、单纯而原始的东西有一种不可思议的憧憬，我觉得我们对"自然"眺望得太多，同它生活得太少。

普通人总是等待生活自己向他们揭示生活的奥秘，但也有少数上帝的选民在帐幕拉开之前，生活的奥秘就已经展示出来。有时候，这是艺术产生的效果；主要是归功于直接诉诸感情和理性的文字。但是有时也会出现某个不寻常的人物取而代之，占据艺术的地位；实际上个人本身就是一个真正的艺术品，因为生活正像诗歌、雕塑或绘画一样，有它呕心沥血的杰作。

虽然正当春天，我已经在收获了。青春的活力和热情已经在他身上萌发，而且他已意识到了。眼看他一步步地演变，真是其乐无穷。他有美丽的面容、美丽的灵魂，真是个人间尤物。至于这一切如何告终、或命中注定要如何告终，则无关紧要。

他就好像是露天表演或戏剧中一个受人喜爱的主角，他的快乐和我们的关系不大，但是他的悲伤却能激起我们心中的美感，他的创伤就像鲜红的玫瑰。

富于感情的人显得软弱——他总觉得自己满身全是弱点。但是，假如他承认自己的弱点，承认自己的离群，从而能深入到自己的内心世界，不断加深自己的孤独感，那么他就会发现，他和其他孤独的人是心心相印的，他在这个世界上并不是孤掌难鸣。

人的躯体是一种不平衡的、不稳定的物质组织，随时有突然离我们而去的危险。它会离去，这是真的。这个有机体，在它有力量维持自己形体的时候，在它能够从自己周围的环境中吸收它所需要的养分时，它能吸取一种反方向的热量流，使其他事物能为它所用，然后把渣滓以简单的方式还给世界。

谁都不能忍受别人和我们有同样的过错。

我从来不知这个想法是否正确，我考虑的只是我本人是否相信。

一种想法是否有价值与说了这种想法的人是否出于真心是毫无关系的。确实有这种可能：一个人越是不真心，他的想法就越显得有道理，因为这时他的想法不会涂上需求、欲望和偏见的色彩。

我喜爱人们远远胜于喜爱原则；喜欢女人远远胜于喜爱男人。

我对双亲产生了一种温柔的感激之情，首先是因为他们漫不经心地抚养了我，我才有工夫想入非非；其次是由于他们因男女关系问题而离异。

这至少是父亲提出的理由，只是他忘了说清楚那是一种特殊的奸情；他的妻子真是世间一位女圣人，天真地献身于受苦受难的人们，他忍受不了妻子的善举。

丈夫认为有权支配妻子的贞操。同样，妻子认为有权支配男人所有的梦想。

自我牺牲应该受到制止，劝别人作自我牺牲的人真令人怀疑。

正派女人是为爱情而结婚的。

可是一到爱情枯竭之时，她们便会自由自在地去爱旁人。没有一个大方的丈夫会反对这种事儿，因为他们也要自由自在地去爱旁人。这是合乎习俗的，也不完全是什么坏事情。但这是一种新习俗。

我认为，众议院对幸福的婚姻生活最大的打击，在于创立了一种可怕的学派，叫做"妇女高等教育"。于是，结了婚的女人总在反思：幸福到底是什么。

假如美丽的姑娘是陷阱，那么每个聪明的男子都喜欢跳进这个陷阱。

对迷人的女人来说，性别是一种挑战，而不是防御。

女人不会被甜言蜜语解除武装，而男人总是在甜言蜜语面前俯首贴耳。男女两性之间的区别就在这里。

在通常的假设下，尽管灵魂的存在是无法证明的，但是人们的所作所为就好像有灵魂的存在似的。

他们的所作所为就如同他们是从另一个地方、另一种生活里来的。

他们具有的冲动、欲望，并不是这个世界上所有的东西，也不是用我们通行的假设所能说明的。按照通行的假设，人类的命运就是一项最灵巧不过的体育运动。当它尚未变得令人厌烦的时候，它是那样的迷人。然而，最终它还是变成了幽灵，虽经常出没，但人们避之惟恐不及。

自我牺牲应该受到制止，劝别人作自我牺牲的人真是道德败坏。

每个人都喜爱品味。如果你能打动人们的灵魂，或者叫他们凄怆哀悯，或者叫他们惊惧恐慌，这不也是一种奇妙的行使品味的方法吗？

世界一直跟在你后面。

它赠给你一杆枪或一台机床，在这方面或那方面孤立你，给你带来失败或胜利的消息，把你推得前仰后合，剥夺你的权利，切断你的未来。

世界是笨拙的，或者是灵巧的；它具有压制性、背叛性、杀人性；它阴险、淫荡、好色，出乎意料地幼稚或可笑。不管你干什么，你都不能把它驱走，甚至你要与它同谋。

有人说灾难不幸可以使人性高贵，这句话并不对，叫人做出高尚行动的时候反而是幸福得意的；江洋大盗虽得不义之财，也会施舍，做些善举；灾难不幸在大多数情况下只能使人们变得心胸狭小、报复心更强。

一个以手快自豪的扒手对一个把装满贵重首饰的皮包丢在车上的粗心大意的女人一定会感到有些恼火，这是成心让他发挥不了他的专长。

错误可能寓于我们的体内，寓于我的体内。

我们的视力太弱，而且我们常常有盲点。

我们不知道自己的姓产于何时，不知道某个遥远的先祖如何得到它的。

我们对自己的姓名根本不理解，不知道它的历史，但我们使用时却无比忠诚，我们与它化为一体，我们喜欢它。说来荒唐，我们竟会为它感到骄傲，仿佛它是我们得到了某个灵感而想出的。

脸和姓名一样。一定是在我童年行将结束之时发生了这样一件事：我久久地照镜子，结果终于相信所看到的确实是我自己。

我这个时期的记忆已经很模糊，但我知道，发现自我是非常令人陶醉的。

不过，当你站在镜子前，你会问自己：这是我吗？为什么？我为什么要与这认同呢？这张脸与我有什么关系呢？这时，一切都将崩塌。

哪怕到了生活割了我的舌头的那一天，我的灵魂仍会呐喊！

爱，它是力量，它是强权，人们可以毁灭它，但不能使它改变，它用它那双茫然迟钝的眼睛望着我头上的天空。

爱，它是主人，惟一的上帝，它的无可争议的国土，存在善良的心上。

就像失去重心时可用摇晃求得重新保持平衡，或者是用承认神经有点不正常来表明自己的理智清醒，我喜欢对自己开玩笑，这样别人就开不了我的玩笑了。

人类对性的反映与才智、经验、履历、知识、教育或者真理是完全无关的。

世界似乎就是游戏，在这种游戏里，有乐有忧，有道德亦有堕落，有睿智亦有愚昧，有善亦有恶。当然，我的游戏到善为止，如果这行得通。

我曾有过三任夫人，她们都很伤心地离我而去了。其

实，她们都是一些很不错的人。现在想一想，和她们最终的
分手都是因为我的过错。

我是一个游戏感很强的人，许多年来我一直生活在一种
浮躁的状态中。我喜欢女人，她们能给我活力，我几乎为她
们付出了我的全部。

在我44岁生日的那天，我在镜子里认真地端详了一下
自己：我看到了一个陌生的男人，在这个男人的脸上我看到
了许多令我悲伤的东西。那个男人好像不再是我，而是一个
罪恶深重的人。

这种自我的反省只是一瞬间的事儿。当那些和我一样喜
欢游戏的女人出现的时候，我就会奋不顾身地投入到她们当
中

我就是这样一个人。我不再奢望会有第四任夫人了，我
发现现在大多数的女人都是一些和我一样喜欢游戏的，我不
知道她们是否会有痛苦，是否和我一样常常会感到堕落……

如果罪恶和痛苦在创世时就被完全排除掉，游戏还能继
续下去吗？

有时候政界生涯是一种崇高的事业。

有时候它则是一场明智的败局。有时候它是一种巨大的
孽障。

当绝对在这世界上表现为善时，恶也自然而然联带着出
现。没有地壳灾变的那种无法想像的恐惧，你就绝不会见到
喜马拉雅山的壮丽景色。

中国烧瓷的匠人能够把花瓶烧得像蛋壳一样薄，烧得造
形那样优美，点缀上美丽的花饰，着上迷人的色彩，涂上荣
誉的光泽。但是，由于它的本质是瓷，你就没法改变它的脆

弱性。如果失手落在地上，它就会变成许多碎片。

我们在这世界上所珍视的一切美好的、有价值的事物，只能和丑恶的东西共同存在。互相衬托，互相映照，各自体现各自的价值。

尽管我尊重别人的信仰，甚至怀有某种钦佩之情，却还是只相信自己的福分。

既然我本人的信念在于模模糊糊地承认我会无功而受禄，那么，这信念就并非不是一种美德。所以，当我35岁左右，十几位批评家突然争夺起发现我的天才的光荣时，我丝毫不表惊讶。我的坦然，虽然有人归之于自满，却被圆满地解释为自信的谦逊。

人人都行善，那恶行怎么流行的呢？

在现代的这种返回平凡的潮流中，一切卑劣的东西，统统通过艺术与诗，被灵魂的至高无上的权力赎回了。

人们都有天亮之前醒来的经验：醒来之前，这一宿不是睡得又香又甜，几乎使我们觉得死是可爱的，就是熬过了一个充满恐怖和畸型欢乐的一夜，使我们的脑海里连绵出现比现实更可怕的幻影，它们的本性和生气隐蔽在千奇百怪的奇观之中，梦幻病者借此得以将世界创造得异彩纷呈。

凡有死亡之处，定有不朽存在。它是死亡的伴侣，也是死它的安慰。

品味是我们每个人随身携带的日记。

如果你把两张不同人脸的照片放在一起，你的眼睛立刻能感觉到它俩的不同。可是如果你把二百二十张人脸摆在一起，你突然会觉得这些都是同一张脸的许多变形，而根本不曾存在所谓的个体。个体被淹没了。

　　如果你爱一个人，你爱他的脸，那么他的这张脸与任何人就都不一样。仿佛他并不属于这个人类的集合体，所以你爱的也许只是一个积郁在你自己内心的幻觉。

　　美国是一个盛行说教的国家。它的人民往往把他们个人的体验当成有益的品味传给别人，指望迷惑别人，给别人带来判断上的无知。

　　试看历史上有多少极其固执的抵制手段，有多少自我折磨和自我克制等等怪诞离奇的方式，其根源盖出于一个怕字，其结局则比想像中的堕落不知道要可怕多少倍，可是人们出于无知，还幻想逃避堕落。而大自然却把遁世者驱逐到荒原里寻觅食兽充饥，让隐士们与野兽为伍，这岂不是绝妙的讽刺？

　　一种新享乐主义已经来插手改造生活了。

　　美国一直想摆脱当今莫名其妙地复活的那种苛刻的、不合时宜的清教主义。当然，新享乐主义也需要品味的帮助，但决不接受可能包含牺牲强烈感情的品味的任何理论或体系。

　　这种新的享乐主义的目的完全是为了品味它的自身，而不管体验的果实究竟是苦是甜。消灭感觉的禁欲主义，正如使感觉麻木的下流纵欲一样，都是与新享乐主义格格不入的。

　　新享乐主义只是教导人们把精力集中在生活的几个短暂的瞬间，因为生活本身就是转瞬即逝的。

　　人们对政治、对别人的利益越是冷淡，他们就越来越迷恋于自己的脸面。这是我们美国的个性主义。

　　社会培养你涣散，那打入你意识之中的速度，就同意识发展的速度一样。

真正的静谧，即沉思或神往的静谧，却处于睡眠或梦幻的边缘……我伸展着身体躺在美国，决心抵制它的特质利益，希望通过艺术来赎救，结果却落入了一场持续了几年，甚至几十年的沉沉空梦。

显然，我没有它所取得的东西，它所取得的是更大的力量、更大的勇气，更加超然的高度。

你不妨想像一下一个没有镜子的世界。你做梦看见你的脸，就把它想像成你的内在的外观。一天，当你 40 岁时，别人每次把一面镜子摆在你面前，想想你会多么害怕！

你将看见一张陌生人的脸，你将清楚地懂得那原先无法理解的道理：你的脸不是你。

体验一种品味、一种命运，就是完全地接受，完全地任由摆布和捉弄。

我喜欢谈品味，我一天到晚在谈品味。不过听别人谈品味，我可要不屑一顾。

听辩论品味是件很危险的事。因为你留心听了，你就会被说服，一个人被一场辩论说服是轻而易举的事。

什么是背叛呢？背叛意味着打乱原有的秩序，背叛意味着打乱秩序和进入未知，意味着在光天化日之下设置陷阱和迷宫。

生活就意味着观看人，纯粹意义上的观看，几近于冷眼旁观，无动于衷。

不论艺术上或政治上的极端主义激情，都是一种掩盖着的找死的渴望，是一种欲言又止的自渎的冲动。

假如你是一个体质衰弱的男子，又容易让人摆布，而你一看见什么地方有点土壤你就想扎根，那么，请你披上一幅能抵抗一切的甲胄吧；因为，假如你竟对你脆弱的个性让了步，随便在什么地方扎了根，你就不会长大，既不开花也不结果，你将像一株无用的植物一样干枯掉。

你的生命的树液将流淌在一块不相干的树皮上；你的一切活动的结果将和柳叶一般苍白；你只好用你自己的眼泪来灌溉自己，用你自己的心来滋养自己。

但是，假如你是一个狂热性的人，相信幻梦，并且要使幻梦实现的人，那么我干脆回答你：爱情并不存在。

深思熟虑的人的外表和举止往往不能和欠考虑的人相比，后者总是毫不迟疑地用自己的目光和手势表明自己的全部立场，把全部的爱和恨写在脸上。

每人身上都有一个可笑的或幻想的庄园。我永远不能把它集中起来，置于我的控制之下。

我必须挣钱过日子，但我设法在我想做的事情和我不得不做的事情之间，在必须和愿望之间，建立平衡品味，一种妥协是存在的，人生充满了类似的妥协。

我希望我过的是朴实、宁静、幸福的生活。尽管没有什么大作为，我将也是在"无所事事的平和"中过此一生。

没有什么不可救药的性格。

任何性格都有他内在的魅力和冲动。

要使一个人显示他的本质，叫他承担一种责任是最有效的办法，但也是最可能使别人甚至他自己产生错觉的办法。

摧毁性最大的武器是嘲讽，轻描淡写的嘲讽。

硬要人做任何都做不到的事情，在不能行使权力的地方行使权力，这就是暴力性格。

渐渐地，记忆回到我的脑海。还不如说我回忆到了记忆中，我在那发现了回忆，它在那里捕获我，直到把我戴上镣拷，送进青春的监狱。

我的梦想没有经得起事实的考验。现在清楚了，我曾经梦想成为一个完人，在人格上和品味上都受到尊敬。

家既不是衣柜，也不是笼中的鸟，而是我们所爱的人的存在。必须坚信，我们的爱就在那里。

睡眠不是生活的反面——睡眠就是生活，而生活就是梦。

理想是危险的东西。现实就好一些。当然现实会给人造成创伤，但毕竟要善意得多。

我像一切想把话匣子倒空的人一样，把听众的全部耐心都耗尽了。

为了达到某个目的，我必须采取某种新标准，甚至还必须勉强自己扮演一个角色；也许不得不自我欺骗一个时期，一直到真正开始适应为止；要用自己的手在已经涂过多次油彩的面纱上再涂上一层。

人把人高举到荣誉的宝座上。最后，正如同宫廷里的弄臣赞颂皇帝按在他肩头的御杖一样，人也为自己有着敏感的良心而异常骄傲。到了这一地步，对那些不肯受良心约束的人，他就会觉得怎样责骂也不过分，因为他已经是社会的一名成员，他知道得很清楚，绝对没有力量造自己的反了。

疯狂不过是遮住我的弱点的假面具罢了，我在奇想和滑稽中，看到踌躇的机会，我像艺术家和理论玩弄一样，我和实际玩弄，我把我自己当作我的正当行为的侦探，并且当倾听我自己的言语时，知道所说的只是"语言，语言，语言"。

我不去试做我自己的历史的主人公，却去做我自己的悲剧的旁观者，我不相信一切事物，就是对我自己也不相信，可是我的怀疑毫不能帮助我，这是由于我的分裂的意志而孕育出来的私生子。

一切创造在自身都否认主人与奴隶的世界。我们幸存在无法平等的社会里，这个社会只有在创造这层次上才会死去和改观。

深情体现了一种智力的悲剧，但是它只是间接地提出证据。它不能成为一种生活的目的、意义和慰藉。爱或不爱，这并改变不了什么。情感有时像一出吊儿郎当的恶作剧，在现实意志薄弱的时刻站出来攻其不备；如果用于遗忘和失眠，还显得太稚嫩。

我们的生命对我们来说是十分珍贵的，我们刻意不虚度年华。或许可以下一个更好的定义：个人命运感。是的，我觉得这比贪婪好。

评价自己和疯狂地吹捧自己是不同的。况且还有我们的计划和理想，它们也是危险的。它们可能像寄生虫一样消耗我们，啮食我们，吮吸我们，使我们成为行尸走肉。但我们却总想向寄生虫发出邀请，仿佛我们渴望被吮吸、被啮食似的。

我喜爱学识渊深的作家，他总是热衷于搜寻出每一件使某些英雄人物丢脸的细节琐事，真是令人拍案叫绝。

每当他列举出主人公一件件无情或者无品味的自私天性的例证，我的心就对他更增加一分欣赏和爱慕。

为了使灵魂宁静，一个人每天要做两件他不喜欢的事。人的性格的天机全是生活提供的。

我的为人处世的品味原则也许有些不合时宜，但我还是有一整套很时尚的性格为我的品味辩解。